máS

MORE

qUe

THAN

Tapas

TAPAS

ALMUZARA   vivendi
PRODUCCIONES

Directora editorial: Cristina M. Valseca
Director de arte: Carolo Martín
Coordinador gastronómico: Alberto Moya

Colección Gastronomía
Editorial Almuzara
Director editorial: Antonio E. Cuesta López
www.editorialalmuzara.com
pedidos@editorialalmuzara.com - info@editorialalmuzara.com

Imprime: Taller de libros, s.l. [www.tallerdelibros.com]

I.S.B.N: 978-84-96968-93-6
Depósito Legal: CO-865-08
Hecho e impreso en España - *Made and printed in Spain.*

Manuel Chaves González

Presidente de la Junta de Andalucía / President of the Council of Andalusia

La industria agroalimentaria es una de las piedras angulares de la economía andaluza, y su internacionalización uno de los mayores desafíos de las empresas que la integran y de las instituciones públicas responsables de la proyección exterior de nuestros productos.

Andalucía es origen de un tercio de la producción mundial de aceite de oliva, el mayor productor de aceituna de mesa, uno de los primeros productores de frutas y hortalizas, y cuna de algunos de los vinos de mayor prestigio internacional.

Estos y otros productos esenciales de la muy saludable dieta mediterránea, crecen en los campos andaluces como en ninguna otra región del mundo, y son la materia prima alrededor de la cual se ha desarrollado una dinámica industria agroalimentaria que ya compite con fuerza en los principales mercados del mundo.

Desde tiempo inmemorial, los frutos de nuestra tierra y de nuestros mares han encontrado el modo de saltar por encima de las fronteras para ser reconocidos por su excelencia. En pleno siglo XXI, la apuesta de nuestro sector agroalimentario por la conquista de los mercados exteriores cuenta con un aliado de excepción en las instituciones públicas. Conscientes de la importancia de la promoción exterior inteligente, empresas y administración estamos empeñados en la tarea apasionante de desarrollar herramientas originales con el fin de ampliar y reforzar la presencia de nuestros productos en los cinco continentes.

Este libro, en el que Andalucía resplandece gracias la fusión de los productos de su potente industria agroalimentaria con nuestra singular forma de presentarlos, las tapas, representa el modo de ser andaluz. Andalucía es fusión, mezcla, mestizaje de culturas, pueblos, razas y religiones, que a lo largo de su milenaria historia llegaron y se quedaron, aportando a esta tierra lo mejor de ellos.

The agri-food industry is one of the cornerstones of the Andalusian economy. Its internationalisation is one of the greatest challenges facing companies in the industry and the government agencies responsible for the international profile of our products.

Andalusia is the source of a third of the world's olive oil production, the largest producer of table olives, one of the top producers of fruits and vegetables and home to some of the most internationally prestigious wines.

These and other products essential for the very healthy Mediterranean diet grow in the fields of Andalusia as in no other region on Earth. They are the raw material around which a dynamic agri-food industry has developed, one which is already a strong competitor in the world's major markets.

From time immemorial, the fruits of our land and our seas have found a way to overcome borders and be recognised for their excellence. Now in the 21st century, the aim of our agri-food sector to conquer foreign markets has found an exceptional ally in government agencies. Aware of the importance of intelligent foreign promotion, companies and agencies are determined to taking on the thrilling task of developing original tools with which to extend and reinforce the presence of our products throughout the world.

This book, in which Andalusia dazzles thanks to the fusion of the products of its powerful agri-food industry and our unique form of presenting them, as tapas, represents the Andalusian way of being. Andalusia is fusion, combination, a cross of cultures, peoples, races and religions which over the course of its long history have arrived and settled here, bringing this land their very best.

For this reason, in order to prepare them we have not closed our borders. Rather, thirty of the world's most celebrated chefs have enthusiastically accepted the challenge of designing an original

Y por ello, para su elaboración no nos hemos cerrado en nuestras fronteras, sino que treinta de los más célebres cocineros del mundo han aceptado con entusiasmo el desafío de diseñar un plato original, incorporando alguno de los ingredientes de la variada oferta agroalimentaria andaluza. Desde el aceite al atún fresco, pasando por nuestros vinos y licores, amplia ha sido la lista de productos de nuestra tierra incorporados a estos platos de autor. No es sólo un libro de recetas, sino un merecido homenaje a la industria que mejor representa el despegue económico y el salto hacia delante de nuestra Comunidad.

Estoy convencido de que todo el que «deguste» la presente obra, en la que se funden la cultura gastronómica de veinte países y el genio de sus grandes chefs, reconocerá a Andalucía como origen de una de las más potentes ofertas agroalimentarias del mundo.

Manuel Chaves González

dish incorporating some of the ingredients from Andalusia's varied agri-food offerings. From oil to fresh tuna, including our wines and liqueurs, the list of the produce of our land incorporated into these signature dishes is a long one. This is not just a recipe book, but a well deserved homage to the industry which best represents our community's economic take-off and strides forward.

I am sure that all who 'sample' the present work, in which the culinary culture of twenty countries is fused with the genius of their great chefs, will recognise Andalusia as the source of one of the strongest agri-food industries in the world.

Manuel Chaves González

Ferrán Adrià

Prólogo

La cocina es un arte en movimiento. Y contra lo que algunos piensan, eso es así desde que un hombre frotó dos piedras y alumbró un fuego; y como consecuencia de esto los productos empezaron a viajar.

El aceite de oliva, por ejemplo, bandera de las cocinas de España, llegó a nosotros después de haber hecho escala en cada puerto del Mediterráneo. Y en cada escala contribuyó a crear no solo platos sino también una dieta, una manera especial de entender la vida.

La particularidad del viaje de los productos es evidente: al cambiar de sitio encuentran a cocineros que los miran con nuevos ojos, los arrancan a una rutina que los condenaba en su lugar de origen a repetirse y les dan una vida nueva.

Andalucía sabe eso desde siempre: fue la puerta por la que llegaron a Europa la mayor parte de los productos que hoy consume Occidente, y también la puerta de salida de productos que siempre han sido nuestros. Todos aquellos productos que nos llegaron tuvieron una primera interpretación andaluza: las conservas de pescado de almadraba, el tomate adoptado por el antiguo gazpacho, los escabeches... Precisamente, con la deconstrucción de un escabeche comenzó la creatividad en el Bulli, que también tuvo su gazpacho transformado, su ajo blanco y trabajos con la grasa del ibérico.

Ahora por medio de este libro, los productos que un día se afincaron en las tierras y costas de Andalucía, vuelven a viajar por el mundo. En cada caso han encontrado un cocinero que se adapta a ellos, los adapta a su manera de entender la cocina y los hace alternar con productos cosechados, criados o pescados a millones de kilómetros de distancia.

A eso se le puede llamar fusión o simplemente denominarlo cocina, ya que es así como se forjaron y evolucionaron todas las cocinas importantes.

Si hoy todavía la papa, la patata, muestra su mayor diversidad en Perú, su punto de partida, ni los incas ni sus súbditos habrían ima-

Foreword

Cooking is art in motion. And contrary to what some think, it has been so since man rubbed two stones together and made a fire. And as result of this, products began to travel.

Olive oil, for example, standard bearer of the cuisines of Spain, came to us after stopovers in every Mediterranean port. And at each stop it contributed to creating not only dishes, but also a diet, a different way of understanding life.

The unusual nature of a product's journey is clear: on changing location it meets cooks who look upon it with new eyes, who snatch it from a routine which it was condemned to repeat in its place of origin and give it new life.

Andalusia has long known this: it was the gateway through which the majority of products consumed in the West today came to Europe and also-, the point of departure for products that have always been ours. Almost all these products first had an Andalusian interpretation: preserves made from fish caught using the *almadraba* technique, the tomato adopted by the ancient *gazpacho*, pickles... It was in fact with the deconstruction of a pickle sauce that the creativity of El Bulli began, along with its transformed *gazpacho*, its *ajo blanco* soup, working with Ibérico pig fat...

Now, with this book, the products which at one time settled in the inland and on the coasts of Andalusia travel the world. In each case, they find a chef who both adapts to them or adapts them to his or her way of understanding cooking, combining them with products harvested, raised or caught thousands of kilometres away.

We can call it fusion, or simply cooking, as this is how all the great cuisines were created and evolved.

If today the *'papa',* the potato, is still found in its greatest variety in Peru, its point of origin, neither the Incas nor their subjects would have imagined a Spanish potato omelette, or *gratin dauphinois,* or the crisps which are so normal to us today.

ginado la tortilla de patatas, ni el *gratin dauphinois,* ni esas patatas fritas que hoy nos resultan tan habituales.

Desde el momento en que adaptamos los productos foráneos a nuestra propia técnica, los convertimos primero en platos europeos y universales después.

En este punto llegamos a lo que para mí es una clave de la cocina de Andalucía: la fritura.

La cocina se alimenta de productos pero crece y se desarrolla gracias a las técnicas. Una de las más reconocidas es la fritura y sin embargo, al haber sido mal realizada e interpretada en demasiadas ocasiones no ha gozado del respeto que merecen las grandes técnicas.

Incluso para nosotros, que como cocineros españoles la conocíamos y respetábamos, la experiencia directa, cuando llevamos nuestra cocina a Benazuza, en Sanlúcar la Mayor y en Sevilla, fue verdaderamente un redescubrimiento.

Ahora que las cocinas de España gozan de un gran reconocimiento mundial, es fundamental subrayar las técnicas e indicar el origen de los productos para explicar nuestra forma de alimentación.

Aunque Andalucía es más que tapas, las tapas son mucho más que comida: nos identifican, porque revelan una manera de vivir en sociedad y de reunirse en torno a la comida y a la bebida, dejando así de ser un hecho fisiológico para convertirse en un acto social.

Por otra parte, a mi, que me sentí cocinero por primera vez cuando aprendí de memoria las fórmulas de *El Práctico,* los libros me parecen un útil más de cocina, y tienen el mismo nivel de importancia que la sartén o el cuchillo.

Porque aunque hoy en día sea imposible reconstruir ciertos sabores del pasado, porque tampoco vivimos de la misma manera ni en el mismo entorno, gracias a los libros sí podemos aproximarnos a sus platos y comidas. Eso nos permite a los cocineros modificar en la continuidad del tiempo el alimento de los hombres.

Por eso me parece importante que un libro como éste sea el pasaporte con el que Andalucía viaja y que también sea un catálogo de productos andaluces en movimiento, reinterpretados, traducidos a las costumbres e idiomas de cocineros orientales, latinoamericanos, norteamericanos y europeos.

En cada caso, gracias a las recetas elaboradas con productos andaluces por los chefs internacionales que han fusionado con sus propias cocinas, el lector extranjero adoptará el producto final como un sabor propio, y el lector andaluz y el español, se preguntará ¿y por qué no?

En esa pregunta está el motor que ha permitido la evolución de la ciencia, del pensamiento, de las costumbres. Y también, por supuesto, de la cocina.

Ferrán Adrià

Ever since products from abroad were adapted to a home-grown technique, they have became first European dishes and then universal ones.

And so we come to what is for me a key to Andalusian cooking: frying.

Cuisines are fed by products, but they grow and develop thanks to techniques. Frying is one of the main ones. However, all too often poorly executed, and poorly interpreted on other occasions, rarely has it enjoyed the respect great techniques deserve.

Even for us, who as Spanish chefs were familiar with and respected it, direct experience – in Sanlúcar la Mayor and in Seville – when we took our cooking to Benazuza, was truly a rediscovery.

Now that the cuisines of Spain are enjoying unprecedented international visibility, anything that involves emphasising a technique, indicating the origin of a product, explaining a way of eating, is essential.

If Andalusia is more than *tapas, tapas* are much more than food: they identify us, because they reveal a way of living as a society, of coming together around food and drink, which ceases to be a physiological fact and becomes a social act.

And for me, who felt like a cook for the first time when I had learned the formulas of *El Práctico* off by heart, books seem yet another kitchen utensil, with the same degree of importance as the frying pan or knife.

Because although it may be impossible to reconstruct certain flavours, as we don't live in the same way or in the same environment as our ancestors, thanks to books we can get an idea of dishes, of foods. This enables us, the chefs, to modify the food of man on a continuing basis.

For this reason, it seems interesting to me that a book like this one is the passport on which Andalusia travels, while also being a catalogue of Andalusian products in motion, reinterpreted, translated into the customs and languages of chefs from Asia, South America, North America and Europe.

In each case, thanks to a foreign dish with Andalusian products made by international chefs, the reader from abroad will adapt the foreign product to his own taste, and the Andalusian, the Spaniard, will ask, 'Why not?'

In this question lies the driving force which has made it possible for science, thought and customs to evolve. And also, of course, cooking.

Ferrán Adrià

Andalucía: una historia para comérsela

Pan seco, vinagre, aceite y agua. Restos: del prerromano caspa, residuo, fragmento. El sufijo –acho, mozárabe, tenía igual significado. Magia de la cocina, la mezcla, vitaminizada por verduras, dará, sin cocción alguna, un plato que atravesará los siglos hasta ser moderno en el siglo XXI. Ese gazpacho de raíz latina y, hoy, color azteca –el del *tomatl* llegado de México a Sevilla– es una de las banderas arquetípicas de la gastronomía menos conocida y más universal de Europa.

¿Viajamos hacia atrás? Cuando aún faltan 5.900 años para que Jesucristo marque nuestra era, pleno Neolítico, ya triscaban cabras en Andalucía occidental. Y el ancestro del alfarero creaba cerámicas lisas. El detalle importa: «la fabricación de envases cerámicos permitió mejorar la producción, almacenaje y distribución de alimentos; ejemplos ilustrativos: la producción de queso mediante el empleo de vasijas con multitud de agujeros y la comercialización del *garum*», enseña *Iberos,* de José R. Pellón.

¿*Garum?* También, *liquamen:* jugo, salsa, en latín. El principal condimento en Roma desde el período etrusco. Hoy, lo más parecido sería el *nuoc man* oriental. El pescado fermentaba en una salmuera fuerte en sal, para evitar la putrefacción. El *garum sociorum* o *garum* de los aliados, el de mayor reputación, era fabricado en Bética, especialmente en Baelo Claudia. En la versión contemporánea del escritor gaditano Carlos Spínola, «era un líquido muy apreciado, resultado de la fermentación al sol de las vísceras o entrañas y carnes desmenuzadas y saladas de peces escómbridos, como caballas y atún, junto con sal y hierbas aromáticas...». La materia prima, el atún que emigra del Atlántico al Mediterráneo y que a partir del siglo XIII dará industria de almadraba (del árabe *al-mazraba:* cerco donde se golpea).

Andalusia: a history to be eaten

Dry bread, vinegar, oil and water. Leftovers: from the pre-Roman caspa, residue, fragment. The Mozarab suffix -*acho* had the same meaning. The magic of the kitchen, the combination, vitamin enriched by vegetables, produced with absolutely no cooking a dish which would travel along the centuries until it was modern even in the 21st. This *gazpacho* with Latin roots and today, Aztec colour – that of the *tomatl* brought from Mexico to Seville – is one of the archetypal standard bearers of the least known and most universal cuisines of Europe.

Shall we travel back in time? At the height of the Neolithic, when there were yet 5,900 years to go before Jesus Christ would mark our era, goats were already gambolling across Western Andalusia. The ancestor of the potter was creating plain pottery. The important detail: 'the manufacture of pottery containers made it possible to improve the production, storage and distribution of foodstuffs; illustrative examples: cheese production using earthenware vessels with a number of holes and the commercialisation of *garum*', José R. Pellón tells us in *Iberos (Iberians).*

Garum? Also called *liquamen:* juice, sauce in Latin. Rome's main condiment since the Etruscan period. Today the closest thing would be the Asian *nuoc man.* Fish fermented in a strong salty brine to prevent it from spoiling. *Garum sociorum* or *garum* of the allies, the most highly reputed, was manufactured in Baetica, especially in Baelo Claudia. In the contemporary version of the Cádiz writer Carlos Spínola, 'it was a highly esteemed liquid, the result of fermenting viscera or entrails and shredded and salted pieces of Scombridae such as mackerel and tuna in the sun, together with salt and aromatic herbs'. The raw material, the tuna which migrates from the Atlantic to the Mediterranean and which from the 13th century would give rise to the *almadraba* fishing industry (from the Arabic *al-mazraba:* ring where blows are struck).

En la Edad del Hierro, Andalucía da la talla: desde Almonte (Huelva) hasta la llamada Alta Andalucía (Jaén, Córdoba y Granada), se extendía el principal centro metalúrgico del mundo. Esa producción que se puede llamar industrializada revolucionó los aperos de labranza. Y la agricultura, por lo tanto.

Grecia y Roma; ibérico y aceite de oliva

Más tarde, los griegos les dejan otro alimento para siempre: la morcilla. Corolario natural de la matanza, ya que desde los iberos el tótem es el puerco ibérico criado en libertad, nutrido con esas mismas bellotas que, molidas, daban galletas ázimas al hombre. La bellota, único vegetal de la despensa que jamás pudo ser domesticado es otra señal de identidad de Andalucía. En general, la charcutería de Andalucía es herencia griega, igual que la gastronomía de la col –única verdura europea autóctona– y la de las lentejas. Miel, agua y vinagre componían el oximiel que los acompañaba.

Los romanos, prudentes invasores en la medida en que adaptaban y se adaptaban, sumaron –pequeñas lentejas egipcias y sobre todo cebolla– en lugar de quitar. Deslumbrados por el aceite de oliva de Andalucía, fletaban naves cargadas de ánforas de terracota en tales cantidades que el monte Testaccio, de Roma, está hecho de restos de esas ánforas. Así viajaba también el *garum*. En Cádiz, son contemporáneos los corrales de pesca, primeras piscifactorías europeas.

Y si el plato español no guardara muchas trazas del agridulce, el gusto preferido por los romanos, sí hereda la persistencia tenaz de la salmuera y el vinagre, condimentos y conservadores de alimentos, correctores de sabores excesivos. A propósito del vinagre –el de Jerez, hoy tiene rango de condimento gastronómico–, recordar que las legiones romanas que se apoderan de la Bética bebían vinagre mezclado con agua: la posca, que calmaba la sed.

Los árabes y el arroz

En 711, llegada del cereal, sin el que la mesa española lo sería menos, los árabes aportan el arroz y, más importante, su cultivo. Los arrozales de la desembocadura del Guadalquivir son así los más antiguos de Europa. No obstante, el filólogo Joan Corominas asegura que el arroz llegó a Iberia desde Persia, antes de la era cristiana: «su cultivo está documentado mucho antes de la conquista musulmana».

En cualquier caso, terminada la guerra de Reconquista son los ejércitos españoles los que llevan el arroz a Italia. Más aún, poco después, los tercios introducen en el Piamonte el *mantecatto:* esa terminación del arroz, mantequilla fuera del fuego, base del risotto. En la cazuela, el arroz de Al Ándalus debía quedar caldoso, cocción que plebiscitará el Mediterráneo entero. Única excepción, la paella seca. Arroz hasta en el postre: con leche y canela.

In the Iron Age, Andalusia stepped up: the world's main centre for metallurgy ran from Almonte (Huelva) to so-called Upper Andalusia (Jaén, Córdoba, Granada). This production, which we may call industrialised, revolutionised farming implements, and therefore agriculture.

Greece and Rome; Ibérico and olive oil

Later, the Greeks would leave behind another food for all eternity: *morcilla* sausage. This was the logical outcome of slaughtering time, as since the time of the Iberians, the totemic Ibérico pig had been raised free-range, nourished by the same acorns which when ground provided unleavened cakes for man. (The acorn, the only plant product in the larder which could never be domesticated, is another symbol of Andalusian identity.) In general, the charcuterie of Andalusia is a legacy of the Greeks, like foods made using cabbage – the only native European vegetable – and lentils. Honey, water and vinegar made up the oxymel which accompanied them.

The Romans, prudent invaders insofar as they both adapted and were adapted themselves, added – small Egyptian lentils and above all onion – rather than taking away. Dazzled by the olive oil of Andalusia, they chartered ships laden with terracotta amphorae in such quantities that Rome's Mount Testaccio is made up of the remains of these *amphorae*. This is how *garum* travelled as well. In Cádiz, contemporary developments were fish pens, the first European fish farms.

And if the Spanish dish did not contain many traces of sweet and sour, the taste preferred by the Romans, it did inherit the tenacious lingering of vinegar and brine, condiments and preservers of food, correctors of excessive flavours. Speaking of vinegar – today Sherry vinegar holds the rank of culinary condiment – we may recall that the Roman legions who took possession of Baetica drank vinegar mixed with water, *posca,* to quench their thirst.

The Arabs and rice

In 711 came cereals, without which the Spanish table would be the poorer: the Arabs imported rice, and more importantly, its cultivation. The paddy fields of the mouth of the Guadalquivir are thus the oldest in Europe. The philologist Joan Corominas insists that rice came to Iberia from Persia before the Christian Era: 'there is documentation of its cultivation long before the Muslim conquest'.

In any event, following the wars of the Reconquista, it was the Spanish armies that brought rice to Italy. And there was more, soon after, the Tercios introduced Piamonte to *mantecatto*: a dish of rice and butter, the basis for risotto. In the pot, the rice of Al-Andalus had to be brothy, a concoction which would become popular throughout the entire Mediterranean. The only exception, in paella the grain is dry. Rice even for dessert: with milk and cinnamon.

La fritura, el asado… las tapas

Fritura y Andalucía son sinónimos para cualquier gastrónomo que se precie. Normal: el cultivo del olivar comenzó en el sur de Asia Menor, Mesopotamia y Palestina entre el 10.000 y 3.000 a.C. Los fenicios llevan el olivar a costas andaluzas, aunque la Península contaba ya olivos silvestres o acebuches. También los cartagineses plantan campos de olivos en el sur. Pero son los griegos quienes implantan esa costumbre de freír, que los árabes perfeccionarán en sus zocos: buñuelos, pescaíto –ya, en cucuruchos de papel–, albóndigas de carne...

De hecho, la fritura fue oficio de árabes aún después de la caída del imperio Nazarí. Tan español como la fritura, el asado reinaba en el zoco con sus *mirka,* salchichas muy especiadas de carne de cordero. Y esas broquetas que once siglos más tarde persisten en los bares hispánicos, llamadas como cuadra, pincho moruno.

Por ahí llegamos al origen andaluz de las tapas, primas de las *kemias* magrebíes y los *mezze* libaneses, hábito llegado, junto con el escabeche –*scabetx* de los persas: sistema de conservación y condimento–, por esa puerta que abrieron los árabes. Si hoy las tapas son signo de identidad español, con sus variantes autonómicas, lo cierto es que la epidemia partió de Andalucía, en la memoria de soldados y emigrantes.

De los *mezzedès* griegos a las *kemias* del Magreb y de los *mezzes* libaneses a los *zakuski* rusos, la costumbre de comer mucho de poco tiene diversos representantes. Pero en Europa occidental las tapas llevan impreso «industria española» porque Andalucía fue puerta de entrada de productos y costumbres de Oriente. De hecho, en la lengua de los *seffaradim* expulsados de España en el siglo XV existía ya la palabra *meze.* Y el hábito: picotear, saltar de un manjar a otro, probar, satisfacer la sensualidad del apetito más que la rotundidad del hambre, privilegiar los matices por encima de la suculencia. O sea, ingredientes del festín llamado tapeo.

Un placer para compartir

Ir de tapas es, por definición, colectivo. Y en «¿salimos a comer?», los dos términos –salimos y comer– son igualmente importantes. No está prohibido tapear solo. Pero el ejercicio es casi imposible: las barras son puntos de encuentro, lugares de vida para ver pasar el ritmo de la ciudad. Por eso, el tapeo nunca podrá ser reducido a recetas de tapas. La calidad de un bar de tapas no está en la barra, sino en la sala. Más radical: un poco de cualquier guiso puede ser considerado tapa. El espíritu, los clientes, la animación, son en cambio inexportables.

La palabra «tapa» viene de lejos. Presumiblemente del gótico *tappa,* la lengua germánica de los godos y los visigodos; un idioma indoeuropeo. Pero ¿por qué se llaman así estas tapas que desde Andalucía conquistaron el mundo? Naturalmente, la etimología visigoda no las alude. Según Néstor Luján, ningún clásico gastronómico del XIX menciona tapas. Hay que esperar a 1939 para que la Real Academia

Frying, grilling … *tapas*

Frying and Andalusia are synonyms for any self-respecting gastronome. This is not surprising: cultivation of the olive began in Southern Asia Minor, Mesopotamia and Palestine between 10,000 and 3000 B.C. The Phoenicians brought the olive to the shores of Andalusia, although the peninsula already had wild olives. The Carthaginians also planted olive groves in the South. But it was the Greeks who introduced the tradition of frying, which the Arabs would perfect in their souks: fritters, *pescaíto* (small fish, already in paper cones), meatballs...

In fact, fried foods were the trade of the Arabs even after the fall of the Nazarids. As Spanish as fried dishes, grilling reigned in the souk with their *mirka,* highly spiced lamb sausages, and the brochettes which eleven centuries later would still be found in Spanish bars, fittingly called *pincho moruno* (Moorish snack).

And so we come to the Andalusian origins of *tapas*, cousins of the *kemias* of the Maghreb and Lebanese *mezze,* a habit which entered, together with pickling sauce – the *scabetx* of the Persians: a system of preservation and seasoning – through the door opened by the Arabs. If today *tapas* are a symbol of Spanish identity, with their local variants, what is certain is that the epidemic began in Andalusia, in the memories of soldiers and emigrants.

From the Greek *mezzedès* to Magrebi *kemias* and from the *mezzes* of Lebanon to Russian *zakuski,* the custom of eating a lot in little portions takes a variety of forms. However, in Western Europe, *tapas* are marked Made in Spain because Andalusia was the point of entry for products and customs from the East. In fact, the language of the Sephardim expelled from Spain in the 15th century already had the word *meze.* And the habit: nibbling, skipping from one delicacy to another, tasting, satisfying the sensuality of the appetite more than the force of hunger, favouring nuances over substance. In other words, ingredients of the feast known as *tapeo.*

A pleasure to be shared

Tapeo, going out for *tapas,* is by definition a group affair. In 'Shall we eat out?' the two terms – eat and out – are equally important. It is not against the rules to go out for *tapas* alone. But the exercise is almost impossible: bars are meeting places, lively spaces in which to watch the rhythm of the city go by. For this reason, *tapeo* could never be reduced to *tapas* recipes. The quality of a *tapas* restaurant lies not in what is on the bar but in the room. Even more radical: a small portion of any dish can be considered a *tapa.* In contrast, energy, customers, hustle and bustle, these are not exportable.

The word *tapa* has travelled far. Presumably from the word *tappa* in Gothic, the Germanic language of the Goths and Visigoths, an Indo-European language. But why are these *tapas* which conquered the world from Andalusia called this? Naturally, Visigothic etymology does not help us here. According to Néstor Luján, none of the 19th century's culinary classics mentions *tapas.* We must wait until

defina tapa: «un plato que acompaña el aperitivo». José Carlos Alonso, escritor andaluz, razona: «En la época de Carlos III –es decir de 1759 a 1788– el ejército tenía normas para evitar que la soldadesca bebiera de más. El secreto: equilibrar la ración de vino y de sólido. La ración equilibrada, recibida tanto por la vanguardia como por la retaguardia, fue llamada "etapa". Tapa sería una declinación».

Sin cambiar de siglo, aprovechemos para consignar la importante reforma de la agricultura certificada durante el reinado de Carlos III, gracias a las Sociedades Económicas de Amigos del País, creadas por su ministro José de Gálvez. El asturiano Pedro Rodríguez de Campomanes (1723-1802), educado en Sevilla, influido por la fisiocracia –se opuso a La Mesta, defendió la importancia de la agricultura para conseguir el bienestar del Estado y de los ciudadanos y la necesidad de una más equitativa distribución de la tierra– elaboró en 1787 un proyecto de repoblación de las zonas deshabitadas de Sierra Morena y del valle medio del Guadalquivir.

Para ello, y supervisado por Pablo de Olavide, intendente real de Andalucía, implantaron inmigrantes centroeuropeos, católicos alemanes y flamencos, para fomentar la agricultura y la industria en una zona despoblada y amenazada por el bandolerismo. El proyecto fue financiado por el Estado. Se fundaron así nuevos asentamientos (La Carolina, La Carlota, La Luisiana), en Jaén, Córdoba y Sevilla.

Hay moros en la costa, se habrían dicho los *gourmets* andaluces del siglo X, cuando el *muhtasib* de Sevilla prohibió el consumo de trufas acusadas de afrodisíacas. Ironía de la historia: por esa misma creencia de un efecto excitante, Italia lanzará en el siglo XVII la moda de comer trufas que aún perdura.

La gran transformación del campo andaluz

Según la *Historia de la Gastronomía española* de Manuel Martínez Llopis, la mejor prueba del desarrollo agrícola introducido por los árabes es el *Libro de la Agricultura* del célebre Abú Zacaría, habitante de Sevilla mediado el siglo XII. Los árabes fundaron un tipo de civilización urbana mantenida por una producción agraria muy diversificada, con un sistema de irrigación revolucionario que transformó los valles en vergeles, cultivos intensivos y la permanente introducción de nuevas especies: frutas, verduras, aromas, especias. Es decir, la transformación total del campo andaluz, fijado hasta entonces en los usos romanos.

Los árabes plantaron en Andalucía caña de azúcar, aportaron el arte de refinar el producto y la clave para preparar tartas y confituras. Los árabes darán ciudadanía andaluza al plátano, los dátiles y las palmeras, albaricoques, membrillos, melón y sandía. Y trazarán arabescos de especias –jengibre, canela, cilantro, nuez moscada, clavo, comino, pimienta...–, sendero de pólvora que estallará en todos los paladares europeos. Con los árabes llega también el hojaldre –de Andalucía viajará, crujiente a Francia–, las pastas de trigo duro y las empanadas de carne y pescado –colonizarán Galicia primero y América más tarde hasta convertirse, ya empanadillas, en plato na-

1939 before the Royal Academy would provide this definition: '*Tapa*, a dish which accompanies an aperitif.' The Andalusian writer José Carlos Alonso reasons: 'In the age of Carlos III — that is, between 1759 and 1788 — the army had rules to prevent rowdy soldiers from drinking too much. The secret: balance the ration of drink and that of food. The balanced ration, received in both the vanguard and rear guard, was called '*etapa'. Tapa* must be a declension.'

Without changing centuries, let us take this opportunity to record the significant agricultural reform of the reign of Carlos III, thanks to the Economic Societies of Friends of the Country created by his minister José de Gálvez. The Asturian Pedro Rodríguez de Campomanes (1723-1802), educated in Seville and influenced by physiocracy, was opposed to La Mesta, the association of sheep and cattle farmers: He defended the importance of agriculture to the wellbeing of the state and its citizens and the need for a fairer distribution of land. In 1787 he drew up a plan for repopulating the uninhabited areas of Sierra Morena and the middle valley of the Guadalquivir.

To do so, under the supervision of Pablo de Olavide, royal governor of Andalusia, immigrants from Central Europe, German and Flemish Catholics, were introduced to encourage agriculture and industry in an unpopulated area threatened by banditry. The project was financed by the state. And so new settlements were founded (La Carolina, La Carlota, La Luisiana) in Jaén, Córdoba and Seville.

The coast is not clear, as the Andalusian gourmets of the 10th century would have said to themselves when the *muhtasib* of Seville banned the consumption of truffles accused of being aphrodisiacs. The irony of history: because of this same belief in their exciting effects, in the 17th century, Italy started the trend of eating truffles which survives to this day.

The great transformation of the Andalusian countryside

According to *Historia de la Gastronomía española (History of Spanish Cuisine)* by Manuel Martínez Llopis, the best evidence of the agricultural developments introduced by the Arabs is the *Book of Agriculture* by the celebrated Abú Zacaría, resident of Seville in the middle of the 12th century. The Arabs founded a type of urban civilization maintained by highly diversified agricultural production, with a revolutionary system of irrigation which transformed valleys into gardens, intensively-farmed crops and the permanent introduction of new species: fruits, vegetables, aromas, spices. That is, the complete transformation of the Andalusian countryside, which had held firm to Roman customs until that time.

The Arabs planted sugar cane in Andalusia, brought with them the art of refining it and the key to making cakes and confectionery. The Arabs would extend Andalusian citizenship to the banana, date and palm tree, apricots, quince, melons and watermelons. And they would trace arabesques of spices — ginger, cinnamon, coriander, nutmeg, cloves, cumin, black pepper — a line of powder which would explode on the palates of all Europeans. With the Arabs also

cional de Argentina y Chile–. Para cerrar el tapeo, el zoco proponía turrones con almendras, piñones, avellanas y ajonjolí (sésamo).

Andalucía de las tres culturas para impregnar el plato con recetario judío. Por ejemplo, la adafina, madre de la olla podrida que atravesará Europa y ancestro de cocidos. Otra huella judía: numerosos postres en los que la leche de almendras es ingrediente principal, porque la leche de origen animal les estaba prohibida. Por lo mismo, árabes y judíos de Andalucía dominaron el arte de cebar gansos y patos para soslayar la prohibición de la grasa más usual, la del cerdo.

¿Y a que mucho francés ignora que –torpeza de la expulsión mediante– los judíos, que llevan la tecnología del chocolate a Bayona y Biarritz, transportarán hasta el este de Francia el arte del foie gras, que se impondrá luego a partir de Estrasburgo? Los árabes harán lo propio en el sudoeste francés, hoy capital de ese foie gras que, vueltas de la vida, tiene en España su segundo consumidor mundial. Patos y ocas galos se alimentan actualmente de maíz, contribución al tono amarillento de los hígados, introducido por Sevilla, gracias a la conquista de América: era el trigo de los mayas.

Del atún, como el cerdo, buenos hasta los andares

De la mar, la almadraba. En 1294 Guzmán el Bueno consigue el privilegio de pescar el atún y da larga vida a la almadraba. El arte de almadraba es uno de los más antiguos sistemas de pesca. Exige redes fijas y un mes y medio para montarlas; unas seiscientas anclas de más de 400 kilos las fondean. La del atún es una pesca industrial y artesana, con su idioma. El despiece del pescado se llama ronqueo. Es apreciada la ijada o parte interior-anterior, por su sabor y jugosidad.

La mojama –del árabe *musama:* seco–, es el sangacho o partes centrales del atún, saladas y curadas. Al sangacho se lo sumerge en sal durante 24 horas, en mayo y junio; se lo purga un día en agua y en fin, hay que «orearlo hasta que coja su punto de brisa y humedad marina». La mojama se presenta en piezas alargadas de casi un metro por 7 u 8 cm de ancho. De color marrón muy oscuro, consistente y de alto precio, debe ser conservada en lugar fresco y poco húmedo.

Aquello será no solo clave gastronómica –mojama, huevas, melva canutera hacen agua de mar la boca– sino también fuente de riqueza y atractivo para buscavidas que merodeaban por Cádiz en la época de almadraba, una tropa que el atún y sus dineros atraía. De ahí la palabra nueva: tunantes.

Del atún se puede decir lo mismo que del cerdo: son buenos hasta los andares. Hipócrates lo recomendaba a los hidrópicos «por su grato paladar, su beneficio para el estómago y como saludable medicina».

Desde Barbate viajan al mundo la mojama, el atún de aijá, ijada o ventresca, lintada, zorreta, espineta, tronco y hasta el estómago,

came pastry – which from Andalusia would make its crunchy way to France, hard wheat pasta and meat or fish pies, *empanadas.* (These would colonise Galicia first and the Americas later. As *empanadillas,* pasties, they would become the national dish of Argentina and Chile.) To complete the session of *tapeo,* the souk provided almond, pine nut, hazelnut and *ajonjolí* (sesame) nougats.

Andalusia, with its three cultures, would fill the table with Jewish recipes. For example, *adafina,* the mother of the *olla podrida* which would cross Europe and the ancestor of stews. Another trace of the Jewish: numerous desserts which use almond milk as their main ingredient, because milk of animal origin was prohibited. In a similar fashion, the Arabs and Jews of Andalusia mastered the art of fattening geese and ducks to get around the prohibition against the more usual fat, that of pigs.

Surely many French people do not know that with the blunder of the expulsion, the Jews, who brought the technology of chocolate to Bayonne and Biarritz, transported the art of foie gras to eastern France, where it would spread from Strasbourg. Arab fugitives would do the same in south-eastern France, today the capital of the same foie gras of which, how things change, Spain is the world's number two consumer. (Ducks and geese are today fed maize, giving their livers a yellowish colour. This product was introduced in Seville as a result of the conquest of the Americas: the wheat of the Mayas.)

Tuna, like the pig: even its walk tastes good

From the sea came the tradition known as *almadraba.* In 1294 Guzmán el Bueno was privileged to fish for tuna and endowed the *almadraba* technique with a long life. The art of *almadraba* if one of the oldest methods of fishing. It requires fixed nets and a month and a half to set them up. Some six hundred anchors weighing over 400 kilos hold them down. Tuna fishing is both industrial and artisanal and has its own language. Cutting up the fish is known as *ronqueo.* The most prized parts are the side or the front and back, for their flavour and juiciness.

Mojama – from the Arab *'musama':* 'dry' – is the *sangacho* or dark centre of the tuna, salted and cured. The *sangacho* is immersed in salt for 24 hours, in May and June. It is purged for one day in water and finally it should be 'air dried until it takes on just the right amount of sea breeze and moisture'. *Mojama* is made in long pieces measuring almost a metre by 7 or 8 cm. It has a very dark brown colour, solid consistency and high price, and must be kept in a cool, dry place.

It would not only be a key part of the cuisine – *mojama,* roe and bullet tuna make the mouth water, with sea water – but also a source of wealth and attraction for the go-getters who prowled Cádiz during *almadraba* season, a horde drawn by the tuna and its money. And from there came a new word: *'tunante',* or 'rogue'.

buche y las tripas secas, ingrediente de afamados guisos. Plinio ratifica que «el *garum* era cara mercancía, el licor de más alto precio si se exceptúan los ungüentos».

Secar o salar eran los únicos sinónimos de conservar. Para la salazón, el atún era previamente desviscerado. Pero no se tiraban las vísceras: fermentaban en piletas de mampostería. Técnicas cartaginesas continuadas por los romanos.

La colosal aventura de las Indias

Por donde venían los atunes, un día partirán carabelas. Nadie lo sabe aún pero, a su regreso, modificarán el metabolismo de la especie. Honor a los primeros exploradores, Colón a la cabeza, que describen y sobre todo prueban productos y platos desconocidos en tierras ignotas. «Aquellos españoles, lo hacen con la pasión de los hombres del Renacimiento, con la misma curiosidad. Lo apuntan con el júbilo que produce un descubrimiento y no con el estilo tenebroso de las dietas. Posiblemente ignoraban –Sophie D. Coe: *America's First Cuisines,* 1994– el proverbio japonés según el cual probar un nuevo plato añade 75 días de vida al valiente. Pero lo practicaban».

Así, la fecha del 12 octubre simboliza el descubrimiento de América pero también el de judías, patatas, pimientos, vainilla, tomates, cucurbitáceas, piña, maíz, aguacate, cacao, tabaco...

El viernes 2 de noviembre, en el *Diario de Colón:* «El Almirante envía al interior de las tierras –de Cuba– a dos hombres, uno se llamaba Rodrigo de Xeres y vivía en Ayamonte; el otro, Luis de Torres, había sido judío y conocía según él, el hebraico, el caldeo y un poco de arábigo». El Almirante les da muestras de especias y los envía a buscar más. Tres días más tarde y de la misma fuente: «Había grandes tierras sembradas de raíces, de una especie de haba y de una especie de trigo que ellos llaman *maize».*

El 6: «Ayer por la noche, los dos hombres regresaron... Habían andado 12 leguas y más de 500 hombres y mujeres les seguían para verles retornar a los cielos de los que, pensaban, provenían. Los dos cristianos cruzaron en camino a hombres y mujeres con un tizón encendido». Primera alusión al tabaco y primera víctima: Rodrigo de Xeres, de regreso en Andalucía, enciende uno de aquellos tizones... y la Inquisición lo encierra por endemoniado: «echaba humo por nariz y boca», es el cargo.

«Unas manzanas picantes»: Los pimientos

El 13 de diciembre: «Colón relata el descubrimiento de *calabazzas* que son cucurbitas que el Almirante confunde con la vieja *Lagenaria* cultivada en Europa». (Pitrat y Foury: *Histoire de légumes,* INRA, París, 2003). El 15 de enero de 1493, el *Diario* constata el hallazgo de «unas como manzanas que los naturales comen con avidez y que para nosotros son un poco picantes». Pimientos de todas formas y colores, cuyas semillas formarán parte de los obsequios con los que Colón desembarca en Sevilla, que lleva después a los bene-

Of tuna one can say the same as of the pig: even its walk tastes good. Hippocrates recommended it to dropsy sufferers 'for its pleasant taste, its benefits for the stomach and as a healthful medicine'.

From Barbate they travel to the world of *mojama,* tuna with their side and belly, centre and even stomach, mouth and dried intestines, an ingredient in famous stews. Pliny confirms that *garum* was expensive merchandise, the liqueur of the highest price with the exception of unguents'.

Drying and salting were the only synonyms for preserving. Before salting, the tuna's entrails were first removed. But the viscera were not discarded: they were fermented in masonry basins, using Carthaginian techniques continued by the Romans.

The great adventure of the Indies

Whence came the tuna, one day departed caravels. None knew it yet, but on their return, they would change the metabolism of the species. Glory to the first explorers, Columbus at their head, who described and above all sampled unknown products and dishes in undiscovered lands. 'Those Spaniards do it with the passion of Renaissance men, with the same curiosity. They make notes with the jubilation brought about by a discovery and not in the gloomy style of diets. Perhaps they were unaware,' states Sophie D. Coe in *America's First Cuisines* (1994), 'of the Japanese proverb which says that trying a new dish adds 75 days to the life of the brave man. But they put it into practice.'

Thus, the date of October 12th symbolises not only the discovery of America but also that of beans, potatoes, peppers, vanilla, tomatoes, gourds, pineapple, corn, avocado, cocoa, tobacco...

Columbus's Diary for Friday, 2nd November reads: 'The Admiral sent inland – on Cuba – two men. One was called Rodrigo de Xeres and lived in Ayamonte; the other, Luis de Torres, had been a Jew and said he knew Hebrew, Chaldean and a bit of Arabic.' The Admiral gave them samples of species and sent them in search of more. Three days later, from the same source: 'There were vast lands planted with roots, a sort of broad bean and a sort of wheat they call 'maize'.

The 6th: 'Last night, the two men returned [...] They had walked 12 leagues and more than 500 men and women were following them to see them return to the skies from which they thought they had come. The two Christians crossed paths with men and women with a lit ember.' The first reference to tobacco and the first victim: Rodrigo de Xeres, upon returning to Andalusia, lit one of those embers ... and the Inquisition locked him up as possessed: 'smoke emerged from his nose and mouth', that was the charge.

'Hot apples': Peppers

13th December: 'Columbus recounts the discovery of *calabazzas* (pumpkins), which are gourds which the Admiral confused with the old *Lagenaria* cultivated in Europe.' (*Histoire de legumes,* Pitrat

dictinos del convento extremeño de Guadalupe. Multinacionales del Renacimiento, las compañías monásticas hacían circular semillas y plantas. La nueva hortaliza se cruzará con tecnología europea, el molino, para dar el pimentón que asegurará cinco siglos de chacinería española.

Bajo Carlos I los granos fueron exportados a Hungría. Hoy, los húngaros producen 150 millones anuales de kilos de *paprika,* la versión local del pimentón español. Y consumen once kilos por persona y año. De monje en prior, la semilla desembarca en Calcuta. Luego conquista Oriente. Hasta convertirse en símbolo de cocinas como la tailandesa. Hacia 1585, la guindilla –chile, ají– se convierte en hortaliza en su contacto con tierra española. Tras conquistar el sur en su entrada por Andalucía, el pimiento pasa por Toledo y sube hacia el norte con escalas significativas en La Rioja y Navarra (pimientos del piquillo) o Galicia (pimientos de Padrón).

Colón, que equivocó la ruta de las especias, creará otra gastronomía de aromas y sabores. Y sin saberlo muere pobre y olvidado, el 21 de mayo de 1506. Deja en su sendero el mal llamado pimiento –Colón viajaba en busca de pimienta: confundió sus deseos con la realidad– y los hijos del pimentón: polvos de *Espelette* en Francia, *paprika* en Hungría, *peperoncino* en Italia. Novedad del ají americano en los *chutneys* y currys de India y de Tailandia, las *harissas* del Magreb o el *piri-piri* de África Negra.

Sigamos con el *Diario de Colón.* Siempre en 1493, el Almirante apunta la patata dulce. En marzo, de regreso de su primer viaje, ofrece esa *Ipomea batatas* a la reina Isabel. El tubérculo coloniza –nunca mejor escrito– Europa meridional. Y los viajeros, especialmente los portugueses que lo convirtieron en golosina, introducen en todas las regiones tropicales esta inestimable fuente de glúcidos.

El 4 de noviembre de 1493 –segundo viaje– Colón desembarca en Guadalupe y prueba la piña. En 1498 Andalucía cultiva ya el maíz, cuyos sembrados se extienden a la Península y frenarán hambrunas, especialmente en Galicia, en la que su harina permitirá el pan de *boronia* y las mejores empanadas de mariscos.

Tras el comienzo del intercambio en el segundo viaje –vacas, cerdos, caballos– la modificación de la gastronomía del Nuevo Mundo se redondea en el tercer viaje del Almirante. De Sevilla parten azúcar y plátano.

Los vinos de Jerez, Montilla, Málaga y Huelva

¿Vino viejo en odres ídem? En la *Oda Marítima* del historiador romano Rufo Festo Avieno –¿primera guía turística?– se lee que los fenicios habrían plantado *vitis vinifera* en Cádiz hace más de 30 siglos. Imaginemos que fue para brindar por la fundación de Gadir. Es ya Gades romana cuando Estrabón cuenta la historia en el Libro II de su *Geografía.* ¿Sabía usted que aquella Gades era la ciudad más poblada del mundo, detrás de Roma, con industria pesquera y

and Foury, INRA, Paris, 2003). On 15th January 1493, the *Diary* records the discovery of 'some apple-like things which the natives eat eagerly and which are a bit hot for us'. Peppers in all shapes and colours, whose seeds would form part of the gifts with which Columbus would disembark in Seville, and which he would later bring to the Benedictines of the Extremaduran convent of Guadalupe. Multinationals of the Renaissance, the monastic companies circulated seeds and plants. The new vegetable would encounter European technology, the mill, to produce the paprika which would ensure five centuries of Spanish pork products.

Under Carlos I, the seeds were exported to Hungary. Today, the Hungarians produce 150 million kilos of the local version of paprika annually. And they consume eleven kilos per person each year. From monk to prior, the seed disembarked in Calcutta. Then it conquered the East. It even became a symbol of cuisines such as Thai. Around 1585, the chilli pepper *–chile, ají–* became a vegetable when it landed on Spanish soil. After conquering the South upon reaching Andalusia, the pepper travelled through Toledo and moved north, making important stops in La Rioja, which today has a European PGI, Navarre *(piquillo* peppers) and Galicia *(Padrón* peppers).

Columbus, who got the spice route wrong, would create another cuisine of aromas and flavours. And without knowing it: he died poor and forgotten on 21st May 1506. He left behind the wrongly named pepper, *pimiento* – Columbus had journeyed in search of *pimienta*, black pepper, confusing his desires with reality – and the children of *pimentón:* powdered *espelette* in France, paprika in Hungary, *peperoncino* in Italy. The American *ají* was a new ingredient for the chutneys and curries of India and Thailand, the *harissas* of the Magreb or the *piri-piri* of Black Africa.

Let us continue with *Columbus's Diary.* Still in 1493, the Admiral made note of the sweet potato. In March, upon returning from his first voyage, he offered the *Ipomea batatas* to Queen Isabel. The tuber colonised – never better said – Southern Europe. And travellers, especially the Portuguese, who would turn it into a sweet, introduced this invaluable source of carbohydrates to the tropical regions.

On 4th November 1493 – second voyage – Columbus disembarked in Guadalupe and tasted the pineapple. By 1498, Andalusia was already cultivating maize, whose sown fields spread throughout the peninsula and checked famine, especially in Galicia, where its flour would make corn bread and the best seafood pies possible.

Following the beginnings of exchange on the second journey – cows, pigs, horses – the finishing touches were placed on the modification of the gastronomy of the New World with the Admiral's third voyage. From Seville departed sugar and bananas.

The wines of Jerez, Montilla, Málaga and Huelva

Old wine in bottles idem? In *Ora Maritima* by the Roman historian Rufus Festus Avienus – the first tour guide? – we read that the

conservera muy desarrollada y «fama de ciudad desinhibida, alegre y en cierto sentido viciosa», de acuerdo con Pellón?

Un lustro antes de que el vigía grite ¡Tierra!, los Reyes Católicos crean la primera organización de viñateros españoles. La Hermandad de Viñeros, cofradía de viticultores de Málaga, garantizará el prestigio y vitalidad del comercio de vinos entre los siglos XVII y XIX. En aquel siglo XIX, por otra parte, los *malligo sacks* o *mountain wines* de los ingleses, vinos de Málaga en Francia, serán considerados al mismo nivel que los *tokays,* los *sauternes* y el vino de Constanza; es decir, por encima de los vinos de Jerez.

En 1502, según documentos, del Condado de Niebla (Huelva) parten, con la expedición de Nicolás de Ovando, vinos locales con destino a las Indias. Su vitalidad comercial perdura hasta el XIX. Todo aquello termina con la filoxera. Pero gracias al excelente clima oceánico actualmente, los vinos del Condado representan 6.000 hectáreas y acompañan hoy como ayer, las gambas extraordinarias de Huelva, sus cigalas y las tapas de jamón.

Hay que aguardar hasta 1780, sin embargo, para que Jerez —cuyos vinos ya fueran cantados por Shakespeare y a los que el norteamericano Edgar Allan Poe inmortalizará con *El tonel del amontillado*— cuente con su Corporación de Viñateros, los primeros que mutan los vinos, encabezándolos con alcohol. En aquel Cádiz del XVIII, igual que en la Champagne actual, los viticultores eran gentes de poder: controlaban viñedo, bodega y comercialización.

Para impedir la especulación decidieron prohibir la guarda de vinos y vaciar las bodegas ante cada vendimia. El vino, en consecuencia, sería siempre del año. Pero en ese caso ¿qué hacer con el mejor cliente, Inglaterra, ese mercado abierto dos siglos atrás por el pirata Drake? Para que el *sherry* viajase, la Corporación decidió fortificar el vino. Y así nació el actual Jerez. El llamado Marco de Jerez incluye a la manzanilla.

Y como si eso fuera poco, Andalucía cuenta con otros vinos singulares, los Montilla-Moriles. Allí, la uva Pedro Ximénez reina, tanto para vinos secos como para los licorosos.

La Sevilla del XVI, capital mundial de la cocina

En el siglo XVI, príncipes y mendigos coinciden en Sevilla que será llamada Gran Babilonia española y «archivo de las riquezas del mundo». «En Sevilla florecen las casas de gula, restaurantes bien provistos, frecuentados por navegantes recién desembarcados —aburridos de bizcochos resecos y carne salada— y de ricos negociantes que celebran un contrato. El tabernero aporta la garrafa de vino de Huelva y propone jamón de Aracena, cordero, vaca. Si es viernes, anguilas y lubinas del Guadalquivir. El gastrónomo y poeta local Baltasar del Alcázar recomienda las berenjenas con queso. Del Aljarafe, alto jardín musulmán llegan verduras, frutas, leche, vino y miel de calidad excelente. Todo acompañado por el inimitable pan de Alcalá de Guadaira, Alcalá de los panaderos como la llaman» (*Séville, XVIe siècle,* Autrement, París, 1992).

Phoenicians planted *Vitis vinifera* in Cádiz more than 30 centuries ago. Let us imagine that it was to toast the founding of Gadir. It was then the Roman Gades when Strabo told the story in Book II of his *Geography*. Did you know that this *Gades* was the most populated city in the world, after Rome, with a high developed fishing and preserves industry and a 'reputation as an uninhibited, happy, and to a certain extent depraved, city'? In agreement with Pellón?

Five years before the lookout shouted 'Land ho!', the Catholic Monarchs created the first organisation of Spanish wine growers. The Brotherhood of Vintners, a confraternity of wine makers in Málaga, would guarantee the prestige and vitality of the wine business from the 17th to the 19th centuries. In the 19th century, the English Malligo sacks or mountain wines, Málaga wines in France, would be considered as of the same stature as Tokay, Suternes and Constanza wines, that is, above the Sherries.

In 1502, according to documents, local wines departed from the County of Niebla (Huelva) with the expedition of Nicolás de Ovando, bound for the Indies. The vitality of this trade would survive into the 19th century. All that came to an end with the phylloxera. However, thanks to the excellent seaside climate, and 1963's Condado wines currently account for 6,000 hectares and continue to accompany the extraordinary prawns of Huelva and its *tapas* of cured ham.

However, we must wait until 1780 before Jerez – whose Sherries were nonetheless praised by Shakespeare and immortalised by the American Edgar Allan Poe in 'The Cask of Amontillado' – would have its own Wine Growers Corporation, the first to alter the wines, fortifying them with alcohol. In the Cádiz of the 18th century, just as in today's Champagne, the wine growers were powerful people: they controlled the vineyards, wineries and trade.

To prevent speculation, they decided to ban storage of wine and empty the cellars before every grape harvest. Consequently, the wine would always be that year's. But then what to do with the best customer, England, the market opened up two centuries before by the pirate Drake? So that the sherry wine could travel, the Corporation decided to fortify it. And so today's Sherry was born. The so-called Marco de Jerez region includes manzanilla.

And as if that were not enough, Andalusia has another unique DO, Montilla-Moriles. There, the Pedro Ximénez grape rules for both dry wines and liqueurs.

16th-century Seville, food capital of the world

In the 16th century, princes and beggars could both be found in Seville, which would be called the Great Spanish Babylon and 'archive of the wealth of the world'. 'In Seville there flourished "houses of gluttony", well-stocked restaurants frequented by newly arrived seafarers – bored of dry biscuits and salted meat – and wealthy businessmen celebrating a deal. The landlord provided the carafe of Huelva wine and offered ham from Aracena, lamb, beef. If it was Friday, eels or sea bass from the Guadalquivir. The gourmet and lo-

En 1534 la patata entra oficialmente en Europa. La puerta es Andalucía. Pero en 1580, es decir 88 años después del descubrimiento del maíz y a 43 años del hallazgo de las patatas, Sevilla, ese «microcosmo de oro y de barro, ciudad de más de 100.000 habitantes y una de las mayores aglomeraciones de la Europa de entonces» –*Séville XVI siècle*–, «tras años de sequía, de malas cosechas e invasiones de langostas, importaba grano de Francia, de Sicilia y de otros países, medida no siempre apreciada por la población. Porque el llamado trigo del mar llegaba embebido de agua salada, por negligencia en el embarque».

En cambio se sabe que hacia 1560 crecen tomates en un huerto de la calle Sierpes. Concretamente, en el domicilio de Nicolás de Monardes, nacido en Sevilla y fallecido en la misma ciudad. Monardes se doctoró en la Universidad de Sevilla en 1547 y allí ejerció. En su amplia bibliografía, un libro dedicado a las rosas y los cítricos (*De Rosa et partibus eius,* en 1540) y el más importante: *Historia Medicinal de las cosas que se traen de nuestras Indias Occidentales* (1574). Monardes, consciente de las posibilidades medicinales de los productos que llegaban del Nuevo Mundo decidió estudiarlos y experimentar. Gracias a él, Europa se familiarizó con la piña tropical, el cacahuete, el maíz, la batata, la coca o la zarzaparrilla.

Otro notable de Sevilla, el doctor Luis Lobera de Ávila publica en 1530 su *Vergel de sanidad* primer libro de cocina enteramente español pero que, curiosamente, hasta 1542 no tendrá edición española. Otro dato certificado: el 26 de enero de 1577, en carta fechada en Toledo, Teresa de Ávila da las gracias a la madre María de San José, de Sevilla, por un envío de patatas. Más concreto, en 1618, un óleo documenta otro: en un cuadro que narra la vida cotidiana en Sevilla, Velázquez muestra una vieja que fríe dos huevos en aceite de oliva. Es decir en esa grasa recomendada ya por Isidoro de Sevilla, santo y escritor del siglo VII.

La gastronomía del mestizaje y la imaginación

En *La imaginación al perol,* su autobiografía con recetas, Marina Domecq, andaluza por los cuatro costados, define: «Andalucía ha desarrollado una cocina llena de ingenio a fuerza de aprovechar los productos que le tiende su entorno. También ha sabido recoger y conservar tradiciones de cada uno de los pueblos que en ella se instalaron desde la Antigüedad, supliendo las posibles carencias con un alarde de imaginación».

Y como la moda es un continuo retorno, desde el fondo de los siglos –pero con la higiene y el conocimiento actual– el jamón ibérico, el atún de almadraba, la lubina de estero, las verduras de la piriñaca y ese gazpacho que proporcionaba vitaminas sin saberlo, con su vinagre y ese aceite que los romanos se llevaban, se pasean por el mundo con permiso de la autoridad.

Médico y humanista español, hacia 1950 Gregorio Marañón explicaba así el gazpacho: «sapientísima combinación empírica de todos

cal poet Baltasar del Alcázar recommends aubergine with cheese. From the high Muslim garden of Aljarafe came vegetables, fruits, milk, wine and honey of excellent quality. All accompanied by the inimitable bread of Alcalá de Guadaira, Alcalá of the Bakers, as they call it.' (*Séville, XVIe siècle,* éd. Autrement, Paris, 1992).

In 1534 the potato officially entered Europe. The gateway was Andalusia. But in 1580, 88 years after the discovery of maize and 43 years after potatoes were found, Seville, that 'microcosm of gold and clay, city of over 100,000 inhabitants and one of the largest urban areas in the Europe of the time,' *Séville XVI siècle,* 'after years of drought, of poor harvests and plagues of locusts, imported grain from France, Sicily and other countries, a measure not always welcomed by the population. Because the so-called sea wheat arrived soaked in salt water due to negligence during loading.'

In contrast, it is known that around 1560 there were tomatoes growing in a garden in Sierpes Street. To be specific, at the home of Nicolas de Monardes, who was born in Seville and died in the same city. Monardes obtained a doctorate from the Universidad de Sevilla in 1547 and there he practiced. In his extensive bibliography there is one book dedicated to roses and citrus fruits (*De Rosa et partibus eius,* 1540) and the most important: *Historia Medicinal de las cosas que se traen de nuestras Indias Occidentales* (*Medicinal History of the Things Brought From Our Western Indies,* 1574). Monardes, aware of the medicinal possibilities of the products arriving from the New World, decided to study them and experiment. Thanks to him, Europe became familiar with tropical pineapple, peanuts, maize, the sweet potato, coconut and sarsaparilla.

Another outstanding Seville resident, Doctor Luis Lobera de Ávila, published his *Vergel de Sanidad (Garden of Health)* in 1530. This first entirely Spanish cookbook would, curiously enough, not have a Spanish edition until 1542. Another certified fact: on 26th January 1577, in a letter sent from Toledo, Teresa de Ávila thanked Mother María de San José of Seville for a package of potatoes. More precisely, in 1618, one oil documents another: in a painting representing everyday life in Seville, Velázquez shows an old woman frying two eggs in olive oil, that is, in the fat already recommended by Saint Isidore of Seville, 7th-century saint and author.

The gastronomy of cross-breeding and the imagination

In *La imaginación al perol (Imagination in a Saucepan),* her autobiography with recipes, Marina Domecq, an Andalusian to the core, says: 'like almost every region in which the poverty of its inhabitants has been coupled with the wealth of its raw materials, Andalusia has developed an ingenious cuisine by making good use of the products offered by its surroundings. It has also succeeded in collecting and preserving traditions from each one of the peoples who have settled here since Antiquity, replacing possible shortcomings with a show of imagination.'

los simples fundamentales para la buena nutrición que, muchos siglos después, nos revelaría la ciencia de las vitaminas».

El andaluz supo comer con iberos y visigodos, con griegos y romanos, con judíos y árabes, con incas y con aztecas. Normal entonces que ahora sus productos salten de continente en continente.

Los cronistas de Indias redactaron la más fabulosa compilación de recetas posibles, dieron al mundo las especias, hortalizas, hierbas que configurarían más tarde el plato común europeo: el puré de Robuchon, el chocolate en taza, la flor de calabacín de Maximin, la tortilla de patatas, los pimientos rellenos, el gazpacho, el helado de vainilla, los tomates a la provenzal, la mousse de chocolate, las patatas fritas, los pimientos del piquillo, la crema inglesa, el *gratin dauphinois,* la sopa de calabaza de Bocuse, la polenta, la salsa de tomate, el *cassoulet,* el pavo navideño...

Este libro es la crónica de otros viajes: productos andaluces se cuelan aquí en recetas alemanas, argentinas, brasileñas, belgas, chinas, francesas, inglesas, japonesas, luxemburguesas, mexicanas, peruanas...

Una prueba más de que solo lo que es local puede ser universal.

Óscar Caballero

And as fashion has been a constant cycle ever since the dawn of time – with today's hygiene and knowledge – Iberian cured ham, tuna caught using the *almadraba* technique, estuary sea bass, the vegetables of *piriñaca* salad and that *gazpacho* which provides vitamins without realising it, with its vinegar and the oil which was carried off by the Romans, are allowed free passage to travel the world.

Around 1950, the Spanish doctor and humanist Gregorio Marañón explained *gazpacho* in this way: 'extremely wise empirical combination of all the simple fundamentals for good nutrition which, many centuries later, would reveal to us the science of vitamins.'

Andalusians have been able to eat with Iberians and Visigoths, with Greeks and Romans, with Jews and Arabs, with Incas and Aztecs. It should not then be surprising that now their products skip from continent to continent.

The chroniclers of the Indies put together the most fabulous compilation of recipes possible. They gave the world spices, vegetables and herbs which would later shape common European dishes: the purée of Robuchon, drinking chocolate, Maximin's courgette flower, Spanish potato omelette, stuffed peppers, *gazpacho,* vanilla ice cream, tomatoes *a la Provence,* chocolate mousse, crisps, piquillo peppers, *crème anglais, gratin dauphinois,* Bocuse's pumpkin soup, polenta, tomato sauce, *cassoulet,* Christmas turkey....

This book is the chronicle of other journeys: Andalusian products make their way into recipes from Germany, Argentina, Brazil, Belgium, China, France, England, Japan, Luxembourg, Mexico, Peru....

Further proof that only the local can be universal.

Óscar Caballero

Andalucía Recreación

La identidad culinaria de Andalucía es única. Su definición también ha de serlo pues debe ceñirse a una sola verdad, su realidad actual: la cocina andaluza del siglo XXI. Todo lo anterior, que es mucho, ha quedado atrás superado por el continuo devenir de los tiempos, pero nos ha de servir para comprensión y entendimiento de su cambiante historia. Trataré a continuación de trazar un esbozo de las realidades y los sueños que la conforman. Permítanme que para ello siga el ritmo flamenco-fusión de una canción del grupo Ketama que nos viene al pelo. Nos canta que «no estamos locos/ que sabemos lo que queremos/ vive la vida igual que si fuera un sueño/ pero que nunca se termina/ que se pierde con el tiempo/ y buscaré».

Sabemos dónde estamos

En la Antigüedad, Andalucía fue siempre el Occidente, tierra mítica donde el hombre encontraba la felicidad y la fortuna. Un paraíso cálido de luz, agua y sombra bajo la que sestear, al que solo se accedía tras haber purificado tres veces el alma según cantara el poeta Píndaro.

Desde que Noé envió a su nieto Tubal a poblar el occidente tartésico, muchos han sido los pueblos y gentes que han cruzado el umbral que marcan las imaginarias columnas que, desde que Hércules las implantara, dan acceso franco a lo meridional de la península ibérica: Turdetania, Tartesos, La Bética, Al-Ándalus, Andalucía, todas son una y magnífica.

En la historia y vida reales esta idílica visión encuentra su razón de ser y su correspondencia en sus características geográficas y la bondad de su clima; así como en la gran fertilidad y abundancia de sus tierras y los dos mares que la bañan.

Andalusia Re-creation

The culinary identity of Andalusia is unique. Its definition must also be so, as it has to keep to a single truth, its current reality: Andalusian cuisine of the 21st century. Everything earlier, which is a great deal, has remained behind, superseded by the steady course of time, but it must serve to allow us to comprehend and understand a changing history. In the following, I will attempt to sketch an outline of the realities and dreams which comprise it. To do so, please allow me to follow the flamenco fusion rhythms of a song by the group Ketama which is relevant here. They sing that 'we aren't crazy / we know what we want / to live life just like it was a dream / but one which never ends / which becomes lost in time / and I will seek'.

We know who we are

In Antiquity, Andalusia was always the West, the mythical land where man found happiness and fortune. A warm paradise of light, water and shade in which to have a nap, to which one could gain entry only after having purified the soul three times, according to the song of the poet Pindar.

Since Noah sent his grandson Tubal to populate the Western lands of Tartessos, many have been the cultures and peoples who have crossed the threshold marked by the imaginary columns which, ever since Heracles set them up, have allowed open access to the southern Iberian Peninsula: Turdetania, Tartessos, Baetica, Al-Andalus, Andalusia, all are one and magnificent.

In history and real life, this idyllic vision finds its raison *d'être* and its reflection in Andalusia's geographical features and the excellence of its climate, as well as the great fertility and abundance of its lands and the seas that bathe its shores.

Sabemos lo que comemos

La culinaria popular andaluza hunde sus sabias tradiciones en las diferentes grandes culturas. Como punto de encuentro entre todas ellas, ha ido sincretizando sus creencias, asimilando sus conocimientos, recogiendo sus esencias y guardando sus misterios y secretos.

La cocina andaluza es un suculento caldo de puchero en el que durante siglos se han infusionado una ingente y variadísima cantidad y calidad de sapiencias y sabores. Por poco que a muchos les guste aplicar el concepto y la palabra «fusión» a la cocina, la realidad incontestable es que ambas se cuecen juntas y son –como deja dicho el gran maestre Adrià al inicio– cuasi la misma cosa, máxime cuando escribimos de la cocina andaluza de hoy.

Para llegar hasta aquí hemos transitado por la cocina comercial de los fenicios, por el clasicismo griego, la cocina del Imperio Romano y la de Al-Ándalus. Estrenamos la del Nuevo Mundo como cocina de ida y vuelta, hemos atravesado siglos de hambruna y desierto culinario. La hemos visto sobrevivir de la mano de la femenina constancia e ingenio y afrancesarse en la cocina internacional de la pudiente alta burguesía y el turismo, para llegar finalmente al trasiego generalizado de influencias de otras cocinas tanto españolas como extranjeras.

La cocina andaluza del siglo XXI es la fusión de mil otras cocinas; un revuelto de «complejos fenómenos de intercambios, de cruces y contaminaciones» –como lo define M. Montanari– que dan lugar y generan nuestra cultura gastronómica. Una realidad a la postre conformada por una riquísima gama de productos de sus tierras, mares y aires y un extraordinario recetario al que se han acoplado las mejores maneras y viandas del mundo.

Sabemos lo que cocinamos

Óscar Caballero lo cuenta con genialidad y detalle en este mismo libro. Andalucía cuenta con una vastísima despensa de productos de un gran valor gastronómico.

El sistema agroalimentario y pesquero andaluz ha ido incorporando a su rico muestrario original todo tipo de productos, cultivos, crianzas y capturas dando como resultado una completísima despensa global.

«Producto, producto y producto», le he oído repetir incansablemente a Arzak, por mencionar a otro de los grandes. Todos coincidimos, sin ellos la cocina se nos viene abajo.

Por encima están las maneras, las costumbres y las formas o técnicas de cocinar sobre las que se guisa ese recetario popular andaluz.

Las combinaciones son infinitas y grandiosas: las olivas y sus aceites; las uvas y sus vinos y el brandy; las naranjas y sus mermeladas y ensaladas; los mariscos y crustáceos y sus cocciones y arroces; los tomates y sus gazpachos; las patatas y sus papas fritas o ali-

We know what we eat

Andalusian folk cooking buries its wise traditions in the variety of great cultures. As a meeting place for all of these, it has fused their beliefs, assimilated their knowledge, collected their essences and safeguarded their mysteries and secrets.

Andalusian cuisine is a succulent soup from a cooking pot in which a vast and highly varied quantity and quality of knowledge and flavours have infused for centuries. As little as many like to apply the concept and word 'fusion' to cuisine, the indisputable reality is that the two cook together and are – as the great master Adrià said in the preface – almost the same thing, especially when we write of the Andalusian cuisine of today.

To arrive at this point, we have journeyed through the traders' cuisine of the Phoenicians, through Greek classicism, the cooking of the Roman Empire and that of Al-Andalus. We offered the debut of that of the New World as a two-way cuisine. We have traversed centuries of culinary famine and desolation. We have watched it survive under the tutelage of feminine steadfastness and ingenuity, and become Frenchified with the international cuisine of the wealthy haute bourgeoisie and tourism, to finally reach the point of a general influx and outflow of influences from other nations, both Spanish and foreign.

Andalusian cuisine in the 21st century is the fusion of a thousand other cuisines; a confusion of 'complex phenomena of exchange, intersections and contaminations' – in the words of M. Montanari – which has brought about and created our culinary culture. A reality in the end made up of an extremely delicious selection of products from its land, sea and air, and an extraordinary collection of recipes to which the best methods and viands in the world have been adapted.

We know what we cook

Óscar Caballero discusses it in delightful detail in this very book. Andalusia has an extremely vast larder of products of great gastronomic value.

The world of Andalusian agri-food and fishing has incorporated all sorts of products, crops, breeds and catches into its rich original collection, resulting in a very well-stocked international pantry.

'Product, product, product,' I have heard Arzak, to mention another of the greats, repeat tirelessly. We all agree, without the products, cuisine would fall apart on us.

Above all are the cooking methods, customs and forms or techniques upon which this collection of Andalusian recipes has been built.

The combinations are infinite and splendid: olives and their oils; grapes and their wines and brandy; oranges and their marmalades and salads; seafood and crustaceans and their concoctions and rice dishes; tomatoes and their *gazpachos;* potatoes and their chips

ñas; las harinas y sus panes, reposterías, hojaldres y churros; las cabras y chivos y sus quesos y asados; los corderos y sus calderetas; los pescaítos y sus fritos; los pescados y sus guisos marineros, conservas y salazones; las sardinas y sus espetos; los vinagres y sus adobos, piriñacas y escabeches; las legumbres y sus berzas y potajes; los granos y sus cervezas; los toros y sus rabos; las aves y sus arroces; los huevos y sus tocinos de cielo; las almendras y sus ajoblancos y mantecados; los anises y sus aguardientes; y de los cerdos, sus jamones, sus carnes, sus embutidos, su manteca colorá, su pringá, sus ñánaras y, ya saben, hasta sus andares.

Sabemos lo que valemos

Grandes son los valores y saberes gastronómicos andaluces que merecen ser tenidos en cuenta y apreciados por propios y extraños. Acabamos de relacionarlos: desde los que conciernen a las almazaras y aceites, pasando por la técnica de la fritura, hasta el sistema único de soleras bajo el que se crían muchos de nuestros vinos.

No voy a insistir en ellos porque todos confluyen y comparten el que yo creo es el mayor logro, valor original autóctono y arte de nuestra cocina: el tapeo.

La cultura andaluza del tapeo es consustancial a sus ciudadanos y proviene de unas costumbres alimenticias singulares. Una propuesta auténtica, eficaz, suculenta y divertida de conocer una ciudad y convivir con sus gentes. Tiene sus raíces en el paseo, la charla, la ausencia de prisas, la simpatía y los productos locales. La sed y el gusanillo del hambre, el lento «chup-chup» del guiso y el riquísimo elenco de platos por la parte culinaria. Una mágica combinación que se ha exportado y globalizado, una seña de identidad andaluza, algo primordial en la conformación de su *genius loci* y la personalidad y felicidad de los andaluces que, se ha hecho, se hace y se hará tapita a tapita porque son el sabor y el saber de Andalucía.

El gazpacho es plato universal. Sopa fría, anárquica y campesina en origen, que elaborada a fuerza de paciencia y mortero, es insignia de Andalucía. Sus infinitas recetas darían pie a Sherezade para alargar in *eternum noctis,* sus mil y un cuentos, inventando en su imaginación combinaciones de sus ingredientes, maneras, consistencias y colores. Aún hoy los cocineros siguen dándole vueltas a la suya y hallando inexistentes fórmulas recreadoras. Sí, los gazpachos serán eternos porque, como los andaluces, aguantan lo que les echen.

Por otra parte esa identidad culinaria que trato de definir aquí, no podría entenderse sin mencionar su íntima unión con el Mare Nostrum y como consecuencia, su pertenencia al selecto círculo de creadores, consumidores y defensores de la dieta mediterránea, indiscutido régimen alimenticio por su beneficiosa incidencia en la salud y decrecimiento de los riesgos cardiovasculares y cancerígenos. Está basada en el consumo de nuestros sanos productos: aceite de oliva, pescado, cereales, verduras y vino, aunque éste último haya de serlo de forma moderada.

or seasonings; flours and their breads, confectionery, pastries and *churros;* goats and kids and their cheeses and roasts; lambs and their stews; fish and their fisherman's stews, preserves and salted fish; sardines and their skewers; vinegars and their marinades, *piriñaca* salads and pickles; legumes and their cabbage and stews; grains and their beers; bull and their tails; poultry and its rices; eggs and their caramel custards; almonds and their *ajoblanco* soups and sponge cakes; anise and its eau de vie; and pigs, their hams, their meat, their sausages, their 'red lard', their dipped bread, their entrails and, well, you know, even their walk, as the saying goes.

We know what we are worth

Many are the merits and culinary flavours of Andalusia which deserve to be taken into consideration and appreciated by natives and foreigners alike. We have just listed them: from everything related to olive mills and oils, or frying techniques, to the unique *soleras* system used to mature many of our wines.

I am not going to insist further because they all converge and share in what I believe to be the greatest achievement, the original autochthonous item of merit and art of our cuisine: *tapeo.*

The Andalusian culture of *tapeo,* going out for tapas, is an integral aspect of its people and derives from unique eating habits which unite urban development and urbanity. An authentic, efficient, succulent and fun way to get to know a city and share in the life of its people. It has its roots in the afternoon stroll, chatting, an absence of hurry, friendliness and local products. Thirst and peckishness, the slow bubbling of the stew and the most delicious selection of dishes on the culinary side. A magical combination which has been exported and globalised, a symbol of Andalusian identity, something primordial in the makeup of its *genius loci* and the personality and happiness of the Andalusians which has been created, is created and will be created *tapa* by *tapa*, because they are the flavour and the knowledge of Andalusia.

Gazpacho is a universal dish. This cold soup, anarchic and peasant in origin, made through dint of patience and the mortar, is the badge of Andalusia. Its infinite number of recipes would give Scheherazade material to extend her thousand and one stories in *eternum noctis,* inventing in her imagination combinations of its ingredients, methods, textures and colours. Even today chefs continue to explore their own imagination and find nonexistent recreated formulas. Yes, *gazpachos* will last for all eternity because, like the Andalusians, they can take whatever you throw at them.

Moving on, this culinary identity which I seek to define here could not be understood without mentioning its intimate connection to Mare Nostrum and as a result, its membership in the select circle of creators, consumers and advocates of the Mediterranean Diet, undisputed in its beneficial effects for the health and decreased risk of cardiovascular disease and cancer. It is based on consuming lo-

Sabemos con lo que contamos

Calidad y diversidad de materias primas, arraigada tradición culinaria y amplísimo recetario popular que se cocina en las ventas de carretera y chiringuitos de playa, en los mesones de pueblo, casas de comidas tradicionales y, como no, en los bares de tapas.

Pero también contamos, como veremos a continuación, con restaurantes de alta gastronomía y grandes cocineros, así como con una última generación de otros jovencísimos que siguen su estela y su escuela.

Completan el panorama una red de prestigiosas y establecidas escuelas de hostelería y diversos instrumentos institucionales como la Dirección General de Industrias y Calidad Agroalimentaria de la Consejería de Agricultura de la Junta de Andalucía o la Agencia Andaluza de Promoción Exterior, Extenda. Un sector privado organizado y volcado en la cuestión a través de Landaluz y demás asociaciones empresariales y sectoriales.

A todo ello se une ahora un Foro internacional y Congreso de gastronomía como es Andalucía Sabor, donde todo ello puede y debe confluir para ser puesto en común, debatido, estudiado y promovido para que de él nazca y se desarrolle con vocación de permanencia el espíritu de la cocina andaluza del siglo XXI.

Sabemos con quién y a dónde vamos

Andalucía es España y viceversa, no cabe entender la una sin la otra. Gastronómicamente, España está inmersa en una auténtica revolución, un dinamismo vanguardista de la gran cocina que está yendo mucho más allá de lo esperado y es objeto de observación y seguimiento mundial por todo cocinero creativo que se precie.

Sus ideas, conceptos y técnicas han subvertido el anterior régimen establecido, dinamitando su conservador y aquietado planteamiento. Se lucha por dar a la gastronomía una dimensión acrecentada como fenómeno cultural, socioeconómico, científico y mediático.

Para contar sus razones de ser y de hacer se crean foros nacionales e internacionales que pronto adquieren una importancia inusitada, como son Lo mejor de la Gastronomía de San Sebastián, Madrid Fusión y el Fórum de Vic a los que se unen recientemente Andalucía Sabor y el Fórum de Santiago.

Todos tratan de dar nombre a este fenómeno: cocina sabia, alta cocina, cocina de vanguardia, cocina tecnoemocional, cocina molecular, cocina creativa, cocina tecno-lógica, etc. A mí me gusta denominarla «Cocina Recreación» porque el término engloba significados que cuadran su definición: es crear de nuevo y dar una nueva manera de ser a la cocina ya existente; es regenerarla y renacer, reproducirla como una obra artesana y artística; es gozar y distraerse y también es hacer pasar el tiempo agradablemente.

La revolución gastronómica española está triunfando en el mundo entero encabezada por nuestro prologuista Adrià y el maestro Arzak, guerreando entre dos generaciones de consagrados chefs que

cal healthful products: olive oil, fish, cereals, vegetables and wine, although this last must unfortunately be in moderation.

We know what we have, which is everything we need

Quality and diversity of raw materials, a deeply-rooted culinary tradition and an extensive collection of folk recipes which are prepared at roadside inns and beach refreshment stalls, at village restaurants, traditional eateries and of course, at *tapas* bars.

But we also have, as we shall see later, restaurants which offer haute cuisine and great chefs, as well as a latest generation of young new cooks who are following in their footsteps and teachings.

The panorama is completed by a network of prestigious and established hotel and catering schools and various government institutions such as the Dirección General de Industrias y Calidad Agroalimentaria or the Agencia Andaluza de Promoción Exterior (Extenda). The private sector is organised and involved in the issues through Landaluz and other business and industry associations.

These are now joined by an international forum and gastronomy conference, *Andalucía Sabor* (Andalusia Flavour), where all of this can and should come together to be shared, debated, studied and promoted to create and develop an enduring spirit for the Andalusian cuisine of the 21st century.

We know with whom and where we are going

Andalusia is Spain and vice versa; it is not possible to understand one without the other. Gastronomically speaking, Spain is experiencing a real revolution, an avant-garde dynamism of Great Cuisine which is moving far beyond what was expected and is the object of international observation and attention by every self-respecting creative chef.

Its ideas, concepts and techniques have subverted the established regime, dynamiting its conservative and staid approach. The struggle is to endow gastronomy with an additional dimension as a cultural, socio-economic, scientific and media phenomenon.

To discuss its *raison d'être,* national and international forums have been created and will soon take on an uncommon importance. These include Lo mejor de la Gastronomía de San Sebastián (The Best of San Sebastián's Gastronomy), Madrid Fusión and Forum de Vic (Vic Forum), which were recently joined by Andalucía Sabor and Forum de Santiago (Santiago Forum).

All of these try to put a name to this phenomenon: learned cuisine, haute cuisine, avant-garde cuisine, techno-emotional cuisine, molecular cuisine, creative cuisine, technological cuisine, etc. I like to call it 'Re-creation Cuisine' because the term encompasses meanings which match its definition: it is creating again or giving an already existing cuisine a new way of being; it is regenerating it and being reborn, reproducing it as an artisan and artistic work; it is enjoying and entertaining oneself and it is also spending time in a pleasant fashion.

establecen por todo el territorio nacional sus propios restaurantes: Subijana, Ruscalleda, Adúriz, Roca y Roncero son solo algunos de ellos.

Gracias a la participación de un cocinero en la Documenta de Kassel, la cocina se plantea como una disciplina artística con lenguaje propio, más actual y viva que otras convencionalmente instauradas como tales, más caducas o enfermas. Una verdadera manifestación artística efímera y transformista que ciertos cocineros, los grandes, han puesto en marcha al juguetear con su imaginación y sus chismes de cocina.

El cocinero, el ser humano, es el centro y el restaurante la casa donde se cocina a si mismo; donde se expresa con libertad convirtiéndolo en lugar abierto de recreo y disfrute en el que recibir, sorprender, hacer rememorar, reflexionar y emocionar a los comensales desde su saber hacer.

Andalucía también pertenece y participa de este movimiento revolucionario, humanista y recreativo.

Sabemos los que somos

Grandes y aún jóvenes cocineros que actualmente hacen alta cocina en Andalucía, aplicando las ideas y técnicas innovadoras surgidas de ese movimiento.

Participan en este libro: Dani García que oficia su maestría en el restaurante Calima, donde desarrolla sus espectaculares recetas con nitrógeno y sus sopas frías, comercia con su lingote de oro y aceite o recrea los paisajes malagueños y andaluces; Angel León en su Aponiente desde donde investiga sobre la clarificación de caldos con microalgas (Clarimax), las brasas de huesos de aceituna o el microplacton y sus aplicaciones culinarias; Kisko García que con su restaurante El Choco ha sentado cátedra en Córdoba y capitanea su armada a la que se une por nacimiento Celia Jiménez desde El Lago marbellí.

Algunos otros, de sobrados méritos demostrados, forman parte con sus restaurantes y equipo humano de la élite de nuestra gastronomía. No todos han podido estar en este libro pero es imprescindible citarles: el restaurante La Alquería de la Hacienda Benazuza en Sanlúcar La Mayor (Sevilla), a cuyos mandos se encuentra Rafael Morales; el restaurante Café de París en Málaga con José Carlos García al frente; el restaurante Tragabuches en Ronda (Málaga) con Benito Gómez; el restaurante Med de Torremolinos (Málaga) de Richard Alcayde o el Abades (Sevilla) con Willy Moya dirigiendo su cocina, son claros ejemplos.

Se han establecido además otros muchos restaurantes cuyos propietarios forman parte de esa embajada de nuestra cocina actual y vienen a sumarse a los anteriores, pero que por razones de concepto y espacio no es posible citar aquí.

The Spanish culinary revolution is a success throughout the world, headed by the author of our preface, Adrià, and the master Arzak, waging battle between two generations of established chefs who have set up their own restaurants all over the country: Subijana, Ruscalleda, Adúriz, Roca and Roncero, to name just a few.

Thanks to the involvement of a chef in the Documenta of Kassel, cooking is considered an artistic discipline with its own language. It is more modern and alive than others which are conventionally considered as such, but more out-of-date or ailing. It is true ephemeral and transformational artistic manifestation which certain chefs, the greats, have set in motion by toying with their imagination and kitchen gadgets.

The Chef, the human being, is the centre, and the restaurant, the house in which he prepares himself, where he expresses himself freely, turning it into a place which is open to recreation and enjoyment in which to receive, surprise, evoke memories, reflect and excite diners with his expertise.

Andalusia is also a member and participant in this revolutionary, humanist and 're-creational' movement.

We know what we are

Great and still young chefs who are creating the haute cuisine of Andalusia, applying the innovative ideas and techniques which are coming out of this movement.

Taking part in this book are: Dani García, who offers up his mastery at Calima, where he creates spectacular recipes using nitrogen and cold soups, trades on his ingot of gold and oil and recreates the landscapes of Málaga and Andalusia; Angel León at his Aponiente, where he investigates clarifying broths with micro-seaweed (Clarimax), olive stone embers and micro-plankton and its culinary applications; Kisko García, who with his restaurant Choco has laid down the law in Córdoba and captains his navy, and Celia Jiménez joins him by birthright from Marbella's El Lago.

Others who have demonstrated ample merit form part of the élite of our gastronomy with their restaurants and staff. Not everyone could be in this book: La Alquería Restaurant at Hacienda Benazuza in Sanlucar La Mayor (Seville), at whose reins we find Rafael Morales; Café de París in Málaga, with José Carlos García at the helm; Tragabuches Restaurant in Ronda (Málaga) with Benito Gómez; Med in Torremolinos (Málaga) by Richard Alcayde and the Abades restaurant, with Willy Moya heading its kitchen are obvious examples.

Many other restaurants have been established whose owners join the others as ambassadors of our modern cuisine. However, for conceptual reasons and space constraints, it is not possible to mention them here.

Pero no son estos todos, pues una nueva y jovencísima hornada de cocineros con una gran formación y disposición viene ya por detrás dispuesta a cocinar el mundo con su avanzada cocina y que son, sin duda, nuestro futuro.

Sabemos de lo que huimos

De caer en el desgraciado olvido de lo aprendido y la desaparición de nuestros ritos que, como dijo José A. Muñoz Rojas, son insustituibles. Huimos de ese determinismo asumido durante la historia que nos lleva a abandonarnos a nuestras pasiones y dejar el resto al azar. Huimos del fácil barro de la pillería, el disimulo y el engaño, de las prisas, de querer adelantar el futuro y de la impostura de aparentar ser lo que no somos. Y huimos, por último, de esos estoicismos, popular y sabio, que –como diría María Zambrano– nos atenazan y dejan de nuevo a la «escueta Andalucía» en manos de ese azar maldito para que sea él quien guise su destino gastronómico.

No estamos locos, que sabemos lo que queremos

Somos conscientes de que el grueso de nuestra restauración no puede ni debe seguir al pie de la letra las recetas de esa revolución necesitada de tiempo para cuajar y ser asimilada, para ser entendida y popularizarse. Andalucía no tiene prisa y su cocina del siglo XXI tampoco.

Sin embargo, sí que está hoy día inmersa en ese proceso de «re-creación» del que hablo. Nuestros cocineros de vanguardia han conseguido trasladar a la generalidad la tendencia y el concepto de reinterpretación de la cocina clásica andaluza, la necesidad de mantener y rescatar nuestras costumbres coquinarias, innovándolas y actualizándolas pues tan importante es conservarlas como ponerlas al día y revisarlas para que revivan y permanezcan en las nuevas maneras de saber hacer, en los actuales sabores y saberes de la diversidad y la coexistencia de las distintas formas de entender la comida.

Por este camino de cuidar y ensalzar lo propio y autóctono es por donde debe ir la gastronomía andaluza. Para ello, como dice F. Fernández Armesto, es preciso invertir los excesos de la industrialización, poniendo el empeño en volver a lo natural, conservar los productos y sostener las formas de cultivar y cocinar lo local y propio. Reinventándose aplicando los positivos avances tecnológicos, reeducándose para conocer y así entender, reivindicándose frente al exterior y aprovechando las ventajas de la imperante globalización para llamar la atención y atraer al resto del mundo.

Vivimos la cocina como si fuera un sueño, pero que nunca termina, que se pierde con el tiempo y buscaré... porque la vida es un convite sin fin, un vivir y comer juntos nuestros productos, esos de los que están hechos y se alimentan nuestros sueños. Son la materia de una Andalucía actual y abierta, sin puestos fronterizos ni peajes aduaneros que limiten la creatividad libérrima de sus cocineros ni las ganas que tenemos los aquí bien nacidos de pegarle pellizcos a la vida. De

And this is not everyone, as a new, very young batch of chefs with excellent training and talent are already coming up from behind, ready to cook up the world with their progressive cuisine. They are, without a doubt, our future.

We know what we are fleeing

Falling into the unhappy forgetting of what has been learned and the loss of our rituals. In the words of José A. Muñoz Rojas, they are irreplaceable. We flee the determinism adopted over the course of history which leads us to abandon ourselves to our passions and leave the rest to chance. We flee the easy quicksand of tricks, pretence and deception, of haste, of wanting to overtake the future and the fraud of pretending to be what we are not. And we flee, lastly, that wise, folk stoicism which – as María Zambrano would say – grips us and brings us back to the 'Andalusian plainness', in the hands of that accursed chance which concocts its culinary destiny.

We are not mad, we know what we want

We are aware that the bulk of our restaurant sector cannot and must not follow the recipes of that revolution to the letter. They require time to come together and be assimilated, to be understood and gain popularity. Andalusia is in no hurry and neither is its 21st-century cuisine.

However, today it is indeed immersed in this process of 're-creation' of which I speak. Our cutting-edge chefs have succeeded in bringing the trend and concept of reinterpreting classic Andalusian cuisine to the general public. They have done the same with the need to retain and rescue our culinary customs, innovating with them and bringing them up to date. It is as important to preserve them as it is to modernise and revise them so that they may be revived and endure in the new expertise, in current flavours and knowledge of the diversity and coexistence of different ways of understanding food.

It is along this path of looking after and extolling what is our own and local that Andalusian cuisine must travel. To do so, in the words of F. Fernández Armesto, it is necessary to reverse the excesses of industrialisation, applying ourselves to return to what is natural, preserving products and retaining ways of cultivating and cooking what is local and our own. Reinvention by applying positive technological advances, re-education to know and thus learn, vindication of the native and taking advantage of the benefits of the prevailing globalisation to gain attention and attract the rest of the world.

We live cooking as if it were a dream, one which never ends, which becomes lost in time and I will seek... to make life an endless banquet, experiencing and eating our products in company, those of which our dreams are made and fed. They are the material of a modern and open Andalusia, without border checkpoints or customs duties which limit the completely free creativity of its chefs or the desire we good people of this land have to approach life with gusto. To get a good slice of joy, pleasure and humour

sacar una buena tajada de alegría, placer y guasa a la gastronomía entendida como una manera de saborear la existencia y ser felices el mayor tiempo posible. Porque, parafraseando la canción de Jonh Cale, «Andalucía está aquí para quedarse: necesitándola, tomándola, viviéndola, amándola». Por siempre.

Sin duda este libro de cocinación de Andalucía servirá a este fin.

Fernando Huidobro

from cuisine, understood to be a way of savouring existence and being happy as long as possible. For, to paraphrase the John Cale song, 'Andalusia is here to stay: needing her, having her, living her, loving her'. Forever.

Without a doubt, this Book of Andalusian Cooking will serve this purpose.

Fernando Huidobro

TaStes
Of
Andalusia

Sabores de Andalucía

EL ACEITE DE OLIVA

LOS VINOS, LOS VINAGRES Y EL BRANDY

EL CERDO IBÉRICO

LAS FRUTAS Y LAS HORTALIZAS

LOS QUESOS

EL CAVIAR Y EL ESTURIÓN

LOS PESCADOS Y LOS MARISCOS

LAS MIELES

EL ARROZ DE LAS MARISMAS

EL ACEITE DE OLIVA
ORO DEL SUR

El olivo, la aceituna y sus variedades y el aceite de oliva

El olivo es una planta de hoja perenne cuyo cultivo en la ribera mediterránea se remonta a la Antigüedad y su introducción en la Península Ibérica se debe, posiblemente, al pueblo fenicio.

Esta especie puede tomar dimensiones y formas muy variables. Las hojas del olivo son verdes en la parte superior y grises plata en la parte inferior. El tronco es de tonalidad gris-verdosa y liso hasta aproximadamente los diez años; luego se vuelve nudoso, con surcos profundos y retorcidos y toma color oscuro, casi negro.

El fruto del olivo es una drupa llamada «aceituna» de la que se obtiene el aceite de oliva. Existen distintas variedades de aceituna, tanto para el consumo como para la producción de aceite. Las variedades de aceituna más representativas de Andalucía son: gordal y manzanilla, cultivadas en la provincia de Sevilla; y hojiblanca, picuda y verdial, cuyo cultivo se extiende, fundamentalmente, por las provincias de Córdoba y Málaga. La variedad lechín se cultiva en Sevilla y Granada. Originaria de la provincia de Jaén es la variedad picual o marteña.

Todas las variedades de olivas producen excelentes aceites vírgenes. El aceite de oliva virgen extra posee muchos beneficios para la salud y es auténtico zumo de aceitunas, completamente natural. Se trata de un producto protector y regulador del equilibrio de nuestra salud.

El aceite de oliva virgen extra

No todas las clases de aceites de oliva son iguales. Al igual que en los vinos, los aceites disponen de una complejidad sensorial muy alta, tanto aromática como gustativa. Dentro de los tipos de aceites de oliva aptos para el consumo humano, el de mayor calidad es el aceite de oliva virgen extra. Es virgen porque conserva todas las propiedades saludables y organolépticas (sabor, color y aroma) naturales de las aceitunas de las que procede, ya que únicamente se somete a procesos mecánicos en su extracción. Además, es extra porque supera los requisitos más exigentes de calidad. La certificación nos garantiza que el producto cumple estos requisitos.

The olive tree, the olive and its varieties and olive oil

The olive tree is a perennial which has been cultivated on the shores of the Mediterranean since Antiquity. It may have been brought to the Iberian Peninsula by the Phoenicians.

This species can vary greatly in size and shape. The top part of its leaves is green and the bottom is gray. The trunk is grey-green in colour and smooth for approximately the first ten years. Then it becomes knotted, with deep furrows and grooves, and takes on a dark, almost black, colour.

The fruit of the olive tree is a drupe called the 'olive', from which olive oil is obtained. There are different varieties of olive for both consumption and oil production. The most representative Andalusian olive varieties are: Gordal and Manzanilla, grown in the province of Seville; and Hojiblanca, Picuda and Verdial, cultivated primarily in the provinces of Córdoba and Málaga. The Lechín variety is grown in Seville and Granada. Native to the province of Jaén are the Picual and Marteña varieties.

All of these varieties of olive produce excellent virgin oils. Extra virgin olive oil offers many health benefits and is the true, completely natural, juice of the olive. This is a product which serves to protect and regulate our balanced health.

Extra virgin olive oil

Not all types of olive oil are the same. Just like wines, the sensory properties of oils are highly complex in terms of both aroma and taste. Among the types of olive oil suitable for human consumption, the highest quality oil is extra virgin olive oil. It is virgin because it retains all the natural healthy and organoleptic (flavour, colour and aroma) properties of the olives from which it comes, as it only undergoes mechanical processing during extraction. It is extra because it exceeds the most exacting quality requirements. Certification guarantees that the product fulfils these requirements.

El aceite de oliva en Andalucía y la Denominación de Origen

Hablar de Andalucía es hablar de aceite de oliva y viceversa. La cultura andaluza, así como la vida de sus pueblos y la economía de la comunidad autónoma, están íntimamente ligadas al aceite de oliva; no en vano, Andalucía es la principal productora del mundo.

Los aceites de oliva virgen extra andaluces son mundialmente conocidos gracias a su extraordinaria calidad y gran variedad. En Andalucía existen 13 Denominaciones de Origen Protegidas y más de 150 aceites de oliva avalados por la marca Calidad Certificada.

El objetivo de una Denominación de Origen Protegida (DOP) es proteger a un producto caracterizado por una calidad diferencial vinculada a un origen geográfico delimitado, que le distingue en el mercado de cualquier otro producto de naturaleza similar. La marca Calidad Certificada, creada por la Junta de Andalucía, es un elemento estratégico para la promoción de productos agroalimentarios y pesqueros andaluces con una calidad diferencial garantizada.

Andalucía es también líder en la producción de aceites de oliva ecológicos, que a su gran calidad, añaden la garantía de haber sido elaborados siguiendo los criterios de la agricultura ecológica, cuyos principios básicos son la prohibición del empleo de sustancias químicas de síntesis y la protección del medio ambiente.

Olive oil in Andalusia and Designations of Origin

To speak of Andalusia is to speak of olive oil, and vice versa. Andalusian culture, as well as the life of its peoples and the autonomous community's economy, is closely tied to olive oil. It comes as no surprise that Andalusia is the world's top producer.

Andalusian extra virgin olive oils are known throughout the world for their extraordinary quality and great variety. In Andalusia there are 13 protected designations of origin and more than 150 olive oils endorsed by the Certified Quality label.

The purpose of a protected designation of origin (PDO) is to protect a product which is characterised by a distinct quality linked to defined geographical origins, distinguishing it from any other product of a similar nature on the market. The Certified Quality label, created by the Andalusian government, is a strategic tool for promoting Andalusian agri-food and fishing products with their own guaranteed quality.

Andalusia also leads organic olive oil production. In addition to its great quality, there is the guarantee that these oils have been produced according to organic farming methods. The basic principles behind these are banning the use of synthesised chemicals and protecting the environment.

Denominaciones de ORIGEN
protegidas de los aceites de oliva andaluces
Andalusian olive oils protected designation of origin

ANTEQUERA La zona de producción del aceite amparado bajo esta denominación de origen se encuentra situada en la comarca natural de la depresión de Antequera (Málaga), ubicada en el extremo occidental de las depresiones intrabéticas de Andalucía. Es un aceite de oliva virgen extra que procede esencialmente de la variedad hojiblanca.

Los aceites de Antequera son ricos en vitamina E y su color varía dependiendo de la época de recolección y de la situación geográfica dentro de la comarca, desde el amarillo dorado al amarillo verdoso.

La Denominación de Origen presenta dos tipos de aceites: sabor intenso y sabor suave.

La elaboración de aceite de oliva virgen en la comarca de Antequera se remonta a la época romana, siglo I-III d.C. Pero no fue hasta finales del siglo XIX y principios del XX cuando, al establecerse en la zona una serie de industrias de maquinaria de almazaras (prensas, molinos, bombas hidráulicas, etc.), gracias a la estancia del ingeniero valenciano Beltrán de Lis en la ciudad de Antequera en la década de 1870, se vivió una auténtica revolución en la industria aceitera.

BAENA Los aceites de oliva protegidos por la DOP Baena son necesariamente vírgenes extra. Las variedades de aceituna permitidas por el reglamento son: picuda (también llamada carrasqueña de Córdoba), lechín, chorrúo o jardúo, hojiblanca y picual. La variedad más

ANTEQUERA The production area for the oil protected by this designation of origin is located in the natural region of the Antequera Depression (Málaga), situated in the westernmost area of Andalusia's intra-Andalusian depressions. It is an extra virgin olive oil derived primarily from the Hojiblanca variety.

The oils of Antequera are rich in vitamin E. Their colour varies depending on what time of year they are harvested and their geographical location within the region, ranging from golden to greenish yellow.

The designation of origin includes two types of oil: *sabor intenso* (strong flavour) and *sabor suave* (mild flavour).

Production of virgin olive oil in the Antequera region dates back to the Roman period, 1st-3rd centuries A.D. However, it was not until the late 19th and early 20th centuries that there was a true revolution in the oil industry. This was the result of a number of olive-oil machinery (presses, mills, hydraulic pumps, etc.) industries being set up in the region, due to a stay by the Valencian engineer Beltrán de Lis in the city of Antequera during the 1870s.

BAENA Olive oils protected by the Baena PDO are by definition extra virgin. The varieties of olive permitted by the regulations are: Picuda (also called Carrasqueña de Córdoba), Lechín, Chorrúo or Jardúo,

OLIVE OIL

GOLD OF THE SOUTH

DO

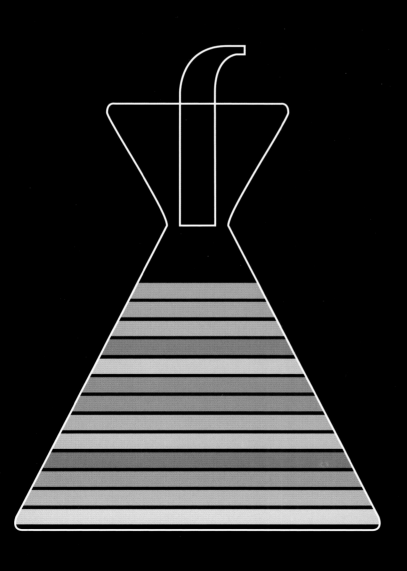

Antequera

Baena

Campiñas de Jaén

Estepa

Jaén Sierra Sur

Montes de Granada

Montoro Adamuz

Priego de Córdoba

Sierra de Cádiz

Sierra de Cazorla

Sierra Mágina

Sierra de Segura

emblemática es la picuda, muy característica de la zona, y por la que los aceites de Baena son mundialmente conocidos. La zona de producción se sitúa en la zona sureste de la provincia de Córdoba.

El sabor de sus aceites es dulce, afrutado y muy equilibrado. Su color oscila entre el amarillo verdoso y el verdoso dorado. Se tiene constancia de que en el siglo XII el olivar y el cereal ya eran cultivos dominantes en la comarca de Baena.

La Denominación de Origen Protegida (DOP) Baena es la más antigua de las denominaciones de aceites de oliva de Andalucía. Fue reconocida en 1981.

CAMPIÑAS DE JAÉN Este aceite de oliva virgen extra se produce en la provincia de Jaén y su zona de producción abarca a cerca del 50% de la provincia. Se obtiene fundamentalmente de la variedad de aceituna picual, mediante procedimientos mecánicos que no ocasionan alteración del aceite, conservando el sabor, aroma y características del fruto del que procede.

Posee un color que variará dependiendo de la época de recolección y las condiciones meteorológicas, desde el verde intenso hasta el amarillo. Los aceites tienen una gran estabilidad y aromas afrutados intensos, ligeramente amargos y picantes.

Las noticias más antiguas relativas al aceite de oliva en la campiña jienense datan de la época romana. La evolución expansiva del olivar en los municipios jienenses se produce a partir de 1879, año considerado como el verdadero punto de arranque del predominio olivarero en Jaén.

ESTEPA Ampara aceite de oliva virgen extra cuya zona de producción se encuentra en la comarca natural de Estepa (Sevilla), incluido el margen izquierdo del término municipal de Puente Genil (Miragenil), que ha formado una misma demarcación desde el punto de vista histórico, económico y cultural. Es un aceite obtenido de distintas variedades, predominando fundamentalmente el de hojiblanca.

Los aceites protegidos por la Denominación de Origen Protegida Estepa presentan aromas y sabores muy variados, desde fruta fresca a madura; ligeramente amargos, picantes o ligeramente dulces.

Las referencias más antiguas que vinculan a Estepa con el aceite de oliva se remontan a la época romana, aunque hay vestigios de que también estaba presente en civilizaciones anteriores. Desde siempre ha sido una comarca eminentemente olivarera y productora de aceites de oliva de gran calidad y personalidad propia. También produce excelentes aceitunas de mesa.

JAÉN SIERRA SUR Estos aceites vírgenes extra son producidos en la zona sur de la provincia de Jaén, en plena Sierra Subbética. Proceden principalmente de la variedad picual, típica de la zona, la cual representa el 79% de la producción. Como variedades secundarias se presentan: picudo, carrasqueño de alcaudete, hojiblanca y lechín. Son aceites con una personalidad muy marcada, aromáticos, con connotaciones verdes, madera y con toques amargos y picantes agradables, que se atenúan con la maduración, siendo en boca

Hojiblanca and Picual. The most emblematic variety is the Picuda, which is very characteristic of the region, and for which Baena oils are known the world over. The area of production is located in the south-eastern part of the province of Córdoba.

The flavour of these oils is sweet, fruity and very balanced. Their colour ranges from greenish yellow to golden green. Records indicate that in the 12th century, olives and grains were already the main crops in the Baena region.

The Baena Protected Designation of Origin (PDO) is the oldest of Andalusia's olive oil designations. It was recognised in 1981.

CAMPIÑAS DE JAÉN This extra virgin olive oil is produced in the province of Jaén and its production area encompasses close to 50% of the province. It is obtained primarily from the Picual variety of olive, using mechanical processes which do not alter the oil, preserving the flavour, aroma and characteristics of the fruit from which it comes.

Its colour varies depending on the time of year it is harvested and meteorological conditions, ranging from a deep green to yellow. These oils are highly stable and have an intense fruity aroma. They are slightly bitter and piquant.

The earliest indications of olive oil in the Jaén countryside go back to the Roman period. The presence of olive groves in Jaén began expanding in 1879, the year considered the true starting point for the predominance of olive growing in Jaén.

ESTEPA This designation protects extra virgin olive oil whose production area is located in the natural region of Estepa (Seville), including the left side of the municipal area of Puente Genil (Miragenil). In terms of history, economy and culture, these areas have formed a single district. This oil is obtained from different varieties, primarily Hojiblanca.

The oils protected by the Estepa Protected Designation of Origin have a wide variety of aromas and flavours, from fresh to ripe fruit. They are slightly bitter, piquant or semi-sweet.

The oldest references which link Estepa to olive oil go back to the Roman period, although there are indications that it was also found in earlier civilizations. It has long been a primarily olive growing region, producing high quality olive oils with their own personality. The area also produces excellent table olives.

JAÉN SIERRA SUR These extra virgin oils are produced in southern part of the province of Jaén, in the Sierra Subbética region. They come primarily from the Picual variety, which is typical of the area, representing 79% of production. Secondary varieties are: Picudo, Carrasqueño de Alcaudete, Hojiblanca and Lechín. These oils have a very distinct personality. They are aromatic, with hints of green and wood, and pleasant, bitter and piquant nuances which diminish with age. They have an intense, enveloping mouthfeel and a nose with the aroma of tomato plants. In general, they are very balanced, harmonious oils.

intensos y envolventes. En nariz expresan aromas a tomatera y, en general, son aceites muy equilibrados y armónicos.

El color que presentan estos aceites es, predominantemente, verde, si bien, en función de la época de recolección y de la ubicación del olivar, varían desde el verde intenso al amarillo dorado.

Estrabón ya hace referencia en el siglo i a una actividad oleícola en la comarca, perteneciente a la región romana de Turdetania. Los olivos se cultivaban en las *villae rusticae.*

MONTES DE GRANADA Aceite de oliva virgen extra obtenido de las variedades principales picual, lucio y loaime y secundarias escarabajuelo, negrillo de Iznalloz, hojiblanca y gordal de Granada. Es un aceite producido dentro de la comarca natural de los Montes de Granada.

Los aceites de oliva vírgenes extra producidos en la zona tienen un aroma y un sabor afrutado, que recuerda a las aceitunas recién molturadas frescas o maduras, un sabor ligeramente amargo y cuerpo en boca, cuya intensidad varía en función del grado de madurez de la aceituna de partida. Su acidez es baja y sus colores oscilan en la gama del verde, desde el verde más intenso hasta el amarillo verdoso.

Entre 1913 y 1933, la llamada «Época de oro del olivar español», se produce el mayor aumento de plantaciones e importantes mejoras en el cultivo para la obtención de un buen caldo de aceite de oliva virgen extra. A partir de ese momento, el olivar de los Montes de Granada tuvo un proceso incesante de difusión, habiendo superado en gran medida el ritmo de expansión medio del resto de las provincias andaluzas. En la zona de los Montes de Granada, la superficie dedicada al olivar supone el 77,5% de la superficie total de suelos en producción.

MONTORO ADAMUZ Bajo esta recién estrenada Denominación de Origen (diciembre de 2007), se amparan aceites de oliva virgen extra obtenidos de las variedades de aceitunas picual, nevadillo blanco, nevadillo negro, lechín, picudo y carrasqueño.

La Denominación de Origen Protegida Montoro Adamuz ampara la zona denominada como comarca agraria de La Sierra, así como la parte del término municipal de Córdoba situada al norte del río Guadalquivir.

Estos aceites poseen un aspecto verde tendente al amarillento-dorado. Su aroma es fresco, afrutado y se aprecian notas agradables de olor a higuera silvestre. Al gusto son equilibradamente amargos y con mucho cuerpo, a diferencia de otros aceites de oliva producidos en la campiña.

En tiempos de los romanos, el aceite de esta comarca era enviado a Roma como uno de los allí denominados «aceites de la Bética». Eran transportados por vía fluvial a través del río Guadalquivir. Los molinos de aceite de la Sierra de Montoro Adamuz, basados en prensas de viga y cuyo máximo auge se produjo en el siglo XIX constituyen uno de los mayores patrimonios de arqueología industrial de la provincia de Córdoba.

The colour of these oils is primarily green. However, depending on the time of year the olives are harvested and the location of the grove, they can range from deep green to golden yellow.

In the 1st century, Strabo was already referring to olive oil production in the area, which was part of the Roman region of Turdetania. The olives were cultivated in *villae rusticae.*

MONTES DE GRANADA Extra virgin olive oil obtained mainly from the Picual, Lucio and Loaime varieties, with Escarabajuelo, Negrillo de Iznalloz, Hojiblanca and Gordal de Granada as secondary varieties. This oil is produced within the natural region of Montes de Granada.

The extra virgin olive oils produced in this area have a fruity aroma and flavour reminiscent of recently milled fresh or ripe olives. The flavour is slightly bitter with a full mouthfeel. The intensity varies according to the ripeness of the original olive. They have low acidity and are green in colour, ranging from the deepest green to greenish yellow.

The period between 1913 and 1933, the so called Golden Age of Spanish olive groves, saw the greatest increase in planting and significant improvements in cultivation to create an environment favourable to extra virgin olive oil. From this time, the olive groves of Montes de Granada spread without stopping, having significantly exceeded the average rate of expansion of the remaining Andalusian provinces. In the Montes de Granada region, the area dedicated to olive groves represents 77.5% of the total land under production.

MONTORO ADAMUZ This newly minted designation of origin (December 2007) protects extra virgin olive oils obtained from the Picual, Nevadillo blanco, Nevadillo negro, Lechín, Picudo and Carrasqueño olive varieties.

The Montoro Adamuz Protected Designation of Origin covers the area known as the La Sierra agricultural region, as well as the portion of the municipal area of Córdoba located to the north of the River Guadalquivir.

These oils are green in colour, tending towards golden-yellowish. They have a fresh, fruity aroma, with traces of a pleasant wild fig scent. The taste is balanced and bitter with a lot of body, in contrast with other olive oils produced in the countryside.

In Roman times, the oil from this region was shipped to Rome, where it was known as 'Baetica oil'. It was transported by river along the Guadalquivir. The beam press olive mills of the Montoro Adamuz Mountains, whose greatest boom period was during the 19th century, are one of Córdoba Province's greatest industrial archaeology treasures.

PONIENTE DE GRANADA Extra virgin olive oil obtained from olives of the picudo, Picual or Marteño, Hojiblanca, Lucio, Nevadillo de Alhama de Granada and Loaime varieties. This oil is produced in the region located in western Granada Province.

PONIENTE DE GRANADA Aceite de oliva virgen extra, obtenido a partir de las aceitunas de las variedades picudo, picual o marteño, hojiblanca, lucio, nevadillo de Alhama de Granada y loaime. Este aceite se produce en la zona situada al oeste de la provincia de Granada.

Son aceites moderadamente estables, con una composición en ácidos grasos muy equilibrada para la dieta. Recuerdan a aromas de frutas frescas, maduras, hierba, higuera, etc., y presentan ciertos toques de amargor y picor, armonizados con toques de sabor dulce.

El color de los aceites varía de la gama del amarillo-verdoso al amarillo-dorado, dependiendo de la época de recolección, condiciones meteorológicas, variedades y de la situación geográfica dentro de la comarca.

La tradición olivarera dentro de la comarca del Poniente granadino se remonta a la Edad Media. Las primeras referencias históricas sobre la elaboración de aceite de oliva en la zona datan de los siglos V-VII, de cuya época se han encontrado restos de molinos aceiteros.

PRIEGO DE CÓRDOBA Aceite de oliva virgen extra obtenido de aceitunas de las variedades picudo, hojiblanca y picual.

La zona de producción amparada por la Denominación de Origen es una comarca natural situada en el cuadrante suroriental de la provincia de Córdoba, limítrofe con las provincias de Jaén y Granada.

Su composición, así como los procedimientos físicos y mecánicos utilizados, que no producen alteración, permiten conservar sus características organolépticas, ofreciendo un zumo de aceituna que se presenta al olfato con matices herbáceos, recordando igualmente tonos frutales, tales como la manzana y, en menor medida, reminiscencias a hortalizas como el tomate.

La base económica de la población hispanorromana de la comarca de Priego tenía su piedra angular en la agricultura, en la famosa tríada mediterránea (trigo, vid y olivo). Existen pruebas arqueológicas de elementos pétreos dedicados a la prensa de aceitunas del siglo II d. C.

A principios del siglo pasado existían en el término de Priego más de cuarenta molinos, que nos dan una idea de la importancia que tenía el olivar dentro de la economía de la zona, y que siguió teniendo a lo largo del siglo XX hasta la actualidad.

SIERRA DE CÁDIZ Aceite de oliva virgen extra, obtenido a partir de las aceitunas de las variedades lechín de Sevilla, manzanilla, verdial de Huévar, verdial de Cádiz, hojiblanca, picual, alameña de Montilla y arbequina.

La zona de producción, elaboración y envasado es una subcomarca natural dentro de la comarca de la Sierra de Cádiz, y ocupa la zona noreste de dicha provincia. Se encuentra encajada entre sierras, como las de Líjar y Algodonales, y está cerrada en el sudoeste

These oils are moderately stable, with a fatty acid makeup which is highly balanced for the diet. The aromas are reminiscent of fresh fruit, ripe fruit, grass and fig trees, among other scents. There are certain bitter, piquant nuances, which harmonise with traces of sweet flavour. The colour of the olives ranges from greenish-yellow to golden yellow, depending on the time of harvest, meteorological conditions, varieties and the geographical location within the area.

The tradition of olive growing in western Granada goes back to the Middle Ages. The first historical references to making olive oil in the area date back to the 5th-7th centuries, a period from which the remains of olive mills have been found.

PRIEGO DE CÓRDOBA Extra virgin olive oil obtained from olives of the Picudo, Hojiblanca and Picual varieties.

The production area protected by the designation of origin is a natural region located in the south-eastern quadrant of Córdoba Province, bordering on the provinces of Jaén and Granada.

Its composition, as well as the physical and mechanical processes employed, which produce no alterations, makes it possible to retain the olive's organoleptic characteristics. The result is the juice of olives whose nose offers herbaceous nuances, also reminiscent of fruity tones such as apple, and to a lesser extent, traces of vegetables such as the tomato.

The cornerstone of the economic foundations of the Hispano-Roman population in the Priego region was agriculture, in the form of the famous Mediterranean triad (wheat, grapes and olives). There is archaeological evidence of stone artefacts used to press olives from the 2nd century A.D.

At the beginning of the last century, the municipal area of Priego contained more than forty mills. This gives us an idea of how important olives were to the regional economy, which they continued to be throughout the 20th century and up to the present.

SIERRA DE CÁDIZ Extra virgin olive oil obtained from olives of the Lechín de Sevilla, Manzanilla, Verdial de Huévar, Verdial de Cádiz, Hojiblanca, Picual, Alameña de Montilla and Arbequina varieties.

The area of production, manufacture and packaging is a natural sub-region within the Sierra de Cádiz region, occupying the north-eastern part of the province. It is enclosed by mountain ranges, the Líjar and Algodonales, fenced in on the southeast by the Grazalema Mountains and located next to the Sierra de Grazalema Nature Reserve. The aroma of these oils is reminiscent of fruits and wild scents, with a slightly bitter and piquant flavour and a balanced palate.

To give an idea of the ancient olive growing tradition of Sierra de Cádiz, it is enough to point out that the name of its capital, Olvera, comes from the term *'olivera',* or 'olive tree'. Additionally, several works from the 18th century speak of the quality of the region's olive oils.

por la Sierra de Grazalema. Está situada junto al Parque Natural Sierra de Grazalema. Son aceites de aroma que recuerdan a frutas y aromas silvestres con sabor ligeramente amargo y picante, resultando equilibrados al paladar.

Para hacerse una idea de la remota tradición olivarera de la Sierra de Cádiz basta destacar que el nombre de su capital, Olvera, procede del término «olivera». Igualmente, diversas obras del siglo XVIII hablan de la calidad de los aceites de oliva de la comarca.

SIERRA DE CAZORLA Aceite de oliva virgen extra, obtenido a partir de las aceitunas de la variedad picual y la variedad autóctona royal

Este aceite es producido en la zona situada en el sudeste de la provincia de Jaén, en un enclave de extraordinario valor, junto al Parque Natural de la Sierra de Cazorla, Segura y las Villas.

Estos aceites son afrutados y ligeramente amargos. El color varía del verde intenso al amarillo dorado, dependiendo de la época de recolección de la aceituna y de la localización del olivar dentro de la comarca.

Las noticias más antiguas relativas al olivar en la comarca y Sierra de Cazorla, después de la conquista y repoblación de la zona por Fernando III en el siglo XIII proceden de la documentación de la villa de Quesada, que data de los siglos de la Baja Edad Media. En esta documentación se constata ya claramente la presencia del cultivo del olivar en la zona.

SIERRA MÁGINA Aceite de oliva virgen obtenido de los frutos del olivo de las variedades picual y manzanillo de Jaén. Estos aceites son de gran estabilidad, con un sabor muy afrutado y ligeramente amargo. El color varía del verde intenso al amarillo dorado.

Son producidos en la comarca de Sierra Mágina que se encuentra enclavada en el parque natural del mismo nombre, en la parte central de la zona sur de la provincia de Jaén, donde el olivar ha constituido la principal fuente de la actividad económica.

La Sierra Magna, la Sierra Grande o Sierra Mágina ha visto asentarse en ella distintas civilizaciones y culturas a través del tiempo.

SIERRA DE SEGURA La comarca de Sierra de Segura ocupa el nordeste de la provincia de Jaén. La Denominación de Origen ampara exclusivamente aceites de oliva vírgenes extra obtenidos a partir de la variedad picual, como principal, con un 97% de la superficie, y de las variedades manzanillo de Jaén, royal y verdala.

Desde el punto de vista organoléptico, estos aceites presentan colores entre amarillo y verdoso, son afrutados y aromáticos, ligeramente amargos y picantes y con una gran estabilidad, por lo que se pueden conservar durante más tiempo.

La cultura de la comarca de Sierra de Segura está íntimamente ligada al olivar, sin el cual no se entendería. El bosque de olivar no solo tiene un extraordinario valor socioeconómico, sino también ecológico y paisajístico. En muchos casos, los olivos incluso están entremezclados con pinares.

SIERRA DE CAZORLA Extra virgin olive oil obtained from olives of the Picual variety and the native Royal variety.

This oil is produced in the south-eastern region of the province of Jaén, in an enclave of extraordinarily value, near the Sierra de Cazorla, Segura y las Villas Nature Reserve.

These oils are fruity and slightly bitter. The colour ranges from a deep green to golden yellow, depending on the time of year the olives are harvested and the location of the olive grove within the region.

The earliest mention of olive groves in the region and Sierra de Cazorla, after the conquest and repopulation of the area by Ferdinand III in the 8th century, comes from documents regarding the town of Quesada, which date from the late Middle Ages. These documents provide clear records of the presence of olive growing in the region.

SIERRA MÁGINA Virgin olive oil obtained from the fruits of the Picual and Manzanillo de Jaén varieties of olive. These oils are highly stable, with a very fruity, slightly bitter flavour. The colour ranges from deep green to golden yellow.

They are produced in the Sierra Mágina region, situated in the nature reserve of the same name. In this central part of southern Jaén Province, olive groves constitute the main source of economic activity.

Sierra Magna, Sierra Grande and Sierra Mágina have seen different civilizations and cultures settle there over the course of time.

SIERRA DE SEGURA The Sierra de Segura region occupies the north-eastern part of the province of Jaén. The designation of origin protects only extra virgin olive oils obtained from the Picual variety, the main one, occupying 97% of the area, and the Manzanillo de Jaén, Royal and Verdala varieties.

Organoleptically speaking, these oils have a colour ranging from yellow to greenish. They are fruity and aromatic, slightly bitter and piquant. Their great stability makes it possible to store them longer.

The culture of the Sierra de Segura region is closely linked to olive groves, without which it would have no meaning. The olive groves are not only extraordinarily valuable in socio-economic terms, but also for the ecology and landscape. In many cases, the olives are even interspersed with pine woods.

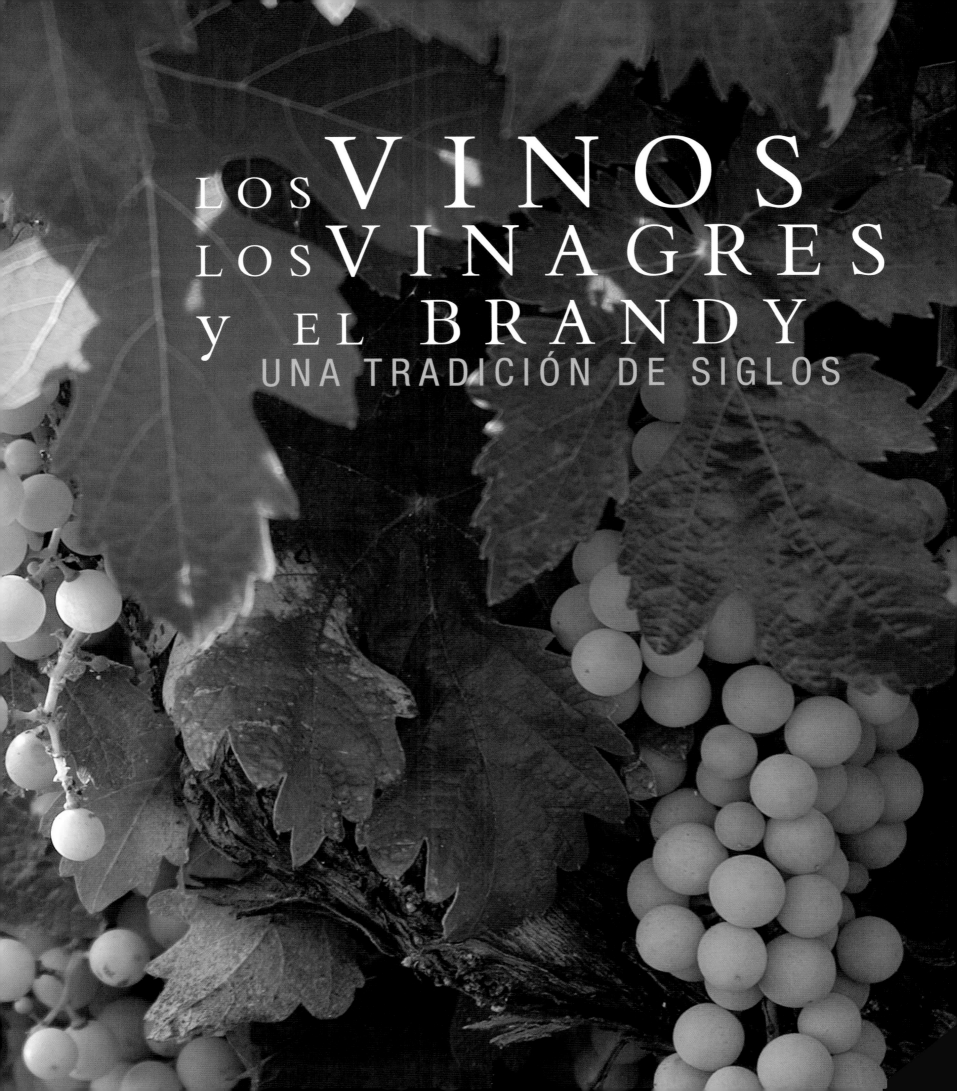

LOS VINOS LOS VINAGRES Y EL BRANDY

UNA TRADICIÓN DE SIGLOS

Historia de la tierra y de sus hombres

El buen clima y la diversidad del suelo andaluz han propiciado una extensa gama de cultivos de viñas, de características propias y muy definidas. El cuidado de las mismas, unido a las cada vez más sofisticadas técnicas de elaboración, ha supuesto que muchos de los vinos que se producen en Andalucía posean su bien merecido reconocimiento y prestigio internacional, amparados por diferentes Denominaciones de Origen.

No se puede establecer con exactitud cuál fue el lugar en el que empezó a cultivarse la vid en España, ni quienes fueron los primeros pueblos que introdujeron las técnicas de elaboración del vino. Diversas fuentes apuntan que los primeros viñedos se habrían asentado en el litoral suroccidental andaluz –provincias de Cádiz y Huelva–, constituyendo éste el punto de entrada y la zona en la que se habrían cultivado las viñas más antiguas de España.

Andalucía, que ha conocido un gran número de civilizaciones y culturas, ha sido siempre una tierra de vinos. Los vinos andaluces, desde la cultura árabe de Al-Ándalus hasta nuestros días, han sido ejemplo de variedades autóctonas, de vinificaciones propias y ejemplo de un comercio amplio y de una exportación a gran escala.

Pueblos como los fenicios, con la fundación de Cádiz hace 3.000 años, pasando por los árabes, romanos, griegos, cartaginenses, tartesos, ingleses y franceses, han tenido relación, de un modo u otro, con los vinos de Andalucía.

Lo más importante del paso de pueblos como el de Al-Ándalus fue la obtención de viñas sanas y fértiles. Por su parte, la Bética de los romanos se vio afectada por una grave plaga de filoxera, lo que impidió recibir como legado el catálogo de variedades de vinífera más amplio del mundo. El conjunto de civilizaciones que constituye Andalucía demuestra que la historia del vino siempre será la historia del hombre.

El procedimiento de crianza de vinos más tradicional de los que se emplean en Andalucía es el sistema de criadera y solera, cuyos orígenes se remontan al siglo XVIII. Este método, que ya forma parte del patrimonio cultural de Andalucía, se emplea fundamentalmente para la crianza de vinos generosos (fino, manzanilla, amontillado, oloroso, condado viejo y otros) en todas las Denominaciones de Origen andaluzas. Los vinos generosos son únicos, no se producen en ningún otro lugar del mundo.

Los vinos producidos en Andalucía gozan de gran prestigio a nivel mundial. Esto se ha traducido en el reconocimiento de seis Denominaciones de Origen de vinos, repartidas en cuatro zonas de producción. También es reconocida la calidad de los vinagres y licores andaluces, contando con dos Denominaciones de Origen de vinagre y una Denominación Específica de brandy.

History of the land and its people

The good climate and diversity of Andalusian soil have been conducive to cultivating a wide range of vines, with their own highly defined characteristics. The care of these, together with increasingly more sophisticated production techniques, has led many of the wines produced in Andalusia to receive well deserved international recognition and prestige, protected by the different designations of origin.

It is not possible to determine exactly where the vine was first cultivated in Spain, or who were the first peoples to introduce wine making techniques. Various sources indicate that the first vineyards were established along the south-western Andalusian coast – the provinces of Cádiz and Huelva, this being the point of entry and the area where the oldest vineyards in Spain were worked.

Andalusia, which has known a great many civilizations and cultures, has always been a land of wine. Andalusian wine, from the time of the Arab culture of Al-Andalus to the present, has been a model of native varieties, its own vinification and extensive trade and large-scale export.

Peoples such as the Phoenicians, with the founding of Cádiz 3,000 years ago, the Arabs, Greeks, Carthaginians, Tartessians, English and French have all had some relation, in one way or the other, with the wines of Andalusia.

The most important thing about the passing through of peoples such as ocurred in Al-Andalus was that healthy, fertile vineyards were obtained. For its part, Roman Baetica was affected by a serious phylloxera plague, which prevented it from leaving a legacy of the most extensive catalogue of wine-producing varieties in the world. The civilizations which have made up Andalusia show that the history of wine will always be the history of man.

The most traditional process for aging wines of those used in Andalusia is the *criadera y solera* system, whose origins date back to the 18th century. This method, which now forms part of Andalusia's cultural heritage, is used primarily for aging so-called Generoso wines (Fino, Manzanilla, Amontillado, Oloroso, Condado Viejo and others) in all the Andalusian designations of origin. These Generoso wines are unique, produced nowhere else in the world.

The wines produced in Andalusia enjoy great international prestige. This has translated into the recognition of six designations of origin for wines, distributed over four production areas. Also recognised is the quality of Andalusian vinegars and liqueurs, with two designations of origin for vinegar and one specific designation for brandy.

Denominaciones de ORIGEN
protegidas de los vinos andaluces
Andalusian wines protected designation of origin

Denominación de Origen Condado de Huelva

La DO Condado de Huelva fue reconocida en 1962. El reglamento actual es de 2002, a través del cual también se reconoció la DO Vinagre del Condado de Huelva, que se elabora con vinos calificados de la Denominación, y está gestionada por el mismo Consejo Regulador.

La actual zona vitivinícola que ampara la Denominación de Origen Condado de Huelva abarca una amplia comarca situada al sureste de la provincia de Huelva. Es una zona privilegiada desde el punto de vista ecológico, enclavada en el entorno del Parque Nacional de Doñana. Se extiende por la llanura del bajo Guadalquivir, desde la divisoria de aguas que marca el río Guadiamar hasta la desembocadura del río Tinto.

Las variedades de vid autorizadas son: zalema, palomino fino, listán de Huelva, garrido fino, moscatel de Alejandría y Pedro Ximénez, todas ellas blancas. Como ya se ha comentado anteriormente, la variedad por excelencia de la Denominación es la zalema.

Los vinos amparados pueden ser: blancos, generosos y generosos de licor.

Entre los blancos se encuentran:

- Condado de Huelva Joven, que es un vino del año, en el que destacan sus atributos afrutados. Se vendimian antes de la maduración total de la uva por lo que tienen menor graduación alcohólica y mayor acidez. Se fermentan en frío (18ºC-20ºC) para no perder los aromas originales. Su graduación oscila entre 10ºC y 12ºC. Son vinos de color pálido, con aromas que recuerdan a la variedad y en boca, ligero, fresco y equilibrado.

- Condado de Huelva, vino del año elaborado por fermentación tradicional. Cuando se somete a un envejecimiento de un año, pasa a denominarse Condado de Huelva Tradicional.

Entre los generosos se encuentran:

- Condado pálido, que se somete a una crianza biológica, siguiendo el método tradicional de criadera y solera. Debe someterse a un periodo mínimo de crianza de 3 años. Alcanza una graduación entre 15ºC y 17ºC. Tiene un color pajizo y es muy intenso en aroma, con un toque punzante proporcionado por la levadura. En boca es seco, con ligero amargor y complejo.

- Condado viejo, de crianza oxidativa mínima de 3 años. Alcanza graduaciones entre 15ºC y 22ºC. Es parecido al oloroso en aroma, color y cuerpo. Es muy equilibrado en boca, normalmente seco o levemente abocado.

Condado de Huelva Designation of Origin

The Condado de Huelva DO was recognised in 1962. The current regulations are from 2002, which also recognise the Condado de Huelva DO vinegar, which is made with qualified wines with the designation, and is governed by the same Regulatory Council.

The current area of viticulture protected by the Condado de Huelva Designation of Origin covers an extensive region located in southeastern Huelva province. It is an exceptional area from an ecological point of view, situated near Doñana National Park. It runs along the plain of the lower Guadalquivir, from the watershed which marks the River Guadiamar to the mouth of the River Tinto.

The authorised varieties of vine are: Zalema, Palomino Fino, Listán de Huelva, Garrido Fino, Moscatel de Alejandría and Pedro Ximénez, all white but the designation's variety *par excellence* is the Zalema.

The protected wines can be: white, generosos and generosos de licor (liqueurs).

The whites include:

- Condado de Huelva joven, which the wine from the same year, noted for its fruity attributes. The grapes are harvested before their have fully ripened, and so they have a lower alcohol content and higher acidity. They are cold fermented (18º-20º) to retain the original aromas. These wines have a pale colour, with aromas reminiscent of the grape variety, and have a light, fresh, balanced mouthfeel.

- Condado de Huelva, wine from the same year made using traditional fermentation. When it is aged for one year, it is then called condado de Huelva tradicional.

The Generoso wines include:

- Condado pálido, which is biologically aged, using the traditional *criadera y solera* method. It must be aged for a minimum of three years. The alcohol strength ranges from 15º to 17º. It is straw-coloured with a very intense aroma and a touch of sharpness from the yeast. The mouthfeel is dry and complex, with a slight bitterness.

- Condado viejo, aged by oxidation for a minimum of three years. The alcohol strength ranges from 15º to 22º. It is similar to the Oloroso in aroma, colour and body. It has a very balanced mouthfeel, normally dry and somewhat *abocado* (semi-sweet).

Lastly, the generosos de licor (liqueurs) are highly prized in foreign markets: pale dry, medium, cream and pale cream. They must be aged for a minimum of two years and have an alcohol strength of between 15º and 22º.

WINES, VINEGARS & BRANDY

A CENTURIES-OLD TRADITION

DO

Condado de Huelva

Jerez-Xérès-Sherry

Manzanilla-Sanlúcar de Barrameda

Montilla-Moriles

Málaga y Sierras de Málaga

Brandy de Jerez

Vinagre de Jerez

Vinagre del Condado de Huelva

Finalmente, los generosos de licor son muy apreciados en los mercados foráneos: pale dry, medium, cream y pale cream. Deben tener una crianza mínima de 2 años y una graduación alcohólica entre 15ºC y 22ºC.

Denominaciones de origen Jerez-Xérès-Sherry y Manzanilla-Sanlúcar de Barrameda

En 1483 el Cabildo de Jerez reconoce las Ordenanzas del gremio de la pasa y la vendimia de Jerez, que regulaban los pormenores de la vendimia, forma de elaboración y crianza y usos comerciales. Desde entonces, los productores y bodegueros de Jerez siempre han tenido una especial inquietud por proteger el prestigio de su nombre, hasta que finalmente en 1933 se reconocieron las Denominaciones de Origen Jerez-Xérès-Sherry y Manzanilla-Sanlúcar de Barrameda y se constituyó su Consejo Regulador. En el año 2000, el Consejo Regulador se fusiona con el de la DO Vinagre de Jerez. El reglamento actual fue aprobado por el Ministerio de Agricultura en 1977, aunque posteriormente ha sufrido diversas modificaciones, la última en 1999.

La zona de producción de las Denominaciones de Origen Jerez-Xérès-Sherry, Manzanilla-Sanlúcar de Barrameda y Vinagre de Jerez se denomina comúnmente Marco de Jerez. Se extiende a lo largo de ocho municipios de la provincia de Cádiz (Jerez de la Frontera, El Puerto de Santa María, Sanlúcar de Barrameda, Chiclana, Chipiona, Puerto Real, Rota y Trebujena) y un municipio de la provincia de Sevilla (Lebrija).

El Marco de Jerez ofrece una amplia diversidad de tipos y una gran adaptación a las preferencias de consumo de cada mercado, así como una calidad excepcional que aporta su sistema de elaboración y envejecimiento únicos, basado en el tradicional sistema de criadera y solera.

Las únicas variedades autorizadas son las blancas palomino, Pedro Ximénez y moscatel, destacando especialmente la palomino, con un 95% de la superficie.

Los tipos de vinos amparados por el Consejo Regulador son: generosos, generosos de licor y dulces naturales.

- Los vinos generosos son los más típicos. Incluyen el fino, manzanilla, amontillado, oloroso y palo cortado.
  - El fino se elabora en crianza biológica, siguiendo el tradicional sistema de criadera y solera. Es un vino pálido y seco, de color pajizo, aroma punzante y graduación entre 15ºC y 17ºC.
  - La manzanilla es un vino seco de color pajizo o dorado, aroma muy punzante, ligero al paladar y poco ácido. Su crianza similar a la del fino, pero adquiere características diferentes debido al microclima de las bodegas de Sanlúcar, únicas en la que se puede envejecer. Su graduación oscila entre 15ºC y 19ºC. Según su crianza y envejecimiento se conocen las especialidades manzanilla fina, manzanilla pasada y manzanilla olorosa.
  - El amontillado combina una primera fase de crianza biológica seguida de una crianza oxidativa, al perderse el velo de flor.

In 1483, the District Council of Jerez recognised the Statutes of the Guild of Raisins and Grape Harvest of Jerez, which regulated the details of the grape harvest, wine-making methods and aging and trading customs. Since then the producers and wine makers of Jerez have remained especially concerned to protect the prestige of their name. Finally, in 1933, the Jerez-Xérès-Sherry and Manzanilla-Sanlúcar de Barrameda Designations of Origin were recognised and their Regulatory Council was established. In 2000, the Regulatory Council was merged with that of the Vinagre de Jerez DO The current regulations were passed by the Ministry of Agriculture in 1977, although they have since been modified, the last change being made in 1999.

The area of production for the Jerez-Xérès-Sherry, Manzanilla-Sanlúcar de Barrameda and Vinagre de Jerez Designations of Origin is commonly known as Marco de Jerez. It extends across eight municipalities in the province of Cádiz (Jerez de la Frontera, El Puerto de Santa María, Sanlúcar de Barrameda, Chiclana, Chipiona, Puerto Real, Rota and Trebujena) and one municipality in Seville Province (Lebrija).

Marco de Jerez offers a diverse range of types, which adapt to consumer preferences in each market. Its unique method of production and aging, based on the traditional *criadera y solera* system, also provides exceptional quality.

The only varieties authorised are the whites Palomino, Pedro Ximénez and Moscatel. Palomino is especially important, occupying 95% of cultivated area.

The types of wine protected by the Regulatory Council are: generosos, generosos de licor and natural sweet wines.

- The generosos are the most traditional. They include Fino, Manzanilla, Amontillado, Oloroso and Palo Cortado.
  - Fino is biologically aged, using the traditional criaderas y solera system. It is a pale, dry, straw-coloured wine with a sharp aroma and an alcohol strength of between 15º and 17º.
  - Manzanilla is a dry, straw-coloured or golden wine. It has a very sharp aroma, a light palate, and little acidity. It is aged in a similar fashion to Fino, but it takes on different characteristics due to the microclimate of the wine cellars of Sanlúcar, the only ones in which it can be aged. Its alcohol strength ranges from 15º to 19º. Depending on aging and maturing, there are the specialities Manzanilla fina, Manzanilla pasada and Manzanilla olorosa.
  - Amontillado combines a first stage of biological aging with aging by oxidation after the layer of flor is lost. Amber-coloured with a hazelnut aroma and smooth, full palate. Its alcohol strength reaches between 16º and 22º.

De color ambarino, aroma avellanado, suave y lleno al paladar. Alcanza una graduación alcohólica entre 16ºC y 22ºC.

- El oloroso es un vino de seco, de color caoba y aroma intenso, obtenido a través de crianza oxidativa. Alcanza una graduación alcohólica entre 17ºC y 22ºC.

El palo cortado tiene las suaves y delicadas características del amontillado y la vinosidad y cuerpo del oloroso. Es de color caoba brillante, aroma avellanado y de paladar seco, equilibrado y muy persistente. Alcanza una graduación entre 17ºC y 22ºC.

- Los vinos generosos de licor incluyen el cream, pale cream, medium y dry.

  - El cream es una mezcla de oloroso y Pedro Ximénez. Es dulce, de color oscuro, aroma punzante y atenuado, con mucho cuerpo. Su grado alcohólico adquirido no debe ser inferior a 15,5ºC.

  - El pale cream es un vino de color pálido y aroma punzante, más dulce que los finos. Su grado alcohólico adquirido no debe ser inferior a 15,5ºC.

  - El dry es un vino de color amarillo pálido a dorado, con un grado alcohólico adquirido no inferior a 15ºC. Podrá utilizarse en algunos mercados el término pale dry.

  - El medium es un vino de color ámbar a caoba, con grado alcohólico adquirido no inferior a 15ºC.

- Los vinos dulces naturales son el Pedro Ximénez y el moscatel. Se obtienen a partir de uva muy madura o asoleada, cuya fermentación se detiene por la adición de alcohol vínico. Reciben el nombre de la variedad con la que se han elaborado. Su color es caoba oscuro y con aromas que recuerdan a las pasas, suaves y equilibrados al paladar. Su graduación ronda los 17ºC.

Desde 2002 se comercializan vinos de Jerez con vejez calificada, mención que se puede emplear para vinos con más de 20 años de crianza (VOS) o más de 30 años (VORS). Incluiría amontillados, olorosos, palo cortado y Pedro Ximénez.

Denominación de Origen Montilla-Moriles

La DO Montilla-Moriles se sitúa en la provincia de Córdoba. La vid comparte espacio con el trigo y los olivos, en consonancia con la famosa trilogía mediterránea: pan, vino y aceite.

Para la elaboración de los vinos de Montilla-Moriles están permitidas las variedades blancas Pedro Ximénez, moscatel, airén, torrontés y baladí-verdejo. La Pedro Ximénez es la variedad estandarte del Marco, con más del 75% de la superficie.

Fundamentalmente se producen vinos generosos: finos, amontillados y olorosos, siguiendo el sistema tradicional de crianza en criadera y solera, ya comentado en los vinos de Jerez.

- Fino: es un vino pálido y seco, de color amarillo pajizo, casi transparente, levemente amargoso, ligero y fragante al paladar. Alcanza los 15ºC de alcohol de forma totalmente natural. Se obtiene por crianza biológica.

- Oloroso is a dry, reddish-brown wine with an intense aroma. It is obtained through aging by oxidation. Its alcohol strength reaches between 17º and 22º.

Palo cortado has the smooth, delicate characteristics of Amontillado and the winey qualities and body of Oloroso. It has a bright reddish-brown colour, hazelnut aroma and a dry, balanced and very lingering palate. Its alcohol strength reaches between 17º and 22º.

- Generosos de licor include cream, pale cream, medium and dry.

  - Cream is a blend of Oloroso and Pedro Ximénez. It is sweet, dark in colour with a moderate, sharp aroma and a lot of body. It cannot have an acquired alcohol content of less than 15.5º.

  - Pale cream is a pale coloured wine with a sharp aroma. It is sweeter than Fino. It cannot have an acquired alcohol content of less than 15.5º.

  - Dry is wine ranging in colour from pale yellow to golden, with an acquired alcohol content of no less than 15º. In some markets the term pale dry may be used.

  - Medium is wine ranging in colour from amber to reddish-brown, with an acquired alcohol content of no less than 15º.

- Sweet natural wines are Pedro Ximénez and Muscatel. They are obtained from very ripe or sun-dried grapes, whose fermentation is halted by adding wine-based alcohol. They are given the name of the grape variety from which they are made. Their colour is dark reddish-brown and the aroma is reminiscent of grapes, with a smooth, balanced palate. Their alcohol strength is around 17º.

Since 2002, Sherry wines with certified ages have been marketed. This can be used for wines aged for over 20 years (V.O.S.) or more than 30 years (V.O.R.S.) and includes Amontillados, Olorosos, Generosos and Pedro Ximénez.

Montilla-Moriles Designation of Origin

The Montilla-Moriles DO is located in the province of Córdoba. The vine shares space with wheat and olives, in harmony with the famous Mediterranean triad: bread, wine and oil.

The white varieties Pedro Ximénez, Moscatel, Airén, Torrontés and Baladí-Verdejo are permitted for making Montilla-Moriles wine. Pedro Ximénez is the standard varietal of the region, with more than 75% of the area.

The area primarily produces Generoso wines: Finos, Amontillados and Olorosos, using the traditional criadera y solera aging system, already discussed under Sherry.

- Fino: a pale, dry wine with a straw-yellow colour. It is almost transparent, slightly bitter and light with a fragrant palate. It reaches 15º alcohol content completely naturally and is obtained by biological aging.

- Amontillado: a dry wine with a sharp hazelnut aroma, forming the perfect combination of delicacy and age. It is amber-coloured, ranging from yellow-brown to old gold. Its alcohol strength ranges

- Amontillado: es un vino seco, de aroma punzante avellanado, formando una perfecta combinación de finura y vejez. Su color es ámbar, entre amarillo-moreno y oro viejo. Su graduación alcohólica va de los 16ºC a los 18ºC, aunque los más viejos pueden llegar a 22ºC. Participa de la crianza bajo «velo de flor», siguiendo luego una segunda fase de crianza oxidativa.

- Oloroso: es un vino de más cuerpo y enérgico, seco o no muy abocado[1]. Su color es caoba oscuro. Su graduación se sitúa entre 16ºC y 18ºC, pudiendo llegar los más viejos a 20ºC.

Otros vinos que se producen en Montilla-Moriles son los generosos de licor: palo cortado (con el color y nariz del amontillado y la suave boca del oloroso), raya, pale dry, medium, cream (mezcla de oloroso y vino dulce) y pale cream (similar al fino, pero más dulce y suave al paladar).

Se puede considerar que la estrella de la Denominación es el vino Pedro Ximénez. Es un vino dulce natural obtenido a partir de uva soleada de la variedad que le da su nombre. En el proceso de pasificación la uva concentra los azúcares, a costa de un rendimiento menor en mosto. La fermentación será solo parcial para evitar que se consuman los azúcares. Posteriormente se somete a crianza oxidativa por el sistema de criaderas y solera. En las últimas campañas se ha lanzado al mercado un Pedro Ximénez procedente de cultivo ecológico.

Otro tipo de vino dulce permitido en el Marco es el moscatel, elaborado a partir de uvas de esta variedad.

Recientemente, también se han comenzado a elaborar en el Marco vinos blancos jóvenes y envejecidos, con uva que no completa su maduración para conseguir rasgos más afrutados.

Denominaciones de Origen Málaga y Sierras de Málaga

La zona de producción de las Denominaciones de Origen Málaga y Sierras de Málaga ampara gran parte de los municipios de la provincia, distribuidos en cinco zonas: Axarquía, Montes, Norte, Costa occidental y la Serranía de Ronda.

En 1900 se redacta el Reglamento de la asociación gremial de criadores exportadores de vino de Málaga, que se podría considerar un antecesor del reglamento de la Denominación de Origen. En 1933 fue constituido oficialmente el Consejo Regulador de la DO Málaga, siendo el más antiguo de los que existen en España.

La DO Sierras de Málaga nació en 2001, ante la necesidad de diversificar la producción de los viñedos de Málaga hacia vinos blancos, tintos y rosados.

Las Denominaciones de Origen Málaga y Sierras de Málaga están gestionadas por un único Consejo Regulador, que comparten con la DOP Pasas de Málaga desde 2004. El reglamento actual fue aprobado en 2001 por la Consejería de Agricultura y Pesca y en él se reconoce a la DO Sierras de Málaga.

---

1. Se dice de un vino «abocado» cuando tiene sabor dulce generado por los restos de azúcares sin fermentar.

from 16º to 18º, although older varieties can reach 22º. It is aged under a layer of flor yeast, later followed by a second stage of aging by oxidation.

- Oloroso: a wine with more body and energy, dry and not very abocado.[1] It is a dark reddish-brown with an alcohol strength of between 16º and 18º, with aged varieties possibly reaching 20º.

Other wines produced in Montilla-Moriles are generosos de licor (liqueurs): generosos (with the colour and nose of Amontillado and the smooth mouthfeel of Oloroso), raya, pale dry, medium, cream (a blend of Oloroso and sweet wine) and pale cream (similar to Fino, but sweeter, with a smooth palate).

Pedro Ximénez wine may be considered the star of the designation of origin. This sweet natural wine is obtained from the sun-dried grape which lends the wine its name. During the drying process, the grape's sugars are concentrated, at the cost of a lower must yield. The wine is only partially fermented to prevent the sugars from being consumed. It is then aged by oxidation using the criaderas y solera system. In recent years, an organic Pedro Ximénez has been launched.

Another type of sweet wine permitted in the region is Moscatel, made from grapes of the Moscatel variety.

Recently, young and aged white wines have begun to be made in the region. These use grapes which are not fully ripened to give them fruitier characteristics.

Málaga and Sierras de Málaga Designations of Origin

The production area of the Málaga and Sierras de Málaga Designations of Origin covers a large part of the province's municipalities, divided into five regions: Axarquía, Montes, Norte, Costa Occidental and Serranía de Ronda.

In 1900 the Regulations of the Guild of Málaga Wine Growers and Exporters was written. This may be considered the predecessor to the current regulations for the designation of origin. In 1933, the Málaga DO Regulatory Council was officially established. It is the oldest in Spain.

The Sierras de Málaga DO came into existence in 2001, in response to the need to diversify production in the vineyards of Málaga to include white, red and rosé wines.

The Málaga and Sierras de Málaga Designations of Origin are managed by a single Regulatory Council, which they have shared with the Pasas de Málaga PDO since 2004. The current regulations were passed in 2001 by the Department of Agriculture and Fisheries, recognising the Sierras de Málaga DO.

The Sierras de Málaga DO is the only Andalusian DO which includes red wines and Rosés from the Romé, Cabernet Sauvignon, Merlot, Syrah and Tempranillo varieties, and whites from the chardonnay, Macabeo and Sauvignon Blanc varieties, among others.

---

1. A wine called 'abocado' when it has a sweet flavour produced by residual unfermented sugars.

La DO Sierras de Málaga es la única DO andaluza que ampara vinos tintos y rosados de las variedades romé, cabernet sauvignon, merlot, syrah y tempranillo, y blancos de las variedades chardonnay, macabeo y sauvignon blanc entre otras.

Las variedades autorizadas en la DO Málaga son Pedro Ximénez y moscatel de Alejandría[2], como variedades preferentes, siendo también aptas doradilla, lairén y romé (puede ser blanca o tinta).

La DO Málaga cuenta con una amplísima gama de vinos, nombres, menciones y clasificaciones tradicionales, que sería imposible describir aquí con detalle. Los vinos protegidos se dividen en dos grandes grupos:

a) Vinos de licor: se elaboran exclusivamente a partir de las variedades Pedro Ximénez y moscatel. Se les añade alcohol vínico hasta alcanzar una graduación entre 15ºC y 22ºC. Se distinguen los vinos dulces naturales, maestros y tiernos:

– El vino dulce natural es el vino obtenido de las variedades Pedro Ximénez o moscatel, con una riqueza natural inicial mínima de azúcares de 212 g/l, y con un grado alcohólico no inferior a 7% vol.

– El vino maestro procede de una fermentación muy incompleta, porque antes de que comience el proceso, se encabeza el mosto con un 8% de alcohol de vino. Con este método, la fermentación es muy lenta y se paraliza cuando la riqueza alcohólica es de 15%-16%, quedando más de 100 gramos por litro de azucares sin fermentar.

– El vino tierno es el vino parcialmente fermentado, procedente de uva largamente asoleada que da lugar a mostos con un contenido total de azúcares superior a 350 gramos por litro; el mosto por sí mismo es capaz de iniciar una fermentación alcohólica, y el vino se encabeza con la adición de alcohol de vino.

Se pueden emplear las siguientes menciones tradicionales:

• Lágrima: es el vino en cuya elaboración solo se ha empleado el mosto extraído sin presión mecánica. Cuando se someten a un envejecimiento por encima de los 2 años se podrán denominar *Lacrimae Christi.*

• Pajarete: es el vino dulce natural envejecido, con un contenido de azúcares entre 45g/l y 140g/l. Se elabora sin adición de arrope. Su color oscila de ámbar a ámbar oscuro.

Otros tipos de vinos de licor son cream, pale dry, pale cream, sweet.

b) Vinos naturalmente dulces (no confundir con el vino dulce natural): se elaboran a partir de uva sobremadurada de las variedades Pedro Ximénez o moscatel. A diferencia de los vinos de licor, su grado alcohólico lo obtienen de forma natural en la fermentación, siempre por encima de 13ºC.

The varieties authorised for the Málaga DO are Pedro Ximénez and Moscatel de Alejandría[2] as the preferred varieties, with Doradilla, Lairén and Romé (white or red) also being suitable.

The Málaga DO includes a very wide range of wines, names, mentions and traditional classifications which it would be impossible to describe in detail here. The protected wines are divided into two large groups:

a) Liqueurs: made exclusively from the Pedro Ximénez and Moscatel varieties. Wine-based alcohol is added, bringing their alcohol strength to between 15º and 22º. These are divided into sweet natural wines, maestros and tiernos:

– Sweet natural wine is obtained from the Pedro Ximénez or Moscatel varietals. It has a minimum initial natural sugar content of 212 grams per litre, with an alcohol content of no less than 7% vol.

– Maestro wine is the result of very incomplete fermentation. Before the process begins, the must is fortified with 8% wine-based alcohol. This method makes fermentation very slow, halting when the alcohol content is 15%-16%, leaving more than 100 grams of unfermented sugars per litre.

– Tierno wine is a partially fermented wine made from grapes which have been sun dried for a long time. This produces musts with a total sugar content of more than 350 grams per litre. The must itself is capable of initiating alcoholic fermentation and the wine is fortified by adding wine-based alcohol.

The following traditional variations are found:

• Lágrima: a wine made using only must extracted by applying mechanical pressure. When it is aged for more than two years, it can be called Lacrimae Christi.

• Pajarete: a sweet natural aged wine with sugar content of between 45g/l and 140g/l. It is made with no added grape syrup. The colour ranges from amber to dark amber.

Other types of liqueurs are cream, pale dry, pale cream and sweet.

b) Naturally sweet wines (not to be confused with sweet natural wines): are made from overripe Pedro Ximénez or Moscatel grapes. Unlike liqueurs, the alcohol content is obtained naturally during fermentation, and is always greater than 13º.

Depending on the aging period, the wines with this designation are classified as Málaga pálido (no aging), Málaga (6-24 months), Málaga noble (2-3 years), Málaga añejo (3-5 years) and Málaga trasañejo (more than 5 years).

Depending on their sugar content, they can be sweet (when the sugar content is greater than 45 g/l), semi-sweet (if the sugar content is between 12 and 45 g/l), semi-dry (when the amount of

2. También denominada moscatel de Málaga o moscatel morisco. Es de doble aptitud para mesa o vinificación.

2. Also known as Moscatel de Málaga or Moscatel Morisco. It is suitable as both a table grape or for vinification.

Según el periodo de envejecimiento, los vinos de la Denominación se clasifican en Málaga pálido (sin envejecimiento), Málaga (de 6 a 24 meses), Málaga noble (2 a 3 años), Málaga añejo (3 a 5 años) y Málaga trasañejo (más de 5 años).

Según su contenido en azúcares, podrán ser dulces (cuando el contenido en azúcares sea superior a 45 g/l), semidulces (si el contenido en azúcares está comprendido entre 12 y 45 g/l), semisecos (cuando la cantidad en azúcares está comprendida entre 4 y 12 g/l) y secos (cantidad de azúcares inferior a 4 g/l).

En la DO Sierras de Málaga se elaboran vinos blancos, rosados y tintos, jóvenes o envejecidos, con una graduación máxima de 15ºC. Los blancos son de color pálido, aroma varietal, ligeros y frescos con tonos ácidos. Los tintos son vinos con cuerpo, bien estructurados, en los que predominan los sabores y aromas minerales y del terruño.

Según el periodo de envejecimiento se clasifican en crianza, reserva y gran reserva.

Denominación Específica Brandy de Jerez

El brandy es una bebida espirituosa de 36 a 45 grados obtenida a partir de aguardientes y destilados de vino, de uva airén y, en menor medida, palomino. El brandy de Jerez se diferencia de otros brandys por sus características, debidas fundamentalmente a su tradicional sistema de elaboración y a las características de las vasijas de madera en las que envejece, así como a las propias peculiaridades climáticas del área geográfica en que se elabora.

El brandy de Jerez debe ser envejecido exclusivamente en los términos municipales de Jerez de la Frontera, El Puerto de Santa María y Sanlúcar de Barrameda, en la provincia de Cádiz.

Es importante destacar que, para la obtención de los destilados de vino que se emplean para el brandy de Jerez, solamente se destilan vinos sanos, limpios, equilibrados y perfectamente aptos para su consumo; y que para obtener un litro de brandy es necesario destilar del orden de tres litros de vino, obteniendo lo mejor de ellos y desechando el resto.

El factor tiempo también es fundamental para el envejecimiento del brandy de Jerez. Y lo es por la complejidad del sistema de criadera y solera, que hace que cualquier brandy de Jerez, independientemente de su edad (que debe ser de, al menos, seis meses), contenga componentes con una vejez muy superior a la que resultaría de un proceso de envejecimiento estático, que no fuera fraccionado, como es el seguido en el Marco de Jerez.

En función del tiempo de envejecimiento, nos encontramos con los siguientes tipos de brandy de Jerez:

– Brandy de Jerez solera: es el más joven y afrutado, con un envejecimiento promedio de un año (mínimo de 6 meses).

– Brandy de Jerez solera reserva: con un tiempo de envejecimiento promedio de 3 años (mínimo de 1 año).

– Brandy de Jerez solera gran reserva: es el de mayor envejecimiento, con un promedio de 10 años (mínimo 3 años).

sugar is between 4 and 12 g/l) and dry (sugar content of less than 4 g/l).

The Sierras de Málaga DO covers white, rosé and red, young or aged wines with a maximum alcohol strength of 15º. The whites are light-coloured, with the aroma of their varietal, light and fresh with acidic notes. The reds have body, are well-structured, with the flavours and aromas of minerals and the soil predominating.

Depending on how long they are aged, they are classified as crianza, reserva or gran reserva.

Jerez Brandy Specific Designation

Brandy is an alcoholic beverage with 36-45 degrees alcohol, obtained from eau-de-vies and distilled wine from the Airén grape, and to a lesser extent, the Palomino. Jerez Brandy is distinguished from other brandies by its characteristics, due primarily to the traditional system of production used and the characteristics of the wooden containers in which it is aged, as well as the particular features of the geographical area in which it is made.

Jerez Brandy must be aged only within the boundaries of the towns of Jerez de la Frontera, El Puerto de Santa María and Sanlúcar de Barrameda, in the province of Cádiz.

It is important to highlight that in order to obtain the distilled wine used for brandy de Jerez, only wines which are healthy, clean, balanced and entirely suitable for consumption are distilled. To obtain one litre of brandy, it is necessary to distil in the order of three litres of wine, taking the best from this and discarding the rest.

The time factor is also key to aging Jerez brandy. The complexity of the *criadera y solera* system means that any Jerez brandy, regardless of its age (which must be at least six months), will contain much older components than would result from a static aging process in which the wine is not separated, as used in the Marco de Jerez.

Depending on the aging time, there are various types of brandy de Jerez:

– Jerez Brandy Solera: the youngest and fruitiest, aged for an average of a year (a minimum of six months).

– Jerez Brandy Solera Reserva: aged for an average of three years (a minimum of one year).

– Jerez Brandy Solera Gran Reserva: aged for the longest, an average of 10 years (a minimum of three years).

The barrels used to age the Jerez Brandy are all American oak. Regulations stipulate that they must have contained one of the varieties of Sherry for at least three years, thus transferring its aromas and characteristics.

These barrels contribute significantly to giving brandy de Jerez its distinct nuances, depending on the type used. Fino barrels produce paler brandies than those from barrels which have held Amontillado

Las vasijas empleadas para el envejecimiento del brandy de Jerez son todas de roble americano y reglamentariamente han de haber contenido durante al menos tres años algunos de los tipos de vinos de Jerez, transmitiéndole así sus aromas y características.

Estas vasijas contribuyen significativamente a dotar al brandy de Jerez de matices diferentes, dependiendo del tipo empleado. Así, las vasijas de fino permiten la obtención de brandys más pálidos que los procedentes de vasijas que hayan contenido amontillados u olorosos. Para su envejecimiento se realizan extracciones y reposiciones parciales de los aguardientes contenidos en las vasijas, siguiendo el tradicional sistema de criadera y soleras, que dotan al brandy de Jerez de una gran homogeneidad y calidad sostenida con el transcurso del tiempo.

La destilación posterior se realiza mediante alambiques de cobre denominados alquitaras.

Denominación de Origen Vinagre de Jerez

El de Jerez es un vinagre elaborado exclusivamente de vinos procedentes de las variedades de la zona de producción de las Denominaciones de Origen Jerez-Xérès-Sherry y Manzanilla de Sanlúcar, mediante un proceso controlado de transformación acética, y envejecido en cubas de roble o castaño durante al menos seis meses por el sistema conocido como criadera y solera.

Este tipo de vinagre se produce, sobre todo, en Jerez de la Frontera, pero también en poblaciones como Sanlúcar de Barrameda y el Puerto de Santa María. La zona de producción coincide con el denominado Marco de Jerez. Es muy importante para la producción de este vinagre disponer de un clima seco refrescado por las brisas del mar. El sol, el suelo y el aire andaluz hacen las uvas perfectas para los vinos y vinagres de Jerez.

Las variedades autorizadas para elaborar el vinagre de Jerez son la palomino de Jerez, palomino fino, moscatel y Pedro Ximénez, todas ellas blancas.

El vinagre de Jerez es oscuro, color caoba y fuerte, con un grado acético de siete a nueve grados. El vino se transforma en vinagre mediante un proceso natural de fermentación acética en depósitos de acero inoxidable, en el que bacterias *acetobacter* oxidan el alcohol hasta convertirlo en ácido acético y agua. Posteriormente, el vinagre se somete a clarificación y filtración para eliminar impurezas. Finalmente, envejece en cubas o botas de roble o castaño.

En función del tiempo de envejecimiento, se distinguen el vinagre de Jerez (un mínimo de 6 meses de crianza), el vinagre de Jerez reserva (mínimo de 2 años de crianza) y el vinagre de Jerez gran reserva (mínimo de diez años de crianza). El producto final presenta un gran poder aromatizante, en nariz no resulta muy punzante (lo que denota buena crianza) y tiene en boca un marcado sabor.

El reglamento de la DO Vinagre de Jerez fue aprobado en 1995, y desde el año 2000 comparte Consejo Regulador con las Denominaciones de Origen Jerez-Xérès-Sherry y Manzanilla-Sanlúcar de Barrameda.

or Oloroso. During the aging process, a portion of the brandy held in the barrels is extracted and replaced, using the traditional criadera y soleras system. This makes Jerez Brandy highly homogeneous, giving it a lasting quality.

The later distillation is carried out using copper stills known as *alquitaras*.

Vinagre de Jerez Designation of Origin

Sherry vinegar made using only wines from the varieties of the Jerez-Xérès-Sherry and Manzanilla de Sanlúcar Designations of Origin areas of production. This vinegar is produced using a controlled acetic acid transformation process, and aged in oak or chestnut casks for at least six months, following a system known as *criadera y solera*.

This type of vinegar is produced above all in Jerez de la Frontera, but also in towns such as Sanlúcar de Barrameda and Puerto de Santa María. The production area coincides with that known as Marco de Jerez. It is very important that this vinegar be produced in a dry climate cooled by sea breezes. The sun, soil and Andalusian air create the perfect grapes for Sherry wines and vinegars.

The varieties authorised for making Sherry vinegar are Ppalomino de Jerez, Palomino Fino, Moscatel and Pedro Ximénez, all white.

Sherry vinegar is dark, reddish-brown and strong. It has an acetic acid content of seven to nine degrees. The wine is transformed into vinegar in stainless steel tanks by means of a natural acetic acid fermentation process. The *Acetobacter* bacteria oxidise the alcohol, turning it into acetic acid and water. The vinegar is then classified and filtered to remove impurities. Lastly, it is aged in oak or chestnut casks or butts.

Depending on how long it is aged, a distinction is made between vinagre de Jerez (aged for a minimum of six months), vinagre de Jerez reserva (aged for a minimum of two years) and vinagre de Jerez gran reserva (a minimum of 10 years' aging). The final product is highly aromatic. The nose is not very sharp (denoting proper aging) and the mouthfeel is highly flavourful.

The regulations for the Vinagre de Jerez DO were passed in 1995. Since 2000, the designation has shared its Regulatory Council with the Jerez-Xérès-Sherry and Manzanilla-Sanlúcar de Barrameda Designations of Origin.

Vinagre del Condado de Huelva Designation of Origin

Condado de Huelva vinegar is only made with wines from the designation of origin of the same name, and is a high-quality derivative of the wine's second fermentation, the acetic acid. With a historic tradition in the region – wine cultivation in Huelva dates back to the mid-14th century, this vinegar was given significance by granting it its own designation of origin. The Condado de Huelva vinegar DO has been recognised since 2002 and shares its Regulatory Council with the Condado de Huelva DO.

Denominación de Origen Vinagre del Condado de Huelva

El Vinagre del Condado de Huelva solo se elabora con vinos acogidos a la Denominación de Origen homónima, y es un derivado de calidad de la segunda fermentación del vino, la acética. Con tradición histórica en la comarca –el cultivo de la vid en Huelva data de mediados del siglo XIV–, a este vinagre se le dio entidad otorgándole su propia Denominación de Origen. La DO Vinagre del Condado de Huelva está reconocida desde 2002 y comparte Consejo Regulador con la DO Condado de Huelva.

Las variedades de vid autorizadas son zalema, palomino fino, listán de Huelva, garrido fino, moscatel de Alejandría y Pedro Ximénez, todas ellas blancas. Como ya se ha comentado anteriormente, la variedad por excelencia de la Denominación es la zalema.

El método de envejecimiento del Vinagre Condado de Huelva es también el tradicional de criadera y solera, por el que la extracción del vinagre envejecido se realiza de forma parcial en cada una de las botas. Según el sistema de elaboración, también en esta indicación de calidad existen varios tipos de vinagre:

- Vinagre de Condado de Huelva. Procede de vino calificado de la Denominación de Origen.
- Vinagre Viejo Condado de Huelva. Es el vinagre de Condado de Huelva envejecido. Existen tres tipos según el tipo de sistema y tiempo de crianza empleado:
  - Solera, envejecido durante un periodo superior a seis meses y menos de un año. Es de color ámbar con tonos caobas, presenta aromas acéticos, con notas a frutos secos procedentes del alcohol residual del vino base (máximo de un 3%) y un sabor equilibrado que recuerda al oloroso.
  - Reserva, envejecido durante un tiempo superior a un año. De color caoba, aroma acético intenso y con notas de vino añejo, con recuerdo a higos secos, vainilla y pasas. Su sabor es ácido.
  - Añada, envejecido durante un tiempo de más de tres años. De color caoba y aroma muy intensos, con notas de madera y sabor equilibrado, que recuerda al vino del que procede.

Otros vinagres de Andalucía

Además del vinagre de Jerez y del vinagre del Condado de Huelva, ambos con Denominación de Origen, existen en Andalucía otros vinagres que también pueden considerarse excelentes.

Destacan los de Montilla-Moriles, realizados a partir de los vinos de esta zona. Algunos de estos vinagres son suavizados con el delicioso vino dulce Pedro Ximénez y, hoy por hoy, muchas bodegas producen vinagres de tempranillo, de garnacha, de cabernet, e incluso de cava.

The authorised grape varieties are Zalema, Palomino Fino, Listán de Huelva, Garrido Fino, Moscatel de Alejandría and Pedro Ximénez, all white. As mentioned above, the designation's variety par excellence is the Zalema.

The method used to age Condado de Huelva vinegar is also the traditional *criadera y solera* system, in wich a portion of the aged vinegar is extracted from each of the butts. Depending on the system of production, there also various types of vinegar within this designation of quality:

- Vinagre de Condado de Huelva. Made with qualified wine of this designation of origin.
- Vinagre Viejo Condado de Huelva. Aged Condado de Huelva vinegar. There are three types, distinguished by the type of system used and how long they are aged:
  - Solera, aged for longer than six months and less than one year. It has an amber colour with reddish-brown nuances, an acetic acid aroma with traces of nuts and dried fruit from the residual alcohol of the base wine (3% maximum) and a balanced flavour reminiscent of Oloroso.
  - Aged for longer than one year. A reddish-brown colour with an intense aroma of acetic acid and traces of aged wine, hints of dried figs, vanilla and raisins. The flavour is acidic.
  - Añada, aged for at least three years. A reddish-brown colour with a very intense aroma, with traces of wood and a balanced flavour. Reminiscent of the wine from which it is made.

Other Andalusian vinegars

In addition to Sherry vinegar and Condado de Huelva vinegar, both of which have a designation of origin, there are other vinegars in Andalusia which may also be considered excellent.

Especially noteworthy are those from Montilla-Moriles, made using local wines. Some of these vinegars are smoothed with the delicious sweet Pedro Ximénez wine. Nowadays, many wineries produce vinegars from Tempranillo, Garnacha, Cabernet and even Cava.

EL CERDO
IBÉRICO
SABOR EN ESTADO PURO

IBERIAN PORK

FLAVOUR IN ITS PUREST STATE

DOP

Jamón de Huelva

Los Pedroches

El cerdo ibérico criado en Andalucía es único en el mundo y su producción es muy limitada debido a que su proceso de crianza se realiza de forma extensiva obteniéndose unos ejemplares cuyos músculos, de grasa entreverada, proporcionan al paladar unos matices únicos.

En la ganadería tradicional de las dehesas de Andalucía, desde tiempo inmemorial, la crianza del cerdo ibérico está estrechamente ligada a las condiciones naturales y al deseo de garantizar la conservación del entorno, su economía y su cultura.

La alimentación del cerdo ibérico influye de manera decisiva en la calidad de su carne, de los jamones y demás productos derivados. Así, el tipo y la calidad de la bellota con que se les alimenta (bellotas de encina y alcornoque) y la relación equilibrada entre bellota y hierba, contribuyen a dotar de delicioso sabor a los productos de cerdo ibérico. Estos animales son criados en unas condiciones microclimáticas únicas, están en libertad dentro de la dehesa y son engordados durante la montanera con bellota y pastos.

El cerdo ha sido el gran protagonista de la gastronomía en España, sobre todo en la España rural, donde ha sido parte fundamental de la dieta cárnica, ya que es el único animal del que se aprovecha absolutamente todo.

Los productos derivados del cerdo ibérico se destinan al uso en fresco (solomillo, secreto, presa, pluma ibérica, entre otros) y a su consumo como embutidos (jamón, chorizo, lomo...) o fiambres.

The Iberian pig bred in Andalusia is unique in all the world. Its production is very limited due to the fact that it is raised extensively obtaining specimens whose muscles, streaked with fat, offer unique nuances for the palate.

Since time immemorial, as part of traditional livestock raising in the meadows of Andalusia, the Iberian pig has been closely linked to natural conditions and a desire to ensure the preservation of the environment, its economy and culture.

The Iberian pig's diet has a decided influence on the quality of its meat, ham and other products. Consequently, the type and quality of the acorns on which the pigs feed (holm oak and cork oak acorns) and the balance between acorn and grass contribute to the delicious flavour of Iberian pork products. These animals are raised in a unique microclimate, roam free over the meadows and are fattened by grazing on acorns and fodder.

Pork has been the great star of Spanish cuisine, above all in rural Spain, where it has played key role in the meat diet, as it is the only animal of which absolutely every part is used.

Products made from Iberian pork are eaten fresh (in cuts which include Iberian sirloin, *secreto, presa,* and *pluma,* among others) and consumed as cold meat and sausage (cured ham, *chorizo* sausage, pork loin, etc.).

Carne fresca

El secreto es una pieza que está situada bajo la panceta, en el extremo superior de la falda. Es una carne que, por una característica genética, acumula grasa que se infiltra en la masa muscular, creando un veteado blanco que le proporciona una textura y un sabor excepcional. Puede tomarse crudo, a la parrilla o al horno.

La pluma es un corte del cerdo, de forma triangular, que corresponde a la parte anterior del lomo. De cada cerdo se obtienen dos plumas de unos 80-100 gramos cada una. Es una pieza muy infiltrada de grasa que se usa también en la elaboración del lomo embuchado. Se le llama también ala o aleta, ya que sale del tronco cilíndrico del lomo.

El solomillo de cerdo ibérico es una pieza de carne procedente de la parte lumbar del animal, alojada entre las costillas inferiores y la columna vertebral. El solomillo es una carne apreciada por su sabor y su suave textura. Es buena fuente de proteínas de alto valor biológico y su contenido en grasa es bastante bajo.

La presa es una pieza en abanico, con mucha grasa intermuscular y que se sitúa en el área cervical, entre los músculos serratos.

Además de los embutidos y las partes ya citadas de carne en fresco, del cerdo ibérico también se aprovechan para la cocina las costillas o chuletas, la panceta, el codillo, el codo de la pata, el tocino, el magro, el morro, las orejas, los pies, la careta, etc.

Los embutidos

Chorizo: se elabora a partir de los magros del cerdo ibérico. Una vez seleccionados, eliminada la grasa adherida y picada la carne, se adoban con pimentón, sal, especias y otros componentes y se embute en tripa cular.

Lomo: es una de las partes más nobles del cerdo. Esta pieza se dispone a lo largo de todo el cuerpo del animal, formando una misma estructura con la columna vertebral (espinazo y costillas). De cada animal se obtienen dos piezas, que una vez recortadas y perfiladas con sumo cuidado, pasan a la sección de adobado, donde se embuchan en la tripa natural.

Salchichón: al igual que el chorizo, su elaboración parte de los magros de los cerdos ibéricos. La diferencia fundamental es que en el salchichón no toma parte el pimentón, aunque sí otros productos, como sal, pimienta molida y en grano, nuez moscada rallada, clavo y otras especias.

Panceta: procede del tocino del vientre del cerdo. Se recortan unas piezas en forma triangular que cuentan entre 1,5 y 2 kilogramos de peso. Una vez refrigeradas y debidamente recortadas se introducen en un baño de adobo.

Fresh cuts

Secreto is a cut located under the belly, at the upper end of the brisket. Due to genetic characteristics, the piece accumulates fat which permeates the muscle mass, creating a white veining which gives it an exceptional texture and flavour. It can be eaten raw, grilled or roasted.

Pluma is a triangular cut from the front part of the loin. Each pig yields two *plumas* weighing 80-100 grams each. The piece is permeated with fatty veining and is also used to prepare cured loin. It is also known as *ala* or *aleta* (wing or fin), as it sticks out from the log-shaped loin.

Iberian pork sirloin is a cut of meat from the lumbar region of the animal, between the lower ribs and the spinal column. Sirloin is a meat prized for its flavour and smooth texture. It is a good source of proteins of high biological value and its fat content is rather low.

Presa is a fan-shaped cut with a lot of inter-muscular fat. It is located in the neck area, between the serratus muscles.

In addition to sausages and the fresh cuts already mentioned, other parts of the Iberian pig also used for cooking include the ribs or chops, belly, hocks, elbow, bacon fat, lean pork, snout, ears, trotters and cheeks.

Sausages

Chorizo: made from Iberian pork loin. Once selected, the attached fat is removed and meat is chopped. It is cured with paprika, salt, spices and other ingredients and stuffed into intestines.

Loin: one of the finest parts of the pig. This piece runs along the animal's entire body, forming a single structure with the spinal column (backbone and ribs). Two pieces are obtained from each animal. Once cut and shaped with great care, they move on to the curing section, where they are stuffed into natural intestines.

Salchichón: like *chorizo,* made from the loin of Iberian pigs. The basic difference is that there is no paprika in the *salchichón*, although it has other ingredients, such as salt, ground pepper and whole peppercorns, grated nutmeg, cloves and other spices.

Belly pork: from the pig's belly fat. It is cut into triangular pieces weighing between 1.5 and 2 kilograms. Once refrigerated and properly cut, the pieces are placed in a marinade.

El jamón

La obra maestra del cerdo ibérico

Es sin duda, el producto estrella que se obtiene del cerdo ibérico. La excelencia del jamón ibérico de Andalucía deriva de la pureza de raza de los animales, la cría en dehesas arboladas, la alimentación, basada en bellotas y pastos, y el período de curación, que se suele extender de 24 a 36 meses.

El jamón es la pieza más importante de todos los productos de chacinería que se extraen del cerdo ibérico. La cantidad y composición de la grasa son factores determinantes en la calidad final de los productos cárnicos y, en especial, del jamón; una calidad que se aprecia a través de las vetas blancas que presenta y que le proporcionan jugosidad.

Características

- Bajo nivel de sal que resalta el aroma y el sabor aumentando la jugosidad.
- Grasas insaturadas, que no elevan el colesterol y mantienen un nivel bajo de cardiopatías.
- Corte veteado de grasa infiltrada, con tonalidades entre el rojo púrpura y el rojo pálido, tono brillante de la fusión de la bellota.
- Sabor dulce de la carne, fragante. Provoca en el paladar una explosión de aromas.
- Aportes vitamínicos (B1 y B6), rico en proteínas, magnífico para el sistema nervioso y el buen funcionamiento del cerebro.
- Rico en grasas y minerales como el cobre, esencial para huesos y cartílagos. También contiene hierro y fósforo.
- Su cantidad de ácido oleico, en torno al 48%, sirve para combatir enfermedades cardiovasculares.
- Sus características manchas blancas en su carne denotan una correcta curación, su envejecimento ha sido el óptimo. Se trata de cristales de tirosina, un aminoácido que aparece al degradarse las proteínas.

La elaboración

La elaboración del jamón se inicia con el corte y perfilado de la pieza, para iniciar un proceso de salazón en el que se elimina la humedad, introduciéndolos en sal. Durante la maduración se funden, de manera natural, las grasas.Posteriormente se pasa el jamón a los secaderos naturales, en donde adquirirán sus características principales, como el sabor y el aroma.

Después de una clasificación previa según su peso, calidad y conformación, los jamones y paletas pasan a la bodega, donde permanecerán entre 6 y 18 meses.

Cured ham

The masterpiece of the Iberian pig

Cured ham is, without a doubt, the star product obtained from the Iberian pig. The excellence of Andalusian Iberian cured ham derives from the purity of the breed; the pig being raised in wooded meadows; the acorn- and fodder-based feed; and the curing period, which generally lasts 24 to 36 months.

The ham is the most important of all the cuts of pork from the Iberian pig. The amount and composition of fat are decisive factors for determining the end quality of meat products, especially ham. The quality can be appreciated through its white veins, which lend the meat juiciness.

Characteristics

- Low levels of salt, emphasising the aroma and flavour, increasing the meat's juiciness.
- Unsaturated fats, which do not raise cholesterol and limit heart disease.
- Veined cut surface permeated with fat. The colour ranges from a purplish red to pale red, bright tones from the fusion of the acorn.
- The meat has a sweet, fragrant flavour. It produces an explosion of aromas on the palate.
- Vitamin content (B1 and B6), rich in proteins, wonderful for the nervous system and good brain function.
- Rich in fats and minerals such as copper, which is essential for bones and cartilage. Also contains iron and phosphorous.
- Its oleic acid content, around 48%, works to combat cardiovascular diseases
- The characteristic white marks on the meat indicate that it has been properly cured; it has aged to the ideal point. These are crystals of tyrosine, an amino acid which appears when proteins break down.

Production

Ham production starts with cutting and shaping the piece. The meat is then salted to eliminate moisture. During maturation, the fats naturally melt. Then the ham is placed in natural drying rooms, where it takes on its characteristic flavour and aroma.

It is then classified according to weight, quality and shape. After this, the hams and pork shoulders are moved to cellars, where they remain for between 6 and 18 months.

Denominaciones de ORIGEN
protegidas del jamón ibérico andaluz
Andalusian Iberian cured ham protected designation of origin

Las Denominaciones de Origen y Específica

En Andalucía existen las Denominaciones de Origen Protegidas: Jamón de Huelva y Jamón de Los Pedroches, en Córdoba, y la Denominación Específica Jamón de Trevélez, que protege la elaboración de jamones en una serie de municipios de la comarca montañosa de la Alpujarra granadina.

Denominación de Origen Protegida Jamón de Huelva

Desde hace siglos, el jamón elaborado en la Sierra de Huelva procede de cerdos de raza ibérica que permanecen en estado silvestre por la dehesa y que se alimentan con bellota de prados naturales.

La zona de elaboración de la DOP Jamón de Huelva es un área natural de la Sierra de Huelva en la que el entorno natural, las condiciones medioambientales y los microclimas, unido a la tradición centenaria de un auténtico arte, dan lugar a un producto con cualidades únicas, uno de los manjares más exquisitos y apreciados del planeta.

El Jamón DOP Huelva se produce en 31 municipios: Alájar, Almonaster la Real, Aracena, Aroche, Arroyomolinos de León, Cala, Campofrío, Cañaveral de León, Castaño de Robledo, Corteconcepción, Cortegana, Cortelazor, Cumbres de Enmedio, Cumbres Mayores, Cumbres de San Bartolomé, Encinasola, Fuenteheridos, Garaloza, La Granada de Río Tinto, Higuera de la Sierra, Hinojales, Jabugo, Linares de la Sierra, Los Marines, La Nava, Puerto Moral, Rosal de la Frontera, Santa Ana la Real, Santa Olalla del Cala, Valdelarco y Zufre.

La Denominación de Origen Jamón de Huelva clasifica la producción y elaboración de sus jamones y paletas por añadas, que coinciden con la fecha de remate de los cerdos ibéricos, inmediatamente antes de su sacrificio. Así, un cerdo ibérico de bellota engordado en la montanera que empezó en otoño de 1995 y que se remató en los primeros meses de 1996, se clasifica en la añada de 1996.

Son señas de identidad inconfundibles del jamón de Huelva:

- La estrechez de la caña, el color de la uña y lo estilizado de su silueta.

- Todos lo jamones y paletas son identificados, marcados y precintados de manera indeleble e inviolable, para poder garantizar en todo momento la calidad total de la pieza seleccionada.

- Predomina la longitud sobre la anchura. La cara externa presenta el cuero perfilado en «V», mientras el costado contrario aparece recubierto por la inevitable flora micótica blanca o gris azulada, rasgo inequívoco del lento y característico proceso de maduración en bodega.

Designations of origin and specific designations

In Andalusia there are two protected designations of origin: Jamón de Huelva and Jamón de Los Pedroches, in Córdoba, and the Jamón de Trevélez specific designation, which protects the production of ham in a group of municipalities in the mountainous region of Granada's Alpujarra Mountains.

Jamón de Huelva Protected Designation of Origin

For centuries, the cured ham produced in the Sierra de Huelva region has come from pigs of the Ibérica breed which roam wild in the meadowlands and feed on acorns in natural meadows.

The region in which the Jamón de Huelva PDO cured ham is produced is a natural area in the Huelva Mountains. The natural setting, environmental conditions and microclimates, together with an age-old tradition of a true art, create a product with unique qualities, one of the most exquisite and highly prized delicacies on the planet.

Huelva PDO cured ham is produced in 31 municipalities: Alájar, Almonaster la Real, Aracena, Aroche, Arroyomolinos de León, Cala, Campofrío, Cañaveral de León, Castaño de Robledo, Corteconcepción, Cortegana, Cortelazor, Cumbres de Enmedio, Cumbres Mayores, Cumbres de San Bartolomé, Encinasola, Fuenteheridos, Garaloza, La Granada de Río Tinto, Higuera de la Sierra, Hinojales, Jabugo, Linares de la Sierra, Los Marines, La Nava, Puerto Moral, Rosal de la Frontera, Santa Ana la Real, Santa Olalla del Cala, Valdelarco and Zufre.

The Jamón de Huelva Designation of Origin classifies the production and preparation of its cured hams and pork shoulder by year, which coincides with the date the Iberian pigs are auctioned off, immediately before being slaughtered. Thus, an Iberian acorn-fed pig fattened during the mast-feeding season which began in autumn 1995 and auctioned off in early 1996 is classified as a 1996.

The unmistakeable identifying features of Huelva cured ham are:

- The narrowness of the shank, hoof colour and slender silhouette.

- All cured hams and pork shoulders are permanently and securely identified, marked and sealed so as to guarantee the full quality of the piece selected at all times.

- The length predominates over the width. The skin of the outer side forms a 'V', while the opposite side is covered with the inevitable white or bluish-gray micotic flora, an unmistakable characteristic of the cellar aging process.

- Presentan al corte numerosas vetas de grasilla entreverada entre su carne magra, cuyo color fluctúa entre el rosa y el rojo púrpura, según sea su grado de curación y añejamiento. Además, los jamones ibéricos de Huelva presentan brillantez a consecuencia del bajo punto de fusión de la grasa proporcionada por la bellota.

- La Denominación de Origen Jamón de Huelva ampara los jamones y paletas de cerdos ibéricos alimentados de forma natural y en régimen extensivo.

- El Consejo Regulador controla, por último, que la presentación, etiquetado, empaquetado y conservación de los jamones y paletas se atengan a lo establecido en el reglamento y en el manual de imagen corporativa.

Tipos de jamón

Jamón y paleta ibéricos de bellota, que destacan por su excelencia gastronómica. Proceden de cerdo ibérico alimentado en régimen de montanera, exclusivamente con bellotas y pastos naturales. Se identifican con precinto y vitola de color rojo.

Jamón y paleta ibéricos de recebo. Proceden de cerdo ibérico también alimentado en régimen de montanera con bellotas y pastos naturales, además de con piensos autorizados por el Consejo Regulador. Se identifican con precinto y vitola de color azul.

Jamón y paleta ibéricos de cerdo criado en libertad y alimentado exclusivamente con piensos autorizados por el Consejo Regulador. Se identifican con precinto y vitola de color amarillo.

Denominación de Origen Protegida Jamón de Los Pedroches

En la zona norte de la provincia de Córdoba, conocida como Los Pedroches, se encuentran unas 300.000 hectáreas de dehesa de encinar. Desde la Antigüedad en este sistema agro-silvo-pastoral se ha venido desarrollando una importante actividad ganadera en régimen extensivo, y dentro de ella destaca, de un modo especial, la crianza y explotación del cerdo ibérico, aprovechando el potencial alimenticio del fruto del encinar.

En el manejo ganadero destaca la montanera como fase final del engorde y preparación al sacrificio de los cerdos, que proporciona al animal, en primer lugar, una grasa cuyo punto de fusión es tanto más bajo cuanto mayor sea la cantidad de bellota consumida por el cerdo.

Los jamones y paletas de la Denominación de Origen Los Pedroches proceden de cerdos de raza ibérica, en todas sus estirpes, admitiéndose aquellos animales que tengan un mínimo de 75% de esta raza y un máximo de un 25% de las razas Duroc y Duroc Jersey.

Considerando la alimentación que ha recibido el animal antes de su sacrificio, se clasifican en:

- Jamones y paletas de bellota: alimentación a base, exclusivamente, de bellota y pastos naturales.

- When cut, there are a number of fatty veins running through the lean meat, whose colour ranges from pink to purplish red, depending on how long it has cured and matured. In addition, Huelva Iberian cured ham has a glossiness as a result of the low fusion level of the fat provided by the acorn.

- The Jamón de Huelva Designation of Origin protects cured hams and pork shoulder from Iberian pigs fed naturally and raised extensively.

- Lastly, the Regulatory Council verifies that the presentation, labelling, packaging and preservation of the cured hams and pork shoulder comply with the stipulations contained in regulations and the corporate image manual.

Types of cured ham

Acorn-fed (*de bellota*) cured ham and pork shoulder, which is noted for its gastronomic excellence. These come from the Iberian pig grazing exclusively on acorns and natural fodder. They are identified with a red seal and band.

Mixed-feed (*de recebo*) Iberian cured ham and pork shoulder. These come from Iberian pigs which also graze on acorns and natural fodder, in addition to being given feed authorised by the Regulatory Council. They are identified with a blue seal and band.

Free-range Iberian cured ham and pork shoulder fed only feed authorised by the Regulatory Council. They are identified with a yellow seal and band.

Jamón de Los Pedroches Protected Designation of Origin

In the northern part of the province of Córdoba, known as Los Pedroches, there are some 300,000 hectares of meadows with oak groves. Since Antiquity, there has been significant farming activity with animals raised extensively under an agricultural/wild/pastoral system. Of very special note within this system is the raising and exploitation of the Iberian pig, taking advantage of the potential food source provided by the fruit of the oak.

In this operation, the mast-feeding season is especially important, as the final stage of fattening the pigs and preparation for slaughter. This provides the animal with fat whose fusion level is lower the greater the amount of acorns consumed by the pig.

The cured hams and pork shoulder of the Los Pedroches Designation of Origin come from pigs of the Ibérica breed in all its lines. Those animals which contain a minimum of 75% of this breed and a maximum of 25% of the Duroc and Duroc Jersey breeds are accepted.

Depending on the feed which the animal has received prior to being slaughtered, the meat is classified as:

- Acorn-fed (*de bellota*) cured ham and pork shoulder: feeds exclusively on acorns and natural fodder.

- Mixed-feed (*de recebo*) cured ham and pork shoulder: feeds on acorns and natural fodder, finishing with fodder, natural sub-

- Jamones y paletas de recebo: alimentación con bellota y pastos naturales, y terminación con pastos, sustancias naturales y piensos autorizados y controlados por el Consejo Regulador, a base de cereales, leguminosas y oleaginosas.

- Jamones y paletas de cebo: alimentación en régimen extensivo a base de pastos, sustancias naturales y piensos elaborados con cereales y leguminosas.

La curación mínima de las piezas será de 12 meses para las paletas y 18 meses para los jamones.

Las características de los jamones y paletas serán:

- Forma exterior alargada, estilizada, perfilada mediante el llamado corte serrano en «V». Conservará la pezuña para facilitar su identificación.

- Carne de sabor poco salado o dulce. Aroma agradable y característico de este tipo de producto.

- Color del rosa al rojo púrpura y aspecto al corte con grasa infiltrada en la masa muscular.

- Textura poco fibrosa.

- Grasa brillante, de coloración blanco-rosácea o amarillenta, aromática y de sabor grato. La consistencia varía según el porcentaje de alimentación con bellota.

Denominación Específica Jamón de Trevélez

Los jamones de Trevélez, elaborados en la zona este de la provincia de Granada se obtienen de un ganado procedente de los cerdos obtenidos en los cruces de las razas Landrace, Large white, y Duroc Jersey.

Las características que lo definen son:
- Forma redondeada, conservando la corteza y la pata.

- Curación mínima de 14, 17 ó 20 meses, establecidas según el peso del jamón en fresco.

- Color rojo y aspecto brillante al corte, con grasa parcialmente infiltrada en la masa muscular.

- Carne de sabor delicado, poco salada.

- Grasa de consistencia untuosa, brillante, coloración blanco-amarillenta y de sabor agradable.

El Consejo Regulador dispone de tres tipos de precintos diferenciados, que identificarán a cada pernil en relación con su peso en fresco de acuerdo a las siguientes categorías:
- Perniles cuyo peso esté comprendido entre 11,3 y 12,3 kg.

- Perniles cuyo peso esté comprendido entre 12,3 y 13,5 kg.

- Perniles cuyo peso es superior a 13,5 Kg.

El jamón de Trevélez debe sus particulares características al medio natural (zona media-baja del Parque Natural de Sierra Nevada) en el que se produce, siendo este entorno, clima y vegetación el que condiciona el desarrollo de una flora microbiana específica.

stances and feed authorised and monitored by the Regulatory Council, from cereals, leguminous plants and oilseeds.

- *Cebo* cured ham and pork shoulder: feeds exclusively on fodder, natural substances and feed made from cereals and leguminous plants.

The minimum curing time for the pieces is 12 months for shoulder and 18 months for ham.

The characteristics of the cured ham and pork shoulder are:

- Elongated, slender exterior shape, formed into a 'V' by the so-called serrano cut. The hoof is retained to facilitate identification.

- Meat with a sweet, not very salty, flavour. Pleasant aroma characteristic of this type of product.

- Pink to purplish red colour. When cut, its surface appearance shows a muscle mass permeated with fat.

- The texture is only slightly fibrous.

- Glossy fat with a pinkish white or yellowish colour. Aromatic with a pleasant flavour. The consistency varies according to the percentage of acorns in the pig's diet.

Jamón de Trevélez Specific Designation

The cured ham of Trevélez, produced in the eastern part of the province of Granada, is obtained from pigs created by crossing the Landrace, Large White and Duroc Jersey breeds.

Its distinguishing characteristics are:
- Round shape; retains the skin and the hoof.

- Minimum curing period of 14, 17 or 20 months, determined according to the weight of the fresh ham.

- Red colour and glossy cut surface with fat partially permeating the muscle mass.

- Meat with a delicate, only slightly salty flavour.

- Glossy fat with an oily consistency, yellowish-white colour and pleasant flavour.

The Regulatory Council has three different types of seal, which identify each ham according to its fresh weight, divided into the following categories:

- Hams weighing between 11.3 and 12.3 kg.

- Hams weighing between 12.3 and 13.5 kg.

- Hams weighing more than 13.5 kg.

Trevélez cured ham owes its particular characteristics to the environment (mid-lower region of the Sierra Nevada Nature Reserve) in which it is produced. It is these surroundings, climate and vegetation which create the conditions for the development of a specific microbial flora.

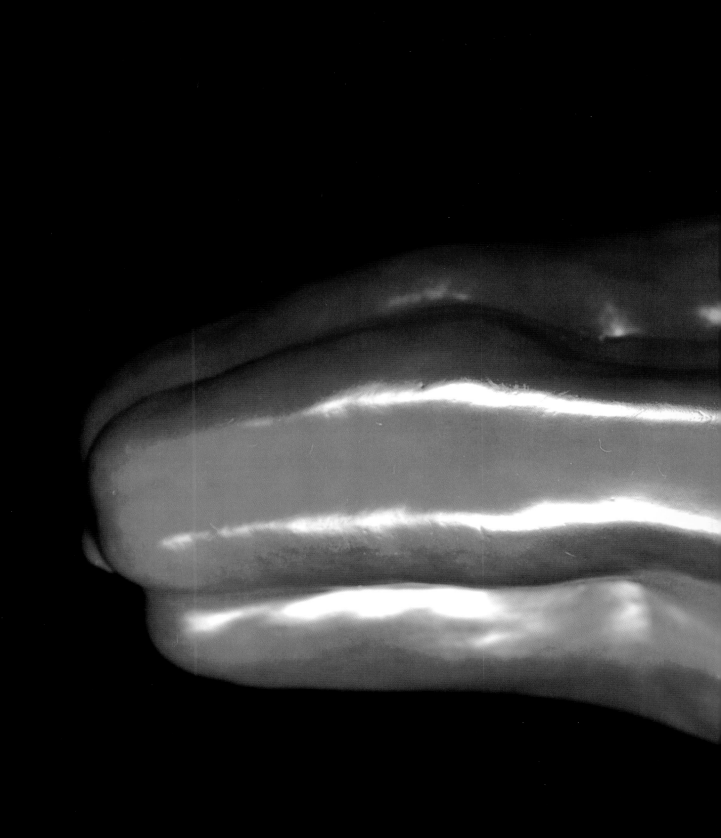

LA HUERTA

LAS FRUTAS
y LAS HORTALIZAS

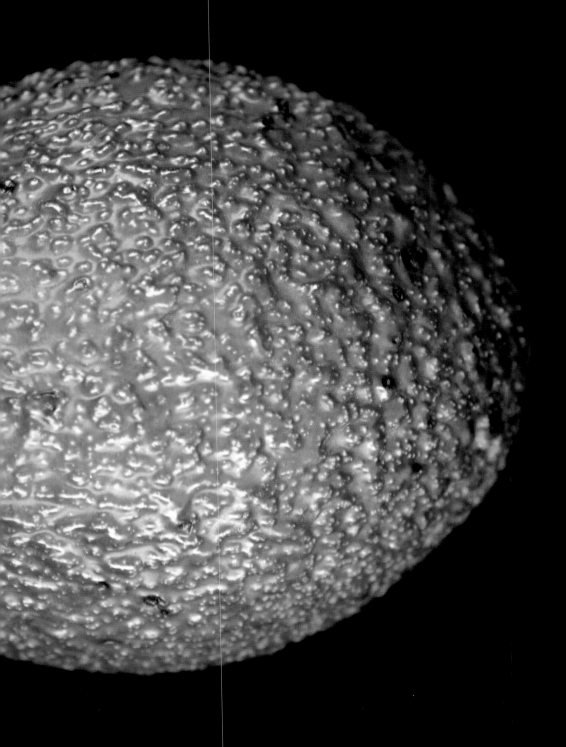

DEL PARAÍSO

FRUITS AND VEGETABLES

THE ORCHARD OF PARADISE

La abundancia de frutas y hortalizas es uno de los tesoros que encierra la huerta de Andalucía, rica en aromas, sabores y colores. Las frutas y verduras, junto con el pescado y el aceite de oliva –productos también abundantes y de calidad en Andalucía–, constituyen los pilares básicos de la llamada dieta mediterránea.

Andalucía es en sí misma una inmensa huerta repartida a lo largo y ancho de sus ocho provincias, siendo la segunda potencia citrícola de España.

Así, de la huerta de Almería, a pesar de las duras condiciones climáticas presentes en esta provincia, procede más del 50% de la producción regional. Almería produce tomates, pimientos, pepinos, berenjenas, calabacines, lechugas, judías verdes, melocotones, melones y sandías.

En Cádiz, encontramos productos inigualables como son las tagarninas –tallo de las acelgas–, las habichuelas o judías verdes, calabazas, brevas, melones, melocotones, albaricoques y naranjas.

Desde la época de ocupación árabe, la provincia de Córdoba es famosa por sus frutas y hortalizas. Son importantes los cultivos de espárrago, los cítricos y el ajo.

En la vega granadina abundan hortalizas como el espárrago triguero, la alcachofa, la cebolla, la lechuga, así como el tomate cereza y el melocotón.

La costa andaluza –sobre todo en las provincias de Málaga y Granada– tiene aires de trópico: chirimoyas, aguacates y mangos.

La riqueza hortofrutícola de Huelva se basa en producciones como las fresas y fresones, los cítricos, los higos y las castañas.

En Jaén se cultivan cerezas y espárragos silvestres, así como tomates, pimientos, cebollas y ajos.

De tierras malagueñas proceden las espinacas y los espárragos, y frutos como los limones, las almendras y las uvas, frescas y pasas.

Sevilla produce espárrago, escarola y alcachofa, destacando en su producción frutícola por sus naranjas y melocotones.

An abundance of fruits and vegetables is one of the treasures enclosed by Andalusia's gardens, rich in aromas, flavours and colours. Fruits and vegetables, together with fish and olive oil – high-quality products also found in abundance in Andalusia – are the basic pillars of the so-called Mediterranean diet.

Andalusia itself is an immense garden spread over eight provinces. It is the second most important citrus fruit growing region in Spain.

Despite the harsh climactic conditions found in the province, 50% of the region's production comes from Almería's fertile area. Almería produces tomatoes, peppers, cucumbers, aubergines, courgettes, lettuce, green beans, peaches, melons and watermelons.

In Cádiz we find matchless products such as the Spanish oyster plant – or golden thistle, beans and green beans, pumpkins, early figs, melons, peaches, apricots and oranges.

Since the period of the Arab occupation, the province of Córdoba has been famous for its fruits and vegetables. Asparagus, citrus fruits and garlic are important crops.

In the fertile lowlands of Granada there is an abundance of vegetables such as wild asparagus, artichokes, onions and lettuce, as well as cherry tomatoes and peaches.

The Anda lusian coast – above all in the provinces of Málaga and Granada – has a tropical air: custard apples, avocados and mangos.

The fruit and vegetable wealth of Huelva is based on crops such as strawberries, citrus fruits, figs and chestnuts.

In Jaén they grow cherries and wild asparagus, as well as tomatoes, peppers, onions and garlic.

From the land of Málaga come spinach and asparagus, almonds and grapes, both fresh and as raisins.

Seville produces asparagus, endive and artichokes, with oranges and peaches also being important to its fruit production.

En Andalucía hay reconocidas dos Denominaciones de Origen Protegidas de frutas (DOP Chirimoya de la Costa Tropical de Granada-Málaga –a la que dedicamos un capítulo diferenciado en este libro por la importancia que ha alcanzado su producción en los últimos años– y la DOP Pasas de Málaga), una Denominacion Específica de hortalizas (DE Espárrago de Huétor-Tájar, en Granada), y la Indicación Geográfica Protegida Tomate La Cañada-Níjar, en Almería.

Denominación de Origen Protegida
Chirimoya de la Costa Tropical

Orígenes

La chirimoya *(Annona cherimola)* es un fruto que procede de un árbol caducifolio llamado «chirimoyo» de la familia de las Anonáceas, con frutos carnosos en baya. El género *Anona* consta de 120 especies, de las que unas 20 se cultivan en la América Tropical y el sur de Europa: Perú, España (especialmente en la costa granadina y malagueña), Chile, Bolivia, Ecuador, Estados Unidos, Colombia, Sudáfrica e Israel.

El origen de la chirimoya se remonta a los Andes peruanos y las montañas de Ecuador, aunque algunos historiadores incluyen también las zonas andinas de Chile y Colombia. Los españoles la denominaron «manjar blanco» cuando la descubrieron en América. El origen del nombre proviene del quechua *chirimuya,* que significa «semillas frías», ya que este fruto germina a elevadas altitudes.

La introducción del chirimoyo en las vegas del litoral granadino y malagueño tuvo lugar a través de los inmigrantes andaluces que regresaron de América entre los siglos XVI y XVIII, los cuales transportaban semillas de cultivos tropicales exóticos. El cultivo del chirimoyo comienza a finales del siglo XIX y se inicia en huertos familiares, plantándose árboles aislados o pequeños grupos de árboles, en la zona de Jete (Granada). Todas las variedades de chirimoya cultivadas eran creaciones locales, resultado de cruces de las plantas traídas de América y arraigadas en el valle de los ríos Verde y Seco, situados en la vega de Almuñécar.

En la actualidad se estima que la superficie de chirimoya existente entre las provincias de Granada y Málaga ronda las 3.500 hectáreas.

Características

La chirimoya no es un fruto simple sino un agregado de frutos adheridos sobre un solo receptáculo. Es acorazonada y su tamaño es similar al pomelo. La cáscara de la chirimoya es delgadísima y frágil y su superficie es verde pálida, casi lisa, y presenta una especie de red que demarca los límites de cada frutilla. Este fruto madura en invierno, la mejor época para disfrutar de su sabor y propiedades nutritivas.

Su interior, muy aromático y de gusto subácido, que en el momento de consumo evolucionará a dulce, presenta una pulpa carnosa de color blanco o marfil. Las chirimoyas se consumen como fruta fresca, aunque también se pueden consumir en helados, mermeladas y postres.

In Andalusia, recognition has been granted to two protected designations of origin for fruit (Chirimoya de la Costa Tropical de Granada-Málaga PDO – to which we dedicate a separate chapter in this book due to the importance which production of this fruit has taken on in recent years – and the Pasas de Málaga PDO), a specific designation for vegetables (Espárrago de Huétor-Tájar SD, in Granada), and the Tomate La Cañada-Níjar Protected Geographical Indication, in Almería.

Custard Apple of the Tropical Coast
Protect Designation of Origin

Origins

The custard apple *(Annona cherimola)* is a fruit from the deciduous custard apple tree of the Annonaceae family, whose fleshy fruit has seeds. The genus *Annona* encompasses 120 species, of which some 20 are cultivated in the tropical Americas and Southern Europe: Peru, Spain (especially the coasts of Granada and Málaga), Chile, Bolivia, Ecuador, the United States, Colombia, South Africa and Israel.

The origins of the custard apple go back to the Peruvian Andes and the mountains of Ecuador, although some historians also include the Andes regions of Chile and Colombia. The Spaniards called it 'white delicacy' when they came across it in the Americas. The origin of the name is the Quechua *chirimuya,* which means 'cold seeds', as this fruit germinates at high altitudes.

The custard apple tree was introduced into the fertile lowlands of Granada and Málaga by Andalusian immigrants returning from the Americas between the 16th and 18th centuries. They brought with them the seeds of exotic tropical plants. Custard apple cultivation began at the end of the 19th century on family plots, planting single trees or small groups in the Jete (Granada) area. All of the varieties of custard apple cultivated were local creations, the results of crosses of plants brought from the Americas and established in the valley of the Verde and Seco rivers, in the Almuñécar lowlands.

In the present day, it is estimated that the land dedicated to custard apples encompasses an area of around 3,500 hectares, between the provinces of Granada and Málaga.

Characteristics

The custard apple is not a simple fruit, but an aggregate of fruits attached to a single receptacle. The fruit is heart-shaped and similar to the grapefruit in size. The skin of the custard apple is extremely thin and fragile, and its surface is a light, almost solid green, with a sort of red line delineating the edge of each section. This fruit ripens in winter, the best time of year to enjoy its flavour and nutritional properties.

The inside is highly aromatic, with a sub-acidic taste which when eaten will turn sweet. The pulp is fleshy and a white or ivory colour. Custard apples are eaten as fresh fruit, although they are also consumed in ice creams, jams and desserts.

Propiedades

Entre las propiedades de la chirimoya destaca su alto contenido en calcio. Su valor nutritivo se explica por el elevado contenido de azúcares, superior al de muchas otras frutas. Posee una gran cantidad de vitaminas B1 y B2, así como de hierro y fósforo. El componente mayoritario de la chirimoya es el agua. La chirimoya es pobre en grasas, pero dado su alto contenido de azúcares, su valor calórico es bastante elevado. Respecto a otros nutrientes, es buena fuente de potasio y vitamina C.

Variedades

En Andalucía, se producen las variedades autóctonas de chirimoya fino de Jete y campas.

Jete es una población granadina situada en el valle del río Verde y la variedad botánica de chirimoya que en ella se cultiva es una selección clonal realizada por los agricultores de esta vega desde principios del siglo XX. Sus frutos pesan unos 250 gramos y poseen gran cantidad de azúcares solubles en concentraciones muy superiores a las variedades que se cultivan en el extranjero y representa un 95% de la superficie total cultivada en España.

La variedad fino de Jete presenta características diferenciales respecto a otras variedades de chirimoya cultivadas a nivel mundial, fundamentalmente chilenas y norteamericanas, así como otras especies de anonas que se comercializan en todo el mundo.

La variedad campas procede de un solo árbol ubicado en el valle del Río Seco, cuyo propietario, de apellido Campos, ha dado nombre a la variedad. Contiene azúcares en proporción similar a la variedad fino de Jete, aunque su contenido en ácidos orgánicos es muy superior, así como su tamaño, ya que pesan entre 500 y 1.000 gramos cada una. Esta variedad local ocupa un 5% de la superficie cultivada.

Ambas variedades están amparadas por la Denominación de Origen Protegida (DOP) Chirimoya de la Costa Tropical Granada-Málaga. La zona geográfica que determina esta Denominación de Origen abarca una extensión de 857,7 kilómetros cuadrados y se encuentra situada en la franja costera de las provincias de Granada y Málaga, en la comunidad autónoma de Andalucía, España.

Esta DOP incluye los términos municipales de Motril, Vélez Benaudalla, Los Guájares, Molvízar, Salobreña, Itrabo, Lentejí, Jete y Almuñécar, de la provincia de Granada, y Nerja, Frigiliana, Torrox, Algarrobo y Vélez-Málaga, de la provincia de Málaga.

Tomates La Cañada-Níjar (Almería)

El tomate La Cañada-Níjar es el primero de su variedad que consigue una Indicación Geográfica Protegida en España. Se cultiva en Almería, donde las excepcionales condiciones climatológicas proporcionan un producto inigualable.

En el mercado existen cuatro tipos de tomate bajo esta denominación de calidad, todos con excelentes cualidades, como es la concentración de azúcares y ácidos orgánicos que le conceden un

Properties

Among the custard apple's properties, its high calcium content is especially noteworthy. Its nutritional value is explained by high sugar content, greater than that of many other fruits. It has a large amount of vitamins B1 and B2, as well as iron and phosphorous. The main component of the custard apple is water. The fruit is low in fat, but because of its high sugar content, it has a rather high caloric value. In terms of other nutrients, it is a good source of potassium and vitamin C.

Varieties

Andalusia produces the native Fino de Jete and Campas varieties of custard apple.

Jete is a Granada town located in the Verde River Valley. The botanical variety of custard apple cultivated there is a cloned selection produced by farmers in this area since the early 20th century. Its fruit weighs some 250 grams and has a large amount of soluble sugars in concentrations much higher than the varieties cultivated abroad. Jete represents 95% of Spain's total cultivated area.

The Fino de Jete variety has characteristics which are different from those of other varieties of custard apple cultivated around the world, primarily Chile and the United States. It also differs from other species of *Annona* sold throughout the world.

The Campas variety comes from a single tree located in the Seco River Valley, whose owner, with the surname Campos, gave the variety its name. It contains sugars in proportions similar to the Fino de Jete variety, although its organic acid content is much higher. It is also larger, weighing between 500 and 1,000 grams each. This local variety occupies 5% of the cultivated area.

Both varieties are included in the Chirimoya de la Costa Tropical Granada-Málaga Protected Designation of Origin (PDO). The geographical area stipulated for this designation of origin covers an area of 857.7 square kilometres. It is located along the coastal region of the provinces of Granada and Málaga, in the autonomous community of Andalusia, Spain.

This PDO includes the municipalities of Motril, Vélez Benaudalla, Los Guájares, Molvízar, Salobreña, Itrabo, Lentejí, Jete and Almuñécar, in the province of Granada; and Nerja, Frigiliana, Torrox, Algarrobo and Vélez-Málaga, in the province of Málaga.

La Cañada-Níjar (Almería) tomatoes

The tomato from La Cañada-Níjar is the first of its variety in Spain to receive a protected geographical indication designation. It is cultivated in Almería, where exceptional climactic conditions produce an unparalleled product.

There are four types of tomato with this quality designation on the market. All have excellent qualities, such as the concentration of sugars and organic acids, which give them a characteristic taste, with more vitamins and minerals. This is due, to a great extent, to

sabor característico, con más vitaminas y minerales. Ello se debe, en gran medida, a las especiales condiciones del suelo de cultivo y al agua empleada para el riego.

Estos tipos de tomate son: redondo liso, asurcado, oblongo y tomate cereza (incluidos los tomates cóctel) y pueden ser de categoría extra o primera. Se trata de unos tomates para consumo en fresco durante todo el año, con un intenso sabor y olor, virtudes que surgen de forma natural en los tomates de los campos de La Cañada-Níjar, donde se respira un máximo respeto por el medioambiente y por la protección de los cultivos.

La producción de los tomates amparados por la Indicación Geográfica Protegida Tomate La Cañada-Níjar está enclavada en campos de cultivo de la comarca del Bajo Andarax y Níjar.

Tomate RAF

Este tomate no es un híbrido, sino una variedad obtenida a partir de la selección artificial practicada sobre los tomates tradicionales que se plantan al aire libre.

El nombre de RAF hace referencia a las siglas de Resistente al *fusarium*. Esa resistencia al *fusarium 0* ha sido una de las causas de la popularización de este tomate en el cultivo de invernadero, en donde los tomates tradicionales no se adaptaban suficientemente.

El tomate RAF presenta unos surcos profundos que lo hacen muy reconocible y dan fe de su calidad. Su color es de un verde intenso con pinceladas que se aproximan al negro en su parte superior. La pulpa, con una coloración rosácea y una textura compacta y carnosa, tiene un delicioso sabor dulce debido al equilibrio entre los azúcares y la acidez de tipo cítrica y málica.

Denominación de Origen Pasa de Málaga

Las pasas de Málaga son un producto único y de gran calidad, que por su sabor, cualidades y características permiten su consumo directo o son un sabroso ingrediente de diversos platos. Es un producto obtenido de frutos maduros de uvas *vitis vinifera,* de la variedad moscatel de Alejandría, también denominada moscatel gordo o moscatel de Málaga.

Esta variedad es apta para uva de mesa y para la elaboración de vinos, así como para su consumo como uva pasa, una vez sometidas las bayas a un proceso de desecado por deshidratación natural mediante el soleado de las mismas, en el que pierden más de un 70% de humedad. La desecación de uvas ha sido una práctica artesanal de origen milenario.

El grano es de color violáceo, de textura rugosa y con un interior carnoso de pulpa elástica y flexible. Presenta un sabor dulce intenso, ya que la uva fresca tiene un alto contenido en azúcares, que se concentran de forma natural en el proceso de pasificación.

El cultivo y elaboración de las pasas de Málaga es un proceso totalmente natural. Así, por ejemplo, tanto la recolección de la uva, como el cortado y picado (desgrane) de los racimos son totalmente manuales.

the special soil conditions in which they are cultivated and the water used for irrigation.

These types of tomato are: smooth round, 'cracked', oblong and cherry tomato (including cocktail tomatoes) and can be categorised as extra or primera quality. These are tomatoes which can be consumed fresh throughout the year. They have an intense flavour and smell, qualities which occur naturally in tomatoes from the fields of La Cañada-Níjar, immersed in an utter respect for the environment and protection of crops.

Production of the tomatoes protected by the Tomate La Cañada-Níjar Protected Geographical Indication takes place in fields in the Bajo Andarax y Níjar region.

RAF tomato

This tomato is not a hybrid, but a variety obtained through artificial selection of traditional tomatoes planted in open fields.

The name RAF is an acronym for Resistant to *Fusarium*. This resistance to *Fusarium 0* has been one of the reasons this tomato has become popular for greenhouse cultivation, to which traditional tomatoes do not sufficiently adapt.

The RAF tomatoes have deep cracks which make them recognisable and attest to their quality. They have a deep green colour with lines verging on black on the top. The pulp, with a pinkish colour and compact, fleshy texture, has a delicious sweet flavour due to the balance between sugars and citric and malic acids.

Pasa de Málaga Designation of Origin

Málaga raisins are a unique, high-quality product. Because of their flavour, qualities and characteristics, they can be consumed directly or as a tasty ingredient in a variety of dishes. This product is obtained from the mature fruit of the *Vitis vinifera* grape, from the Moscatel de Alejandría variety, also known as Moscatel Gordo or Moscatel de Málaga.

This variety is suitable for use as a table grape or for wine making, as well as for consumption as a raisin, once the fruit is sundried. The grapes lose more than 70% of their moisture during this natural dehydration process. Drying grapes is an age-old artisanal practice.

The raisin is violet coloured, with a rough texture and a fleshy interior with flexible, elastic meat. It has an intense sweet flavour, as the fresh grape has high sugar content, which is naturally concentrated during the raisin-making process.

The cultivation and production of Málaga raisins is a completely natural process. As an example, the grape picking, as well as cutting and separating the grapes from the bunches, is done entirely by hand.

Raisins are made and produced all along the Málaga coast, separated into two sub-regions: la Axarquía and Manilva, ideal spots due

La pasa se elabora y produce a lo largo del litoral malagueño, distinguiendo dos subzonas: la Axarquía y Manilva, enclaves ideales por su alto nivel de insolación. En los meses de agosto y septiembre se desarrolla la vendimia.

El Consejo Regulador ampara dos categorías: extra y primera. En 1996 se aprobó el reglamento de la Denominación de Origen Pasas de Málaga. Se trata de la única Denominación de Origen de este producto en España.

Fresa y fresón de Huelva

El cultivo de la fresa y los fresones en el litoral de Huelva existe desde tiempo inmemorial, sin que podamos fijar la fecha exacta ni las circunstancias de su introducción en Andalucía. Algunos estudios apuntan a la influencia inglesa, a través de la colonia británica asentada en las vecinas Minas de Río Tinto.

El éxito de la fresa en Huelva se basa en el feliz encuentro entre un marco agroclimático determinado (el del litoral de Huelva, con sus suelos arenosos y ácidos, su agua de gran calidad, inviernos suaves y un elevadísimo número de horas de sol) y unas variedades de fruto diseñadas expresamente para unas condiciones de producción casi exactamente coincidentes con este marco.

Sin embargo, por su volumen de producción y cultivo, en Huelva prolifera el cultivo del fresón, mayor en tamaño que la fresa y más duradero para el consumo.

La fresa y el fresón son alimentos pobres en grasas y ricos en sales minerales, especialmente hierro y potasio, que son imprescindibles para la formación de las células de la sangre. Su contenido en sodio tiene efectos beneficiosos y entre sus vitaminas destacan la B1, la B2 y la C. En el mundo existen más de 1.000 variedades de fresón, consecuencia de la gran capacidad de hibridación que presenta la especie.

La producción de estas frutas en Huelva ha propiciado que España sea el principal productor europeo de fresón, alcanzando cifras aproximadas de 325.000 toneladas anuales.

En la provincia de Huelva se pueden distinguir tres zonas productoras de fresón. La primera, conocida como comarca Litoral, representa la zona pionera del cultivo en la provincia. La segunda se denomina comarca Costa y la tercera, que sin duda ha registrado una progresión muy importante en los últimos años, es la comarca Campiña.

Frutos secos

La comunidad autónoma de Andalucía, como región mediterránea que es, también es rica y fértil en frutos secos, cuyo cultivo se extiende a lo largo y ancho de toda la geografía andaluza.

La almendra es el fruto seco más emblemático del campo andaluz, localizándose almendros en Málaga, Granada y Almería. La calidad de la almendra andaluza es indiscutible y sus cualidades organolépticas, junto con sus ventajas nutricionales, han hecho posible que las almendras del sur de España formen parte de la dieta

to their many days of sunshine. The harvest takes place during the months of August and September.

The Regulatory Council governs two categories: Extra and Primera. The Pasas de Málaga Designation of Origin regulation were passed in 1996. This is the only designation of origin for this product in Spain.

Huelva strawberries and large strawberries

Strawberries and large strawberries have been cultivated along the Huelva coast since time immemorial, although we cannot determine the exact date or the circumstances under which they were brought to Andalusia. Some studies point to the English influence, through a colony settled in the vicinity of Minas de Río Tinto.

The success of the strawberry in Huelva is based on a happy meeting of a certain agro-climactic setting (the Huelva coast, with its sandy, acidic soil, high-quality water, mild winters and a very high number of hours of sunlight) and varieties of fruit designed expressly for conditions which coincide almost precisely with this environment.

However, due to its high volume of production and cultivation, in Huelva the large strawberry predominates. It is larger in size and lasts longer for consumption.

The strawberry and large strawberry are low in fat and rich in mineral salts, especially iron and potassium, which are essential for blood cell formation. Their sodium content has beneficial effects and they contain vitamins B1, B2 and C, among others. There are more than 1,000 varieties of large strawberry in the world, the result of the great capacity for hybridisation of this species.

Production of these fruits in Huelva has made Spain the main European producer of the large strawberry, totalling approximately 325,000 tonnes per year.

In the province of Huelva it is possible to distinguish between three large strawberry producing regions. The first, known as the Litoral region, is the area which pioneered cultivation of the fruit in the province. The second is known as the Costa region, and the third, which without a doubt has seen very significant growth in recent years, is the Campiña region.

Nuts and dried fruit

As a Mediterranean region, the autonomous community of Andalusia is also a rich and fertile source of nuts and dried fruit, which are cultivated throughout Andalusia.

The almond is the most emblematic nut of the Andalusian countryside, with almond trees found in Málaga, Granada and Almería. The quality of Andalusian almonds is undisputed. Their organoleptic qualities, together with nutritional benefits, have made almonds from the south of Spain part of the Mediterranean diet. In addition, this product is an essential raw material for making *turrón* nougats, biscuits, caramel-coated nuts and a wide variety of cakes and pastries.

mediterránea. Así, este producto es una materia prima fundamental para la elaboración de turrones, galletas, garrapiñadas y una amplia gama de repostería.

Los piñones son otro claro ejemplo del despegue que ha tenido el sector hortofrutícola andaluz en los últimos años. Según datos de la Consejería de Medio Ambiente, Andalucía es la comunidad con mayor extensión mundial de pino piñonero. La mayor parte se concentra en las provincias de Huelva, Cádiz, Sevilla y Córdoba.

Cada invierno se recogen millones de kilogramos de piñas de los pinos de la región, de la que se extraen, primero, los piñones con cáscara, y más adelante se obtienen los deliciosos piñones blancos, que son los que llegan al consumidor.

El higo, que se da en Málaga y Almería, y que se utiliza para hacer el popular pan de higo, mermeladas, licores y para recetas de cocina, postres y pastelería, completa la tríada de los frutos secos en Andalucía, que como región genuinamente mediterránea también produce avellanas y nueces.

Además, no hay que olvidar que los frutos secos ecológicos ocupan el cuarto lugar en número de hectáreas cultivadas, detrás del olivar, los cereales y las leguminosas.

Pine nuts are another clear example of the boom in the Andalusian fruit and vegetable sector in recent years. According to figures from the Department of the Environment, Andalusia is the community with the largest area of stone pines in the world. The majority are concentrated in the provinces of Huelva, Cádiz, Seville and Córdoba.

Each winter, millions of kilograms of pine cones are harvested from the region's pines. From these are first extracted the pine nuts in their shells, from which the delicious white pine nuts are later obtained. It is the last which reach the consumer.

The fig, which is found in Málaga and Almería, and which is used to make the popular *pan de higo* sweet, jams, liqueurs, and for recipes, desserts, cakes and pastries, completes the triad of Andalusian dried fruits and nuts. As a genuinely Mediterranean region, Andalusia also produces hazelnuts and walnuts.

In addition, we should not forget that organic nuts and dried fruits occupy fourth place in number of hectares cultivated, following olives, cereals and leguminous vegetables.

Espárrago de Huétor-Tájar (Granada)

Son espárragos con Denominación Específica, obtenidos a partir de turiones verdes morados, tiernos, sanos y limpios, de esparragueras *Asparagus officinalis,* subespecie *tetraploide,* similar al espárrago triguero silvestre, muy común de las regiones mediterráneas.

El espárrago de Huétor-Tájar se cultiva en la vega baja del río Genil, en la provincia de Granada, y posee una cabeza aguda, en forma de punta de lanza, y más ancha que el tallo. Al degustarlo, presenta una textura tierna, son muy aromáticos y su sabor resulta «amarguidulce».

Esta verdura tienen un alto contenido en fibra y es rica en vitaminas (A, C, E y varias de los complejos B y P). Su consumo es muy recomendable por sus propiedades nutritivas y saludables.

Los espárragos que se cultivan en Huétor-Tájar proceden de variedades autóctonas seleccionadas en la zona desde principios del siglo pasado y pueden destinarse al consumo en fresco o en conserva.

La coloración de los espárragos dentro de un mismo manojo puede variar entre la gama del verde y el morado, pasando por el verde morado, bronce y bronce morado, lo que proporciona al manojo formado por estos espárragos una gran identidad y belleza.

Huétor-Tájar (Granada) asparagus

This asparagus has obtained a specific designation. It comes from the tender, healthy, clean purplish green turions of the *Asparagus officinalis* plant, sub-species *tetraploide,* similar to the wild asparagus, which is very common in Mediterranean areas.

Huétor-Tájar asparagus is grown in the low-lying fertile area along the River Genil, in the province of Granada. It has a pointed top in the shape of a spear tip, which is wider than the stalk. Its texture is soft to the taste. The asparagus is very aromatic, with a 'bittersweet' flavour.

This vegetable has high fibre content and is rich in vitamins (A, C, E and several from the B and P complexes). It is highly recommended for consumption due to its nutritional and healthy properties.

The asparagus cultivated in Huétor-Tájar come from native varieties chosen in the region since the beginning of the last century. It can be consumed fresh or preserved.

The colouring of the asparagus within a single bunch can range from a variety of greens to purple, including purplish green, bronze-coloured and purplish bronze, giving any bunch of this asparagus a strong identity and beauty.

CHEESES

LOS QUESOS

Gusto
aroma y color

Andalucía cuenta con un importante patrimonio quesero, gracias a su clima y vegetación característicos, así como a sus razas productoras autóctonas. A ello se une el buen hacer de sus artesanos, cuya forma de elaboración y conservación de los quesos, transmitida de generación en generación, constituye parte de la riqueza cultural de la comunidad andaluza. No en vano, Andalucía es la principal productora nacional de leche de cabra.

Los quesos más característicos de Andalucía, tierra dedicada fundamentalmente a la ganadería ovina y caprina, son los siguientes:

Queso de Grazalema (Cádiz)

Es un queso curado, elaborado con leche cruda de cabra u oveja procedente de la provincia de Cádiz. Suele tratarse su corteza con manteca de cerdo ibérico, lo que le confiere un color amarillo céreo. La pasta es de color amarillo marfil en los quesos de oveja y en los de cabra ofrece un color blanco hueso, con una textura semidura, firme y compacta.

Queso de Aracena (Huelva)

Procede de la provincia de Huelva, concretamente de la Sierra de Aracena y los Picos de Aroche. Es un queso de leche cruda de cabra, graso y curado. Su corteza es algo pegajosa y rugosa, presenta tonos blanquecinos y manchas de color naranja, debido a la flora que presenta su superficie. Su color es blanco y su textura es semiblanda en invierno y primavera, aunque la textura de quesos más curados es más dura y seca. Es un queso muy aromático e intenso.

Queso de las Alpujarras (Granada y Almería)

La comarca de la Alpujarra abarca las provincias de Granada y Almería. Este queso, madurado de pasta prensada procedente de las dos provincias, está elaborado con leche cruda de cabra. Es un queso entre graso y extragraso. Tiene un olor de intensidad media

Taste
aroma and colour

Andalusia has an important tradition of cheese making, due to its climate and characteristic vegetation, as well as its native milk-producing species. To this we may add the expertise of its artisans whose way of making and preserving cheeses, passed down generation after generation, is part of the cultural treasures of the Andalusian community. Not surprisingly, Andalusia is the country's main producer of goat's milk.

The most characteristic cheeses of Andalusia, a land dedicated primarily to sheep and goat livestock, are the following:

Grazalema (Cádiz) cheese

This is an aged cheese made from raw goat's or sheep's milk from the province of Cádiz. The rind is usually coated with Iberian pork fat, giving it a waxy yellow colour. The paste of the sheep's milk varieties is an ivory yellow colour, and the goat's milk produces a bone white colour. It has a semi-hard, firm, compact texture.

Aracena (Huelva) cheese

From the province of Huelva, specifically the Sierra de Aracena and Picos de Aroche region. This oily, aged cheese is made from raw goat's milk. Its rind is slightly sticky and rough, with shades of white and orange marks due to the flora on the surface. Its colour is white. In winter and spring the texture is semi-soft, although the texture of more aged cheeses is harder and dryer. This is a very aromatic, intense cheese.

Las Alpujarras (Granada and Almería) cheese

The Alpujarra region runs through the provinces of Granada and Almería. This aged, pressed-paste cheese from the two provinces is made using raw goat's milk. The cheese ranges from oily to extra oily. Its smell has a medium intensity, reminiscent of mushrooms and the cellar. Its flavour is slightly acidic with a bit of a bite.

Queso de los Montes de San Benito (Huelva)

Es un queso curado de leche cruda de oveja producido en Huelva, en la Sierra de Aracena y los Picos de Aroche. Su interior es de color blanco-amarillento, más intenso cuanto más cerca de la corteza. Presenta una textura firme y semiblanda, algo adhesiva al paladar. Tiene un olor de intensidad medio-alto, con recuerdos lácticos, animal limpio y de *humus* fresco de bosque. Sabor intenso y graso. Destacan aromas fúngicos *(boletus)* mezclados con los de animal (lana limpia). Regusto picante suave.

Queso de la Calahorra (Granada)

Producido en la provincia de Granada, es un queso graso o extragraso, curado de leche cruda de oveja, aunque en ocasiones puede contener pequeñas cantidades de leche de cabra. Su corteza es de color marrón pardo. Al corte, la pasta es de color marfil tirando a pajizo, textura semidura y poco elástica. Su olor es de intensidad alta y su sabor ligeramente ácido, poco salado y algo picante. Mantecoso en boca y con un retrogusto intenso de oveja. Este queso suele conservarse en aceite para su posterior consumo.

Queso de la Serranía de Ronda (Málaga)

La Serranía de Ronda, en la provincia de Málaga, es una zona de ganado caprino, donde se elaboran quesos con leche cruda. Es un queso graso, que presenta una corteza de color amarillo céreo en los curados que han sido limpiados y untados en aceite, y con la corteza natural parda oscura, característica de la bodega. Al corte, la pasta es de color blanco marfil, su textura es semidura y su olor es de intensidad media, característico de cabra, que evoluciona hacia notas de cuero con el tiempo. Sabor ligeramente ácido con un acabado de regusto picante.

Queso de Alhama de Granada

Es un queso semicurado procedente de leche cruda o pasteurizada de cabra. La corteza natural está untada en aceite, se conserva en bodega y presenta un color pardo oscuro; es también algo pegajosa. La pasta es de color mate. Presenta un olor de intensidad media, característico de cabra y humedad de bodega. La textura de este queso es semidura y de baja elasticidad, con aromas caprinos desarrollados y un retrogusto algo picante que se acentúa con el tiempo.

Queso de Los Pedroches (Córdoba)

Este queso procede de leche cruda de oveja merina. Es un queso madurado, de pasta entre blanda y semiblanda, de graso a extragraso. En ocasiones se conserva en aceite, lo que le proporciona una corteza de color amarillo brillante, producido por la frotación con aceite de oliva. La pasta es de color blanco marfil y su textura es blanda o muy blanda en las tortas, y en los quesos es semidura. Posee un olor agrio, característico de fermentación y notas a animales de lana, con un retrogusto amargo.

Los Montes de San Benito (Huelva) cheese

This is an aged raw sheep cheese from Huelva, produced in the Sierra de Aracena and Picos de Aroche region. The body is yellowish-white in colour, getting deeper towards the rind. It has a firm, semi-soft texture which adheres somewhat to the palate. Its smell has a medium-high intensity, with traces of milk, clean animal and fresh forest *humus*. Intense, oily flavour. Noteworthy aromas are mushrooms (*boletus*) mixed with animal (clean wool). Smooth piquant aftertaste.

La Calahorra (Granada) cheese

Produced in the province of Granada, this is an oily or extra-oily aged cheese made with raw sheep's milk, although sometimes it may contain small amounts of goat's milk. The rind is a dull brown. The cut surface is an ivory white, verging on straw-coloured. It has a semi-hard texture and little elasticity. Its smell is very intense and the flavour slightly acidic, with little salt, and somewhat piquant. Buttery mouthfeel with a powerful sheep aftertaste. This cheese is usually preserved in oil for later consumption.

La Serranía de Ronda (Málaga) cheese

La Serranía de Ronda, in the province of Málaga, is a goat farming area, with cheeses made from raw milk. This is an oily cheese whose aged varieties have a rind with a waxen yellow colour which has been cleaned and spread with oil. The natural rind is dark brown, characteristic of the cellar. The cut surface is an ivory white. The texture is semi-hard. The characteristic goat smell is moderately intense, developing into leathery notes over time. Slightly acidic flavour with a piquant final aftertaste.

Alhama de Granada cheese

This is a medium-aged cheese made from raw or pasteurised goat's milk. The natural rind is coated with oil, preserved in the cellar and has a dark brown colour. It is also somewhat sticky. The paste is a matt colour. The characteristic goat smell is moderately intense with the dampness of the cellar. The texture of this cheese is semi-hard with little elasticity. It has the developed aroma of goat and a somewhat piquant aftertaste which is accentuated over time.

Los Pedroches (Córdoba) cheese

This cheese is made from raw Merina sheep's milk. It is an aged cheese with a soft to semi-soft paste, oily to extra-oily. It is occasionally preserved in oil, which gives the rind a bright yellow colour, produced by rubbing it with olive oil. The paste is ivory white and the texture of the Torta style is soft or very soft, with other cheeses being semi-hard. It has a sour smell characteristic of fermentation and traces of wool-producing animals, with a bitter aftertaste.

Queso de Málaga

Se elabora en toda la provincia de Málaga, principalmente en las zonas montañosas, con la leche de las cabras de la raza malagueña. Se trata de un queso fresco y graso, sin corteza y con un exterior húmedo y de color blanco intenso. Al corte, la pasta es de color blanco y tiene una textura semiblanda, firme y poco elástica. Posee un olor de intensidad baja, dulce y característica a cabra. Sabor dulzón y láctico a la vez, bien equilibrado de sal. Aromas caprinos muy atenuados.

Queso de Sierra Morena (Huelva, Sevilla, Córdoba y Jaén)

Desde la Sierra Norte de Huelva hasta la provincia de Jaén, se produce este queso de leche cruda de cabra. Es típico de la zona conservarlo entero en aceite para que adquiera sabores más intensos y picantes. Los quesos curados presentan un color pardo oscuro en su corteza. Al corte, la pasta es de color blanco intenso en los quesos frescos y de blanco mate a crema, en los maduros. Presenta una textura semidura. Al gusto tiene un leve picor, es ligeramente ácido y salado con aromas pronunciados.

Queso de la Sierra de Cádiz

Es un queso de cabra graso y sin corteza. Presenta, al corte, un aspecto blanco liso. Su textura es blanda y húmeda algo firme y poco elástico. Olor de baja intensidad y dulce, acompañado de un sabor dulzón, láctico y algo salado.

Andalucía es productora de otros quesos, como el de Almería, el queso de la Subbética (cabra), queso de Sierra de María (oveja), Tiñosa (cabra), Serranías de Jaén (cabra), y queso Payoyo (cabra), quesos artesanales en los que se refleja toda la tradición y saber hacer de los artesanos queseros andaluces.

Málaga cheese

Made throughout the province of Málaga, primarily in mountainous regions, from the milk of Malagueña goats. This is a fresh, fatty cheese with no rind. The exterior is moist and an intense white colour. When cut, the paste is white and has a firm semi-soft texture with little elasticity. Its sweet, characteristic goat smell has a low intensity. The flavour is sweet and lactic at the same time, and well balanced in salt content. Very slight aroma of goat.

Sierra Morena (Huelva, Sevilla, Córdoba and Jaén) cheese

This raw goat's milk cheese is produced from Sierra Norte in Huelva to the province of Jaén. It is traditional in the region to preserve it whole in oil to give it stronger, more piquant flavours. The aged cheeses have a dark brown rind. When cut, the paste is an intense white for fresh cheeses and matt white to cream for aged varieties. It has a semi-hard texture. The taste has a slight bite, is somewhat acidic and salty with pronounced aromas.

Sierra de Cádiz cheese

This is a fatty, rindless goat cheese. When cut, it has a smooth white appearance. The texture is soft and moist, somewhat firm with little elasticity. Very slightly intense, sweet smell, accompanied by a sweet, lactic, slightly salty flavour.

Andalusia produces other cheeses, from Almería, the cheese from the Subbética region (goat), cheese from Sierra de María (sheep), Tiñosa (goat), Serranías de Jaén (goat), and Payoyo cheese (goat). These artisan cheeses reflect all the tradition and expertise of Andalusian artisan cheese makers.

CAVIAR AND STURGEON

LUXURY FROM ANDALUSIA

EL CAVIAR y EL ESTURIÓN

LUJO DE ANDALUCÍA

El caviar producido en Andalucía –en la provincia de Granada– procede, fundamentalmente, de la especie *acipenser naccarii,* que es autóctona del Guadalquivir y de todo el sur de Europa. Este producto se obtiene de las hembras de esturión criadas en cautiverio, y es un caviar de altísima calidad que compite en el mercado disputándose los primeros puestos con los mejores caviares del mundo, ya que ha obtenido las mejores calificaciones y clasificaciones nacionales e internacionales.

En este sentido, el caviar de Andalucía es ecológico, carece en su composición de aditivos artificiales que pudieran ser dañinos para el consumidor y su producción se ajusta estrictamente a procesos y técnicas de elaboración respetuosas con el medio ambiente.

Procedencia

Históricamente se pensaba que solo había existido una especie de esturiones en la Península Ibérica. Cuando se veía un pez con cinco filas de escudetes y aspecto de esturión, automáticamente se consideraba que era acipenser sturio (la única especie «oficialmente» presente en España).

Posteriormente, gracias a los avances científicos y a los estudios en profundidad de distintos especialistas en genética molecular y citogenética –con la participación muy directa de investigadores fundamentalmente de las universidades andaluzas de Granada y Cádiz–, así como la incorporación de técnicas forenses ultramodernas, se ha demostrado que el *acipenser naccarii* es autóctono del Guadalquivir y de todo el sur de Europa.

Características

El caviar de Andalucía es rico en matices, posee un tacto sedoso y tierno al paladar, es serio y elegante, con un cierto aroma a brisa marina. En su retrosabor, largo y duradero, se aprecia un muy ligero toque dulzón, único en los caviares de muy alta calidad.

Su color habitual es gris perla con diferentes reflejos. En ocasiones, se extraen huevas que presentan colores más claros, incluso albino. También existen verdes, dorados o tonos más marcados girando a azabaches.

Propiedades

El caviar posee unas fabulosas propiedades nutritivas. Es un alimento muy energético, ya que contiene 2.800 kcal por cada 100 gramos Además, es rico en proteínas, grasas, azúcares, sales minerales y vitaminas. También tiene vitamina A, B2, B6, B12 y C, ácido folicular y pantenoíco.

Al ser un producto ecológico, se caracteriza por garantizar la seguridad del consumidor y no ser dañino para el medio ambiente.

Producción

La forma de producir este caviar en cautiverio consiste en criar los esturiones en viveros. Cuando alcanzan la edad fértil, se inseminan artificialmente y, llegado el momento se extraen las huevas, se limpian, salan y, casi inmediatamente, se envasan, sin que haya ningún otro proceso adicional, ya que el caviar que se produce en Andalucía es un caviar ecológico.

The caviar produced in Andalusia – in the province of Granada – comes primarily from the species *Acipenser naccarii,* which is native to the River Guadalquivir and all of southern Europe. This product is obtained from female sturgeon raised in captivity. It is an extremely high quality caviar which competes with the best caviars in the world for the top positions in the market, having obtained the most important national and international qualifications and classifications.

Andalusian caviar is organic. It contains no artificial additives which might be harmful to the consumer and production is strictly limited to processes and techniques which respect the environment.

Origins

Historically it had been thought that only one species of sturgeon existed on the Iberian Peninsula. When a fish with five rows of scutes and a sturgeon-like appearance was spotted, it was automatically assumed to be *Acipenser sturio* (the only species 'officially' present in Spain).

Later, thanks to scientific advances and comprehensive studies by various specialists in molecular genetics and cytogenetics – with very direct participation by researchers primarily from the Andalusian universities of Granada and Cádiz, and the incorporation of ultra-modern forensic techniques, it was shown that the *Acipenser naccarii* is native to the Guadalquivir and all of Southern Europe.

Characteristics

Andalusian caviar is rich in nuances, silky to the touch with a soft palate. It is straightforward and elegant, with a certain sea breeze aroma. In its long, lingering aftertaste, it is possible to discern light, sweet traces, unique amongst very high quality caviars.

Its normal colour is pearly gray with different highlights. Occasionally roe are extracted which have a lighter colour, even albino. There are also green, golden and more marked shades verging on jet-black.

Properties

Caviar has fantastic nutritional properties. It is a high energy food, containing 2,800 kcal per 100 grams. It is also rich in proteins, fats, sugars, mineral salts and vitamins. It contains vitamins A, B2, B6, B12 and C, folic acid and pantothenic acid.

As it is an organic product, caviar is characterised by ensuring the safety of the consumer and not harming the environment.

Production

The method of producing this caviar in captivity consists of raising the sturgeon on fish farms. When they reach a fertile age, they are artificially inseminated. The roe are later extracted, cleaned, salted and almost immediately packaged. There is no additional processing, as the caviar produced in Andalusia is organic.

En Sierra Nevada, Granada, se produce una de las mejores calidades de caviar del mundo, una referencia en los mercados más difíciles y con más profunda tradición.

El caviar ecológico de Andalucía presenta una frescura inigualable, muy poco habitual en el mercado. Posee un bajo contenido en sal, proceso conocido como «mallosol» o «con poca sal» (no supera el 3-4%). El esturión autóctono del que procede el caviar ecológico andaluz dará huevas a los 18 años aproximadamente, cuando lo habitual es la mitad de tiempo.

De cada hembra de esturión se extrae una media de tres o cuatro kilos en una sola puesta, sacrificando a los animales poco antes del desove para extraerle las huevas.

La carne de esturión

El esturión es mundialmente conocido por su caviar; sin embargo, sus carnes son poco conocidas y consumidas. En Andalucía se ha conseguido criar en cautividad la mayor población del mundo de una especie que ha estado en peligro de extinción, para exportarla a los cinco continentes.

La comunidad autónoma de Andalucía es proveedora de este preciado producto y lo comercializa fresco y ahumado. La carne de esturión se vende al vacío y al peso. El corte es en lomos y las carnes aparecen recubiertas por una leve capa gelatinizada. Al corte, estas carnes son blancas y rosáceas. En boca, resultan carnosas, sabrosas y grasientas, dando sensación de jugosidad y enorme suculencia, acentuada por el leve ahumado.

El esturión *acipenser naccarii* es rico en grasas insaturadas, poli-insaturadas y altamente poli-insaturadas y ácidos omega 3 y 6. En resumen, es uno de los alimentos más cardiosaludables que se conocen. Destaca el elevado contenido en HUFAΩ3, de alto valor nutricional preventivo de enfermedades cardiovasculares en humanos. A modo de ejemplo, un filete de esturión de 100 gramos supone un aporte diario de en torno a 1,5 gramos de HUFAΩ3.

El periodo de cría para ser comercializado es de un mínimo de 8 años, edad a la que alcanza los 7-8 kilos aproximadamente, pudiendo llegar a alcanzar más de 100 kilogramos.

La carne de esturión, blanca y sin espinas, ha conseguido revolucionar los fogones de todo el mundo, siendo reconocida como manjar por los más prestigiosos chef del mundo.

Sierra Nevada, Granada produces one of the highest quality caviars in the world, a benchmark in the most difficult markets with the longest tradition.

Andalusian organic caviar offers an unsurpassed freshness which is not commonly found on the market. It has a low salt content due to a process known as 'mallosol' or 'very low salt' (not exceeding 3-4%). The native sturgeon from which Andalusian organic caviar comes will yield roe after approximately 18 years, when the standard is half that time.

An average of three or four kilos are extracted from each female sturgeon in a single lay, with the animals being killed shortly before spawning to extract the roe.

Sturgeon meat

The sturgeon is known throughout the world for its caviar. However, its meat is little known and consumed. In Andalusia, the world's largest population of a species in danger of extinction has been successfully raised in captivity, and exported to the entire planet.

The autonomous community of Andalusia supplies this prized product, which is marketed fresh and smoked. Sturgeon meat is sold vacuum packed and cut to order. It is cut into steaks and the meat appears covered by a thin gelatinous layer. The cut surface of the meat is white and pinkish. It has a meaty, flavourful and oily mouthfeel, giving the sensation of juiciness and great succulence, accentuated by a slight smokiness.

The *Acipenser naccarii* sturgeon is rich in unsaturated, polyunsaturated and highly polyunsaturated fats and omega 3 and 6 acids. In short, it is one of the best cardiovascular foods known. Also noteworthy is the high ω3 HUFA content, of great nutritional value for preventing cardiovascular disease in humans. To give an example, one 100-gram sturgeon steak provides a daily content of around 1.5 grams of ω3 HUFA.

The breeding period before sale is a minimum of eight years, the age at which the fish reaches approximately 7-8 kilos. It can even reach over 100 kilograms.

Sturgeon meat, white and boneless, has managed to revolutionise kitchens throughout the world. It is recognised as a delicacy by the most prestigious international chefs.

LOS PESCADOS
y LOS MARISCOS

ENTRE EL MAR Y EL OCÉANO, UN GRAN ESTRECHO

FISH and SEAFOOD

A GREAT STRAIT BETWEEN THE SEA AND THE OCEAN

Con aproximadamente mil kilómetros de costa –la comunidad autónoma española con más frente marítimo–, no es exagerado decir que Andalucía mira al mar y el mar mira Andalucía. Pocas pesquerías españolas, por no decir ninguna, han conocido tanto esplendor en tiempos pasados y han crecido tan espectacularmente en las últimas décadas, como la practicada en Andalucía, sobre todo en su fachada atlántica.

With approximately one thousand kilometres of coast – the Spanish autonomous community with the longest – it is no exaggeration to say that Andalusia looks to the sea and the sea looks to Andalusia. Few Spanish fishing grounds, not to say none, have known such greatness in the past and grown so spectacularly in recent decades as Andalusia's, above all on its Atlantic side.

De las aguas de Andalucía salen a diario barcos con las bodegas repletas de pescado y marisco de una calidad excepcional. Los litorales almerienses, granadinos, malagueños, gaditanos y onubenses ofrecen los productos más frescos del mar Mediterráneo y del océano Atlántico.

Poblaciones gaditanas como el Puerto de Santa María, Conil, Barbate, Zahara de los Atunes, Tarifa y Sanlúcar de Barrameda son territorios en los que el atún marca el ritmo de vida de la zona. La almadraba, un arte milenario de pesca, proporciona a estos pueblos importantes ingresos económicos y fama mundial por la calidad del atún que allí se captura.

Ello sin desdeñar otros pescados más humildes, pero no por ello menos sabrosos y con innumerables posibilidades en el mundo gastronómico. Caballas, melvas, lubina del Estrecho, pez espada, doradas, urtas, acedías, boquerones, sardinas, bocinegro, pargo, corvina, borriquete y pulpo, entre otros, satisfacen los paladares más exigentes. Y eso sin olvidar las bocas –pinzas de cangrejo– de la Isla (San Fernando), el bogavante y el merecidamente famoso e impresionante langostino de Sanlúcar, un producto sin igual que solo puede encontrarse en estas costas.

En los bancos pesqueros de Almería abundan los salmonetes, los besugos, las agujas, los sables, los jureles y también las sardinas, las caballas y las suculentas cigalas de Adra. En la costa más oriental de Andalucía también se puede pescar merluza, una de las especies más demandadas por los consumidores.

Las aguas de Granada, unas dulces y otras saladas, ofrecen dos de los productos *gourmet* más impresionantes de la gastronomía española: el caviar de Sierra Nevada –al que por su espectacular despegue de producción en los últimos años dedicamos un capítulo diferenciado en este libro– y las quisquillas de Motril, una maravilla culinaria de sabor y color. El mediterráneo granadino es rico también en los más frescos lenguados, besugos, salmonetes y calamares.

Los mares de Málaga brindan lubinas, pez espada, merluzas, róbalos, sardinas y el popular boquerón (anchoa), y también deliciosos moluscos bivalvos, como almejas, coquinas y mejillones; gasterópodos, como la cañaílla; y cefalópodos: calamares, chopitos y sepias.

La gamba blanca de Huelva es uno de los manjares marinos más extraordinarios del mundo, pero no es el único con el que nos obsequia la provincia más occidental de Andalucía, uno de los territorios gastronómicos más ricos del planeta, si añadimos el jamón ibérico, el fresón y los vinos y vinagres –Condado de Huelva– a sus extraordinarios pescados y mariscos. El bogavante, el popular choco (sepia) y las coquinas, así como la corvina y el rodaballo, el pargo, son frutos de un mar generoso que proporciona inigualables sabores y texturas que se desembarcan a diario en poblaciones como Huelva, Isla Cristina, Punta Umbría, etc.

Denominación Específica Caballa de Andalucía

La caballa *(Scomber japonicus)* de Andalucía es uno de los pescados más emblemáticos y de mayor calidad de la comunidad autónoma, por lo que está protegida por una Denominación Específica (DE).

From the waters of Andalusia emerge boats on a daily basis, their holds brimming with fish and seafood of exceptional quality. The coasts of Almería, Granada, Málaga, Cádiz and Huelva offer the freshest produce of the Mediterranean Sea and the Atlantic Ocean.

Cádiz towns such as Puerto de Santa María, Conil, Barbate, Zahara de los Atunes, Tarifa and Sanlúcar de Barrameda are areas where the tuna sets the rhythm of local life. Tuna fishing using *almadraba* nets, an ancient art, provides these towns with significant income and international fame for the quality of the tuna caught there.

This is not to scorn other, humbler fish, which are not for this reason any less flavourful. They offer innumerable possibilities for the culinary world. Chub mackerel, frigate mackerel, sea bass, swordfish, gilt-head, redbanded sea bream, little sole, anchovies, sardines, porgy, sea bream, meagre, rubberlip grunt and octopus, among others, satisfy the most discerning palates. Nor should we forget the pincers – crab claws – from the Island (San Fernando), lobster and the deservedly famous and amazing king prawn of Sanlúcar, a product without equal which can only be found along these coasts.

The fishing grounds of Almería are home to an abundance of red mullet, sea bream, garfish, cutlassfish, horse mackerel and also sardines, chub mackerel and the succulent Dublin Bay prawns of Adra. On the easternmost coast of Andalusia it is also possible to catch hake, one of the species most sought after by consumers.

The waters of Granada, some fresh and others salty, offer two of Spanish cuisine's most impressive gourmet products: the caviar of Sierra Nevada – to which we have dedicated a separate chapter of this book, due to a spectacular boom in production in recent years – and the shrimp of Motril, a culinary marvel of flavour and colour. The Mediterranean coast of Granada is also rich in the freshest sole, sea bream, red mullet and squid.

The seas of Málaga offer varieties of sea bass, swordfish, hake, sardines and the popular anchovy, as well as delicious bivalve molluscs such as clams, coquina clams and mussels; gastropods such as the purple dye murex; and cephalopods: squid, baby squid and cuttlefish.

The Huelva white prawn is one of the world's most extraordinary seafood delicacies, but not the only one presented to us by Andalusia's westernmost province. This is one of the richest gastronomic territories on the planet, if we add Iberian cured ham, strawberries, wine and vinegars – Condado de Huelva – to its extraordinary fish and seafood. The lobster, the popular *choco* (cuttlefish) and coquina clams, as well as meagre and turbot, sea bream, these are the fruits of a generous sea which provides the unrivalled flavours and textures which disembark on a daily basis in towns such as Huelva, Isla Cristina and Punta Umbría.

Caballa de Andalucía Specific Designation

Andalusian chub mackerel *(Scomber japonicus)* is one of the autonomous community's most emblematic and highest quality fish. For this reason, it is protected by a specific designation (SD).

La caballa pertenece a la familia de los Escómbridos y es un pescado azul, de carne prieta y color gris plata. La caballa es también conocida por el nombre de sarda. Es un pez de cuerpo fusiforme y alargado, con el hocico puntiagudo y grandes ojos. Mide normalmente de 20 a 30 cm, aunque puede alcanzar los 50 cm.

Este pescado se vende ahumado y fresco, y se pesca durante todo el año, pero es en primavera y verano cuando forma bancos mayores y cuando su carne es menos grasa.

La caballa es un alimento muy saludable y de elevado valor nutricional, ideal para mantener una dieta sana y equilibrada, típicamente mediterránea. Tiene un alto aporte protéico y vitamínico, con un bajo contenido en grasas e hidratos de carbono. Contiene ácidos grasos insaturados, como los omega 3, y es rica en vitaminas, y minerales como potasio, fósforo, magnesio, yodo, calcio y hierro.

Denominación Específica Melva de Andalucía

La melva está también protegida por Denominación Específica (DE) y en Andalucía se elabora fundamentalmente en conserva de manera artesanal. Sus filetes se descabezan y evisceran, en un primer momento, y una vez lavados, pasan a cocerse en una disolución de sal en agua potable.

El pelado de la melva se lleva a cabo de forma manual, sin intervención de productos químicos, consiguiéndose así un producto de óptima calidad. Una vez extraídos los filetes de pescado, limpios de piel y de espinas, se envasa el producto en recipientes metálicos o de cristal, que son esterilizados mediante un tratamiento térmico suficiente para destruir cualquier microorganismo y cubriéndolos con aceite de oliva o de girasol.

Las Denominaciones Específicas Caballa de Andalucía y Melva de Andalucía fueron reconocidas en 2003, amparadas bajo un único Consejo Regulador, que tiene dos cometidos fundamentales:

- Certificar con rigurosos controles la calidad e identidad del producto y que ha sido elaborado siguiendo el método artesanal.
- Dar a conocer a los consumidores los altos niveles de calidad de estas conservas.

La zona de elaboración de estas Denominaciones Específicas abarca municipios de todo el litoral andaluz. En las provincias de Almería (Adra, Carboneras, Garrucha y Roquetas de Mar); Granada (Motril y Almuñécar); Málaga (Estepona, Fuengirola, Málaga, Marbella y Vélez-Málaga); Huelva (Ayamonte, Cartaya, Huelva, Isla Cristina, Lepe, Palos de la Frontera y Punta Umbría) y Cádiz (Algeciras, Barbate, Cádiz, Chiclana, Chipiona, Conil, La Línea, Puerto de Santa María, Rota, Sanlúcar de Barrameda y Tarifa).

Conservas *gourmet*

Andalucía representa también la mejor tradición en la conserva de pescados: melva, caballa, huevas, anchoa o bonito son las estrellas de la tradición conservera andaluza.

The chub mackerel belongs to the *Scombridae* family and is a blue fish with firm, silvery-gray flesh. The fish is also known as the Pacific mackerel or blue mackerel. Its body is elongated and cylindrical in shape with a pointed nose and large eyes. It normally measures 20-30 cm, although it can grow up to 50 cm.

This fish is sold smoked and fresh. It is caught year round, but during the spring and summer there are larger shoals and the meat is less fatty.

The chub mackerel is a very healthful food with high nutritional value. It is ideal for maintaining a typical healthy, balanced Mediterranean diet. It has high protein and vitamin content, with few fats and carbohydrates. It contains unsaturated fatty acids such as omega 3, and is rich in vitamins and minerals such potassium, phosphorous, magnesium, iodine, calcium and iron.

Melva de Andalucía Specific Designation

The frigate mackerel is also protected by a special designation (SD) and in Andalusia is primarily used for artisanal preserves. The heads and viscera are first removed and once they have been washed, the fillets are cooked in a salt solution in potable water.

The frigate mackerel is peeled by hand, without the use of any chemicals, producing an optimum quality product. Once the fish fillets are cut out and stripped of skin and bones, the product is packaged in glass or metal containers, which are sterilised using a heat treatment which is enough to destroy any microorganisms, and covered with olive or sunflower oil.

The Caballa de Andalucía and Melva de Andalucía Specific Designations were recognised in 2003. They are governed by a single regulatory council, which has two main duties:

- Strictly monitor and certify the quality and identity of the product and that it has been produced using artisanal methods.
- Inform consumers of the high quality of these preserves.

The area covered by these specific designations includes municipalities from the entire Andalusian coast, in the provinces of Almería (Adra, Carboneras, Garrucha and Roquetas de Mar); Granada (Motril and Almuñécar); Málaga (Estepona, Fuengirola, Málaga, Marbella and Vélez-Málaga); Huelva (Ayamonte, Cartaya, Huelva, Isla Cristina, Lepe, Palos de la Frontera and Punta Umbría) and Cádiz (Algeciras, Barbate, Cádiz, Chiclana, Chipiona, Conil, La Línea, Puerto de Santa María, Rota, Sanlúcar de Barrameda and Tarifa).

Gourmet preserves

Andalusia also represents the best tradition of fish preserves: frigate mackerel, chub mackerel, roe, anchovies and bonito tuna are stars of the traditional Andalusian preserves.

The preserve industry in Andalusia still maintains the characteristic quality of an age-old tradition which distinguishes it from the rest. These are small and medium-sized companies with a family

La industria conservera andaluza sigue manteniendo las características de calidad de una tradición milenaria que la diferencian del resto. Son pequeñas y medianas empresas de tradición familiar, que han conservado el carácter artesanal en la elaboración del producto y la vinculación de las especies transformadas al medio físico del litoral andaluz, consiguiéndose así productos de óptima calidad, cuyos sabores se acentúan con el acompañamiento del oro líquido de Andalucía: el aceite de oliva.

tradition. They have preserved the artisanal nature of production and the ties of the species they work with to the physical environment of the Andalusian coast. The result is products of the highest quality, whose flavour is accentuated when accompanied by Andalusia's liquid gold: olive oil.

La mojama

En la costa de Andalucía, el clima dificulta la conservación del pescado. Por ello, una buena solución consiste en secar el pescado, por ejemplo, el atún, y posteriormente someterlo a un proceso de salazón, obteniendo la tan preciada y, a la vez, popular mojama.

El atún se seca fresco de forma natural durante un periodo mínimo de un mes o más si el tiempo es más húmedo. No se utilizan aditivos, solo necesita sol y sal. El secado hace que los lomos de atún modifiquen su aspecto. Su color se vuelve pardo rojizo, su tamaño disminuye, pues la carne se encoge y pierde agua, y su textura se hace más firme, concentrándose los nutrientes. En este momento el atún ya se ha transformado en mojama.

El origen de la mojama se encuentra en tiempos de los romanos, quienes salaban los lomos del atún rojo y lo dejaban secar al sol. Los árabes siguieron conservando el atún de este modo y fueron ellos quienes lo denominaron *mussama,* palabra de la que procede su nombre actual.

Gamba de Huelva y langostino de Sanlúcar

La gamba blanca de Huelva es uno de los productos más prestigiosos de España, un auténtico marisco *gourmet,* un alimento demandado por los paladares más exigentes.

Su distinguido sabor, atractivo color, aroma puro a mar, la exquisita ternura y textura de su carne y la extensa variedad de platos que ofrece a la hora de cocinarla, han coronado a la gamba onubense como protagonista de los fogones a lo largo de toda la geografía española.

Por otra parte, el langostino es una de las principales señas de identidad de la hermosa población de Sanlúcar de Barrameda (Cádiz). Es, al igual que la gamba de Huelva, un producto de la máxima excelencia, una delicia gastronómica que sorprende al comensal por su frescor sin igual, por su sabor salino a mar y por la consistencia y tersura de su carne.

Cocidos o a la plancha, los langostinos de Sanlúcar son un manjar que reivindica la riqueza y calidad de los productos de los mares de Andalucía.

El «pescaíto» frito

De gran tradición popular es el consumo en Andalucía de los pescados enharinados y en fritura de aceite de oliva caliente, el popular «pescaíto frito». Se consideran adecuados para la fritura los pescados pequeños y poco espinosos, como el salmonete, el boquerón, la pijota, y la acedía. Sin embargo, también se emplean pescados mayores, como el cazón, la merluza y la caballa, que se trocean y se maceran en adobo antes de freírse. Es frecuente que el «pescaíto frito» incluya moluscos cefalópodos, como el calamar, el chopito y las puntillitas, y crustáceos, como las gambas.

Mojama *(cured salted tuna)*

Along the Andalusian coast, the climate makes it difficult to preserve fish. For this reason, a good solution is to dry the fish, tuna for example, and then later salt it, obtaining the highly prized and popular *mojama*.

The fresh tuna is dried naturally for a minimum of one month, more if the weather is damper. No additives are used; all that is needed is sun and salt. The drying process changes the appearance of the tuna steaks. The colour turns a dull reddish brown, the size decreases as the meat shrinks and loses water, and the texture gets firmer, concentrating the nutrients. The tuna has become *mojama*.

The origins of *mojama* date from the period of the Romans, who salted red tuna steaks and left them to dry in the sun. The Arabs continued to preserve tuna in this way, and it was they who called it mussama, the word from which its current name comes.

Huelva prawns and Sanlúcar king prawns

The white prawn of Huelva is one of Spain's most prestigious products. It is a true gourmet seafood, a food sought by the most discerning palates.

Its refined flavour, attractive colour, pure sea aroma, exquisite tenderness and the texture of its meat, as well as the extensive range of cooking possibilities, have crowned the Huelva prawn the star of kitchens throughout Spain.

For its part, the king prawn is one of the main symbols of the lovely town of Sanlúcar de Barrameda (Cádiz). It is, like the Huelva prawn, a product of the utmost excellence, a gastronomic delight which surprises the diner with its unparalleled freshness, its salty sea flavour and the consistency and smoothness of its flesh.

Cooked or grilled, Sanlúcar king prawns are a delicacy which stakes a claim for the wealth and quality of products from the seas of Andalusia.

Pescaíto frito

There is a long tradition amongst the people of Andalusia of coating fish in flour and frying it in hot olive oil, the popular *'pescaíto frito'*. Small fish with few bones are considered suitable for frying, such as red mullet, anchovies, European hake and little sole. However, larger fish are also used, such as dsogfish, hake and chub mackerel, which are diced and soaked in marinade before being fried. It is common for *'pescaíto frito'* to include cephalopod molluscs such as the squid, baby squid and small squid, and crustaceans such as prawns.

EL ATÚN ROJO
DE ALMADRABA
EL PLATEADO PRÍNCIPE DE LOS MARES

ALMADRABA RED TUNA
THE SILVER PRINCE OF THE SEAS

El atún es un pescado azul migratorio que pertenece a la familia de los Escómbridos, que también incluye las variedades del atún blanco o bonito del norte, y otras especies similares como la caballa o el bonito. El mayor número de ejemplares de atún común se encuentra en el Atlántico, aunque también se localizan bancos de atunes en el mar Negro y en el Mediterráneo.

Científicamente, el atún *(Thunnus thynnus)* es un pez de cuerpo robusto, en forma de torpedo, azulado en los flancos y plateado en el vientre. Su carne rojiza y compacta se aprovecha en su totalidad, según sea el destino culinario que se le quiera dar. Como en la ballena, del atún no se tira nada: fresco, en salazón (mojama), en conserva, incluso los desperdicios se utilizan para hacer guano (abono artificial).

Propiedades

Lo más destacado del atún es su composición: se trata de un pescado graso, rico en ácidos grasos omega 3, muy beneficiosos para la salud. Su contenido en proteínas de alto valor biológico es elevado y supera a todas las carnes y pescados.

El atún es una excelente fuente de vitaminas B3 y B12. El contenido de estas vitaminas supera al del resto de pescados, las carnes y los huevos. También el atún es de los pescados más ricos en ácido fólico. Al tratarse de un pescado graso contiene cantidades importantes de vitaminas A y D. En cuanto a los minerales, el fósforo y el magnesio sobresalen en la composición nutritiva del atún, sin despreciar su contenido en hierro y yodo.

La almadraba

Hablar del atún de Andalucía es hablar de la milenaria almadraba, un arte de pesca tradicional, y a la vez revolucionario, heredado de los árabes. Es entre abril y agosto, aprovechando las migraciones mediterráneo-atlánticas del atún, a través del Estrecho de Gibraltar, cuando los pescadores aprovechan para tender esta elaborada trampa, un laberinto de redes interpuesto en el paso de los atunes.

Una vez dentro de estos aparejos, el atún recorre el entramado hasta llegar al centro del copo, única parte que posee red en el fondo. Llegado este momento, se realiza la levantada, alzando la red hasta prácticamente el nivel del agua dejando al atún al descubierto.

Tuna is a migratory blue fish which belongs to the *Scombridae* family, which also includes the white tuna and Northern white tuna varieties, and other similar species such as chub mackerel and bonito tuna. The greatest numbers of common tuna are found in the Atlantic, although there are also tuna shoals in the Black Sea and the Mediterranean.

Scientifically speaking, the tuna *(Thunnus thynnus)* is a fish with a robust body in the form of a torpedo. It is bluish on the sides and silver on the belly. Its reddish, compact flesh is used in its entirety, depending on the culinary purpose for which it is utilised. Like the whale, no part of the tuna is discarded: fresh, salted (cured), preserved, even the scraps are used to make guano (artificial fertiliser).

Properties

The most noteworthy thing about the tuna is its composition: it is a fatty fish, rich in omega 3 fatty acids, which offer great health benefits. It has high protein content with great biological value, exceeding that of all meat and fish.

Tuna is an excellent source of vitamins B3 and B12. It has more of these vitamins than all other fish, meat and eggs. Tuna is also one of the richest fishes in folic acid. Because it is a fatty fish, it contains significant amounts of vitamins A and D. In terms of minerals, phosphorous and magnesium are noteworthy elements of the tuna's nutritional makeup, not to mention the iron and iodine content.

The *almadraba*

To speak of tuna in Andalusia is to speak of the ancient *almadraba,* a traditional art and fishing method which is also revolutionary. It was inherited from the Arabs. It is between April and August, taking advantage of the tuna's Mediterranean-Atlantic migration through the Strait of Gibraltar, when fishermen seize this opportunity to lay an elaborate trap, a labyrinth of nets placed in the path of the tuna.

Once inside the nets, the tuna moves through the structure to the centre, the only part with a net at the bottom. At this moment, the nets are raised practically to sea level, leaving the tuna exposed.

One by one, the tuna fisherman hook the tuna, moving the fish from the net into the boat. This is the high point of the *almadraba* fisherman's art.

Uno a uno y utilizando los bicheros, unos garfios que los almadraberos utilizan para enganchar los atunes, se van sacando los peces de la red para subirlos al barco. Este es el momento cumbre del arte almadrabero.

Las almadrabas son típicas de la costa andaluza y se utilizan en Cádiz, Chiclana, Conil, Barbate, Zahara de los Atunes y La Línea de la Concepción. Mediante el arte de la almadraba, se capturan en el litoral andaluz cerca de 1.000 toneladas de atunes anuales.

Este arte pesquero contribuye a elevar la calidad gastronómica del atún, motivo por el cual numerosos importadores japoneses pagan desorbitados precios por los mejores ejemplares, y no es raro encontrar barcos-factoría nipones anclados en puertos gaditanos.

El atún de almadraba puede considerarse un producto *gourmet* por su excepcional calidad. En España se consume fresco en temporada, y en salazón o enlatado todo el año.

Almadrabas are traditional along the Andalusian coast and are used in Cádiz, Chiclana, Conil, Barbate, Zahara de los Atunes and La Línea de la Concepción. Through the art of the *almadraba*, close to 1,000 tonnes of fish are captured in Andalusian waters every year.

This fisherman's art helps raise the gastronomic quality of the tuna, the reason for which numerous Japanese importers pay exorbitant prices for the best specimens. It is not unusual to find Japanese factory ships anchored in Cádiz ports.

Almadraba-caught tuna can be considered a gourmet product for its exceptional quality. In Spain it is consumed fresh in season, and salted or tinned all year round.

HONEY

LAS MIELES

Dulces
y energéticas
naturales y saludables

Sweet, natural, energy-giving and healthy

La provincia de Granada es la principal productora de miel de Andalucía y uno de los más importantes panales de España. La miel granadina está elaborada por la abeja melífera a partir del néctar de las flores o de las secreciones procedentes de las partes vivas de las plantas, o que se encuentren sobre ellas. Segregaciones que las abejas liban, transforman, combinan con sustancias específicas propias, almacenan y dejan madurar en los panales de las colmenas ubicadas en la provincia de Granada, preferentemente en Huéscar, Granada, Ugijar, Motril, Lanjarón y Otívar.

Los tipos de miel son:

- Miel de castaño
- Miel de romero
- Miel de tomillo
- Miel de aguacate
- Miel de naranjo o azahar
- Miel de cantueso
- Miel de la sierra
- Miel multifloral

Sin duda, el principal factor que confiere las peculiares características diferenciadoras a la miel de Granada con respecto a otras producciones es la flora de la provincia. Granada cuenta con más de 296.000 hectáreas de monte desarbolado, ocupado por plantas aromáticas que hacen que el aprovechamiento apícola sea importante.

The province of Granada is Andalusia's main honey producer and one of the most important in Spain. Granada honey is made by the honey bee from flower nectar or the secretions of living parts of plants or which are found on them. The bees drink and transport these secretions, combining them with their own specific substances, store the mixture and allow it to mature in the honeycombs of the hives located in the province of Granada, primarily in Huéscar, Granada, Ugijar, Motril, Lanjarón and Otívar.

The types of honey are:

- Chestnut honey
- Rosemary honey
- Thyme honey
- Avocado honey
- Orange tree or orange blossom honey
- Lavender honey
- Mountain honey
- Multiple-flower honey

Without a doubt, it is the flora of the province which is the principal factor that gives Granada honey its unique distinguishing features as compared with other areas of production. Granada has more than 296,000 hectares of scrubland with no trees, occupied by aromatic plants which make beekeeping an important activity.

Miel de Castaño

Miel de Romero

Miel de Azahar

Miel de Cantueso

Miel de Tomillo

Miel de Aguacate

Miel de la Sierra

Miel Multiflora

A esto hay que añadir extensiones importantes de castaños, naranjos, y en la zona litoral los aguacates, producción exclusiva del litoral granadino y malagueño.

Un 70% de las explotaciones apícolas están establecidas en áreas protegidas (Parque Nacional de Sierra Nevada y Parques Naturales de la Sierra de Baza, Sierra de Huétor, Sierra de Castril y Sierras de Tejeda, Alhama y Almijara), lo que aporta un valor añadido a la miel obtenida.

Características

La miel es un alimento totalmente natural al que no se le añaden ni aditivos ni conservantes. Tiene la ventaja de que, por su alto contenido en azúcares, puede conservarse durante largo tiempo. Asimismo, contiene sales minerales ricas en potasio y de fácil asimilación, además de enzimas y ácidos orgánicos. La miel de Granada es muy energética y digestiva. Además de calidad, exhibe gran variedad de colores, sabores y aromas.

La miel de Granada está amparada bajo la Denominación de Origen Protegida (DOP) Miel de Granada, que comenzó su andadura en el año 2002.

La tradición y el buen hacer de los cosecheros de miel granadinos han hecho que la miel de esta provincia sea un producto único y genuino. Actualmente unas 50.000 colmenas están diseminadas por toda Granada, favoreciendo el mantenimiento de la biodiversidad en el medio natural, gracias a la incansable labor de las abejas mediante la polinización.

Miel de caña

La melaza o miel de caña es un producto de aspecto similar al de la miel, pero más oscura y con un sabor parecido al del regaliz. Se elabora a partir de la caña de azúcar y, respecto al azúcar convencional e incluso al azúcar moreno de caña, está menos refinada.

La miel de caña es muy rica en elementos nutritivos, ya que contiene una cantidad significativa de vitaminas del grupo B (B1, B2 y B6) y de ácido pantoténico, además de minerales, como el hierro, el cobre, el calcio, el fósforo, el potasio, el magnesio, el cinc y el cromo.

Este producto se elabora comprimiendo las cañas de azúcar y extrayendo el líquido de su interior, que posteriormente se cuece lentamente para que se evapore el agua sobrante y se obtenga la densidad y concentración que le son características al azúcar. Al final del proceso, se eliminan las impurezas que salen a la superficie.

El jugo de caña procedente de localidades como Salobreña (Granada) se somete a un cocido rápido de decantación. Después pasa a otras pailas (vasijas metálicas) donde permanece a fuego lento para que se produzca la transformación química que lo convertirá en jarabe, que se filtra para que no tapone la maquinaria. Entonces se pasa a unos concentradores de los que saldrá la miel de caña.

Desde el punto de vista industrial, la miel de caña de Andalucía que se comercializa en el exterior procede de Frigiliana (Málaga), en la comarca de la Axarquía, en donde se encuentra la única fábrica en España que se dedica a la producción de esta miel.

To this we must add significant sections of chestnut and orange trees, and avocadoes along the coast, production which is exclusive to the Granada and Málaga coast.

70% of beekeeping operations are located in protected areas (Sierra Nevada National Park and the Sierra de Baza, Sierra de Huétor, Sierra de Castril and Sierras de Tejeda, Alhama y Almijara nature reserves), giving the honey obtained added value.

Characteristics

Honey is a completely natural food to which no additives or preservatives are added. It has the advantage of having a long shelf-life due to its high sugar content. Additionally, it has mineral salts which are rich in potassium and easy to assimilate, as well as enzymes and organic acids. Granada honey provides a lot of energy and helps the digestion. In addition to quality, it has a wide variety of colours, flavours and aromas.

Granada honey is protected by the Miel de Granada Protected Designation of Origin (PDO), which was created in 2002.

The tradition and expertise of harvesters of Granada honey have made the province's honey a one-of-a-kind, genuine product. Currently, there are some 50,000 hives distributed throughout Granada, helping to maintain the biodiversity of the rural environment through pollination, thanks to the tireless efforts of the bees.

Golden syrup

Molasses or golden syrup is a product which is similar in appearance to honey, but darker and with a flavour like that of liquorice. It is made from sugarcane and is less refined than conventional sugar or even brown cane sugar.

Golden syrup is very rich in nutritional elements, as it contains a significant quantity of B vitamins (B1, B2 and B6) and pantothenic acid, as well as minerals such as iron, copper, calcium, phosphorous, potassium, magnesium, zinc and chromium.

This product is made by compressing sugar cane and extracting the liquid from inside. This is then cooked slowly so that the excess water will evaporate, obtaining the density and concentration which are characteristic of the sugar. At the end of the process, the impurities which rise to the surface are removed.

The cane juice from towns such as Salobreña (Granada) is quickly cooked to decant it. Then it is transferred to other metal pans, where it is left over low heat in order to bring about the chemical transformation which turns it into syrup. This is filtered so as not to clog the machinery. Then it is moved to centrifuges, from which the golden syrup will emerge.

In industrial terms, the Andalusian golden syrup marketed abroad comes from Frigiliana (Málaga), in the Axarquía region. This is the only factory in Spain dedicated to producing this syrup.

RICE

EL ARROZ

Tesoro
e las marismas
del Guadalquivir

Treasure of the marshes
of the Guadalquivir

El arroz en la comunidad andaluza se produce básicamente en la provincia de Sevilla, y se concentra en las marismas del Guadalquivir. Sevilla es la primera provincia española en producción de arroz, con 36.071 hectáreas, el 40% de la superficie total de España.

Este cultivo tiene además una importante función medioambiental, puesto que los arrozales están inmersos en nueve espacios naturales de la marisma baja del Guadalquivir, que favorecen su cultivo y garantizan la alimentación de gran parte de la avifauna que habita en los humedales cercanos.

La mayor parte de la producción de la provincia de Sevilla es de grano largo (91,4%), siendo mayoritarias en superficie cultivada las variedades puntal y thaibonnet.

La introducción de arroz en la Península Ibérica se debe al pueblo bizantino, aunque su cultivo de forma estructurada se debe al árabe Molén el Conquistador. Los árabes, que conocían muy bien las técnicas agrícolas, aplicaron los sistemas de riego en el siglo VIII. Ellos crearon y extendieron redes de canales, pozos, norias y presas. En los inicios del siglo XX, la provincia de Sevilla contaba con 40 hectáreas de arroz.

Alimento energético

El arroz *(Oryza sativa)* es una planta de la familia *Poaceae.* Su nutriente principal son los hidratos de carbono, las vitaminas, los minerales y, en escasa proporción, las proteínas. Sin embargo, en la práctica, con su refinamiento y pulido, se pierde hasta el 50% de su contenido en minerales y el 85% de las vitaminas del grupo B, quedando por tanto convertido en un alimento sobre todo energético.

En la actualidad, el arroz es, junto al trigo, uno de los cereales más consumidos en el mundo, y en la búsqueda permanente de la calidad y de la productividad en los centros de investigación de todo el mundo, surgen continuamente nuevas variedades de arroz. Todas ellas se agrupan en tres grandes categorías: grano largo, grano medio y grano corto. Existen más de dos mil variedades de arroz, pero solo se cultivan unas cuantas.

In the community of Andalusia, rice is primarily produced in the province of Seville, and is concentrated in the marshes along the Guadalquivir. Seville is Spain's foremost rice producing province, with 36,071 hectares, 40% of the country's total area.

This crop also serves an important environmental function, as the rice fields form part of nine natural spaces in the lower marshes of the Guadalquivir. This favours their cultivation and guarantees food for a large number of the birds which inhabit the nearby wetlands.

Most of the production in the province of Seville is long grain (91.4%), with the Puntal and Thaibonnet varieties occupying the most land under cultivation.

Rice was brought to the Iberian Peninsula by the Byzantine people, although its structured cultivation is owing to the Arab Molén the Conqueror. The Arabs, who were very well versed in agricultural techniques, built irrigation systems in the 8th century. They created and extended networks of canals, wells, water wheels and dams. In the early 20th century, th e province of Seville had 40 hectares of rice.

Energy food

Rice *(Oryza sativa)* is a plant from the *Poaceae* family. Its main nutrients are carbohydrates, vitamins, minerals and a small amount of proteins. However, in practice, through refining and polishing, up to 50% of its mineral content and 85% of B vitamins are lost. What remains is above all an energy food.

Nowadays, rice, together with wheat, is one of the most consumed cereals in the world. Out of the ongoing search for quality and productivity at research centres throughout the world regularly come new varieties of rice. All of these are grouped into three main categories: long grain, medium grain and short grain. There are over two thousand varieties of rice, but only a few are cultivated.

Andalucía tiene una profunda y atávica vocación via-
jera. Ha cogido sus maletas y las ha llenado con todos
los productos de su tierra. Ha cruzado mares y océanos
hasta llegar a lejanas tierras, para recalar en los mejores fogones del mundo. De la mano de los grandes
chefs mundiales ha elevado sus productos al rango de
la alta cocina internacional.

Andalucía, que tanto sabe de fusión, de mestizaje,
ha marcado con vigorosos trazos a través de sabias
manos un nuevo mapa en el que sus productos tienen
un lugar preferente.

Andalusia has a profound and atavistic vocation for
travel. It has grabbed its suitcases and filled them with
all the products of the land. It has crossed seas and
oceans and arrived in faraway lands to look in on the
world's best kitchens. At the hands of the great chefs
of the world, it has elevated its products to the status
of international haute cuisine.

Andalusia, which tastes so strongly of fusion, of
blending, has with skilled hands vigorously sketched
a new map in which its products have a preferential
place.

ANDALUSIA

WORLD

COOKING

TOUR

ANDALUSIA
WORLD
COOKING
TOUR

Estados
Unidos

Nueva York

Chicago

Miami

Latino
América

Lima

Santiago

Buenos Aires

São Paulo

México D.F.

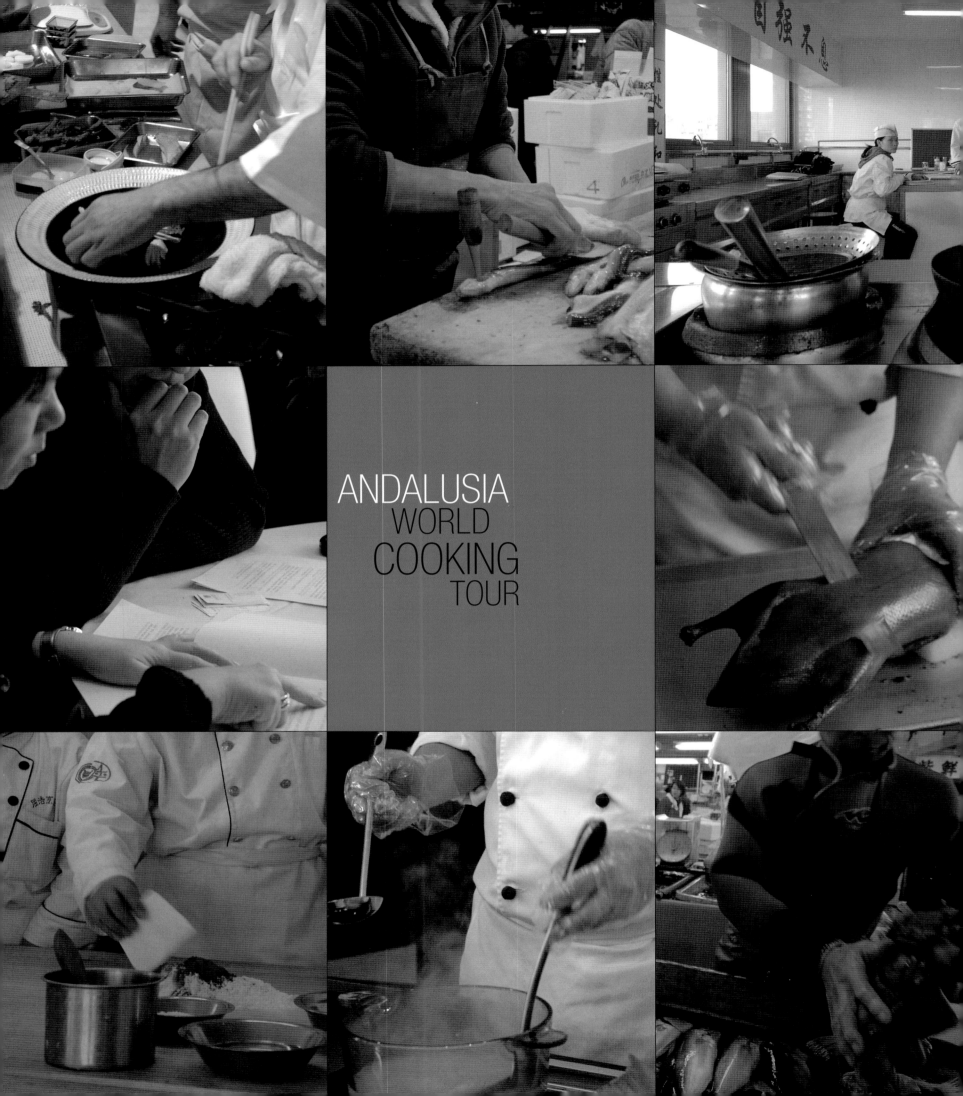

ANDALUSIA
WORLD
COOKING
TOUR

Asia

Beijing

Zhenxiang DONG
Qu Hao

Tokio

Seiji YAMAMOTO
Hiromitsu NOZAKI

Zhenxiang D

Beijing

ONG

DONG

Z h e n x i a n g
D O N G

«La importación del jamón ibérico es una buena noticia
para China, porque es el mejor jamón del mundo.
Es un producto especial y único.
No se parece a ningún otro jamón.»

«El aceite de oliva es uno de los productos
más saludables y nutritivos del planeta.»

«El Gobierno de Andalucía está haciendo un gran
esfuerzo para promocionar su aceite en China.
La Junta acierta porque el aceite andaluz tiene
un gran mercado en mi país. Hay que tener paciencia.»

«El consumo de alimentación en China se está
transformando muy rápidamente. Los clientes están
empezando a dejar de lado el precio si obtienen calidad.»

'The import of Iberian cured ham is good news
for China, because it is the best ham in the world.
It is a special, one-of-a-kind product.
It's nothing like any other cured ham.'

'Olive oil is one of the healthiest and
most nutritious products on the planet.'

'The government of Andalusia is making a big effort
to promote its oil in China. This is a good idea,
because there is a big market for Andalusian oil
in my country. We have to be patient.'

'Food consumption in China is changing very rapidly.
Customers are beginning to ignore price
if they obtain quality.'

El arte de la China milenaria

Este chef y su restaurante, Da Dong Roast Duck, son dos nombres imprescindibles en la cocina china actual. Dong, vicepresidente de la China Master
Chef Association, es un virtuoso de la gastronomía china, una autoridad en las
múltiples escuelas culinarias de su país. Firme defensor de la formación de
los chefs, sus innovadores métodos de trabajo han creado nuevos estándares
culinarios en China, como demuestra su pato asado, considerado el mejor del
mundo: la carne tierna, sedosa y desgrasada; la piel suelta, crujiente y sabrosa.
Por ello, la clientela hace cola a la puerta del restaurante –en China casi no
existen las reservas– a la espera de obtener una mesa.

The art of ancient China

This chef and his restaurant, Da Dong Roast Duck, are two key names in current
Chinese cooking. Dong, vice-president of the China Master Chef Association, is
a virtuoso of Chinese gastronomy and an authority on his country's many culinary schools. He is a firm defender of training for chefs. His innovative working
methods have created new culinary standards for China, as shown by his roast
duck, considered the best in the world: tender, silky and fatless. The skin is
loose, crispy and flavourful. This is why customers queue out the door of his
restaurant – in China reservations are very unusual – hoping to get a table.

Delicatessen

Ha puesto de moda en China las sopas afrodisíacas, que incluyen, mariscos, verduras, caballitos de mar...

La carta de su restaurante supera las 150 páginas y ofrece 200 platos.

Este chef no ha olvidado las prácticas más ancestrales de la cocina china, como los huevos de los cien años; huevos de pato curados al menos
durante una semana en cal viva.

Dong, que realizó una asombrosa exhibición en Madrid Fusión de 2007,
considera que China tiene mucho que aprender de Occidente, sobre
todo en las presentaciones de los platos.

Aphrodisiac soups are fashionable in China right now. These include
seafood, vegetables, seahorse, and more.

The restaurant's menu is over 150 pages long and offers 200 dishes.

This chef has not forgotten the most ancient practices in Chinese cooking, such as hundred-year eggs: duck eggs aged for at least one week
in lime.

Dong, who put on an amazing show at Madrid Fusión 2007, believes
that China has much to learn from the West, above all about the presentation of dishes.

Vicepresidente de la China Master Chef Association

Bldg 3, Tuanjiehu Beikou. Beijing. China. Tel.: 65822892 / 65824003

Pichones marinados a baja temperatura con gelatina de Jerez y aceitunas SEVILLANAS

Young pigeons marinated at a low temperature with Sherry gelatine
and olives from Seville

Ingredientes para 4 personas

- 2 pichones de 1.200 g
- 50 g de granada
- 100 g de aceitunas
- 30 g de cebolletas
- 1 puerro
- 100 g de aceitunas rellenas de pimiento rojo
- 2 dl de aceite de oliva virgen extra
- 6 dl de vino amontillado de Jerez
- 1 dl de vinagre de Jerez
- 2 l de agua
- 15 g de sal
- 100 g de miel de caña
- 30 g de ajo
- 5 g de pimienta

Elaboración

Elaborar un caldo oscuro salteando en aceite de oliva los huesos de los pichones, medio puerro y una cebolleta. Cubrir con 2 l de agua y hervir durante dos horas. Filtrarlo y reservar.

Preparar una marinada con 4 dl del caldo, 6 dl de vino de Jerez, 1 dl de vinagre de Jerez, 30 g de ajo, 100 g de miel de caña, 15 g de sal y 5 g de pimienta negra. Introducir los pichones en la marinada y dejarlos reposar en frío durante doce horas.

Cocinar la marinada con los pichones a fuego muy suave (menos de 70°C) durante 12 horas. Retirar los pichones cuidadosamente añadiendo a la marinada 5 dl de caldo de pichones, reduciendo a fuego fuerte hasta conseguir una salsa.

Gelatina de vino de Jerez y tofu

Ingredientes

- 100 g de tofu
- 15 g de miel de caña
- 2 hojas de gelatina
- 2 dl de vino amontillado

Elaboración

Disolver en caliente la miel de caña con el vino y añadir el tofu triturado y las hojas de gelatina.

Extender en una fuente plana y enfriar en la nevera durante dos horas.

Una vez enfriada, cortar la gelatina en pequeños cubos de medio centímetro.

Presentación

Emplatar medio pichón salseándolo con la marinada reducida. Añadir un *bouquet* de lechugas variadas aliñadas con aceite de oliva y vinagre de Jerez. Adornar con unos granos de granada, la gelatina de Jerez y unas aceitunas rellenas de pimiento rojo.

Zhenxiang
DONG

Productos andaluces / Andalusian products

Vino amontillado de Jerez / Amontillado Sherry wine
Vinagre de Jerez / Sherry vinegar
Aceite de oliva Sierra Mágina (Jaén) / Sierra Mágina (Jaén) olive oil
Aceituna sevillana rellena de pimiento rojo / Stuffed olives from Seville
Miel de caña de Granada / Golden syrup from Granada

Qu HAO Beijing

Qu
HAO

«Muchos chefs chinos hemos dejado de utilizar otro tipo de aceites menos saludables y ya solo cocinamos con aceite de oliva. No tiene nada que ver con el resto de aceites. Es el mejor.»

«El vino de Jerez tendría una gran aceptación en China. El vino está empezando a llamar mucho la atención en mi país por su sabor, y el Jerez, que no es demasiado dulce, tendría éxito como aperitivo.»

«Siempre digo a mis jóvenes alumnos que para llegar a ser un gran cocinero nunca hay que dejar de aprender.»

«La cocina china debe absorber las experiencias de otros países, pero nunca se puede olvidar la esencia de tu propia gastronomía.»

'Many Chinese chefs have stopped using other, less healthy, types of oil and now we only cook with olive oil. It's nothing like the other oils. It's the best.'

'Sherry would be very popular in China. The wine is starting to get a lot of attention in my country for its flavour. Sherry, which is not very sweet, will be successful as an aperitif.'

'I always tell my young students that if you want to become a great cook, you must never stop learning.'

'Chinese cuisine must absorb the experiences of other countries. But it can never forget the essence of its own gastronomy.'

La historia hecha cocina

Este chef ha trabajado en Singapur, Japón, Canadá, Filipinas, Malasia, Rusia, Tailandia..., y es uno de los principales representantes y defensores de la cocina tradicional china, también denominada cocina imperial. Poseedor de numerosos e importantes premios de ámbito internacional, Hao es un chef muy conocido en su país debido a los programas de televisión que protagoniza. Como Zhenxiang Dong, de quien fue compañero de estudios culinarios, es un apasionado de la formación de los chefs y tiene su propia academia culinaria en Beijing, además de ser asesor del prestigioso restaurante Challe-Ho.

History made cuisine

This chef has worked in Singapore, Japan, Canada, the Philippines, Malaysia, Russia and Thailand. He is one of the main representatives and defenders of traditional Chinese cooking, also known as imperial cuisine. He has received numerous important international awards. Hao is a very well known chef in his country due to the television programmes he stars in. Like Zhenxiang Dong, who was his classmate during his culinary studies, he is passionate about training chefs and has his own culinary school in Beijing, as well as being an advisor to the prestigious Challe-Ho Restaurant.

Delicatessen

Este cocinero ha dedicado gran parte de su actividad profesional a la docencia. Ha sido profesor, entre otros centros, en la prestigiosa Universidad de Haidian.

Es miembro de la Asociación de Cocina de China y juez en los principales exámenes y concursos culinarios nacionales.

Ha sido distinguido con dos importantes premios: Chef Único de Asia y Chef de China y fue designado Maestro Internacional por la Asociación de Cocina Imperial de Francia.

This chef has dedicated a large part of his professional activity to teaching. He has taught at the prestigious University of Haidian, amongst other schools.

He is a member of the Chinese Cooking Association and a judge at the country's main cooking exams and competitions.

He has received two important awards: Extraordinary Asian Chef and Chef of China, and has been named an International Master by the Imperial Cuisine Association of France.

restaurant
CHALLE-HO

Premio Chef Asiático 1996
Medalla de Bronce Competición Mundial de Cocina 1996
Maestro Internacional por la Asociación de la Cocina Imperial de Francia 2004

Área Beijing Fengtai. Cattail 9 esquina Courtyard 8. Beijing. China. Tel.: 0086 010-58070286

Ensalada de langosta y costilla agridulce con GELÉE de vinagre de Jerez

Lobster salad and sweet and sour ribs with Sherry vinegar gelée

Ingredientes para 4 personas

- 2 langostas de 500 g
- 500 g de costilla de cerdo
- 6 g de sal
- 50 g de azúcar
- 80 g de vinagre de Jerez
- 35 g de vino blanco
- 10 dl de aceite de oliva virgen extra
- 10 g de jengibre
- 10 g de cebolla
- 10 g de clorofila
- 20 g de gelatina

Elaboración

Costillas agridulces

Cortar las costillas de cerdo en trozos pequeños y saltearlas en aceite de oliva, junto con la cebolla, el azúcar y el jengibre. Seguidamente, desglasar con el vinagre de Jerez y, a continuación, añadir 1 l de agua. Dejar a fuego lento hasta que esté bien guisado, unos 40 minutos aproximadamente. Reservar y dejar enfriar.

Langosta y gelée

Poner las langostas en la olla de vapor hasta que estén bien cocidas. A continuación, limpiarlas y cortar el lomo de la langosta en dados de 1 cm. Reservar.

Con las patas y partes menos nobles del crustáceo hacer una brunoise gruesa.

Colocar en una olla la gelée con el vino blanco, el vinagre de Jerez, la sal, el azúcar, la clorofila y la brunoise gruesa de langosta. A continuación, extenderla en una bandeja plana, enfriarla y reservar. Posteriormente, cortar la gelée en dados de medio centímetro.

Presentación

Sobre un fondo de lechugas variadas colocar los dados del lomo de la langosta y la costilla de cerdo agridulce a temperatura ambiente. Añadir los dados de gelée de vinagre de Jerez en el último momento. Decorar el plato con la carcasa de la langosta.

Productos andaluces / Andalusian products

Vino blanco del Condado de Huelva / Condado de Huelva white wine
Vinagre de Jerez / Sherry vinegar
Aceite de oliva virgen extra de Sierra de Segura (Jaén) / Sierra de Segura (Jaén) extra virgin olive oil

Q u
HAO

Seiji
YAMAMOTO
Tokio

S e i j i
YAMAMOTO

«En mi restaurante ofrecemos vinos de Jerez,
finos y manzanillas. Ahora están de moda en Japón.
Me gustan tanto el amontillado como el oloroso,
y el Pedro Ximénez lo utilizo para los postres.»

«El consumo de aceite de oliva en Japón va aumentar rápidamente.
Vamos conociendo que hay una gran variedad de tipos
de aceite de oliva y los estamos adoptando.
Creo que el consumo está empezando a enraizar.»

«El jamón ibérico es el más sabroso del mundo,
su sabor es totalmente diferente al del resto de los jamones.
Es muy especial. La riqueza de su sabor es su grasa,
su alimentación, ¡me encanta!…»

«Los estímulos que la cocina española me ha aportado,
me han impulsado a realizar cosas diferentes.
He adoptado la impresora de seda con tinta de calamar
en mi cocina para ampliar mis creaciones.»

'At my restaurant we offer Sherries, Finos and Manzanillas.
These are in fashion in Japan right now.
I like both Amontillado and Oloroso,
and I use Pedro Ximénez in desserts.'

'Olive oil consumption in Japan is going to increase rapidly.
We're learning that there is a wide variety of types
of olive oil and we're embracing them. I think olive oil
consumption is beginning to become an established trend.'

'Iberian cured ham is the most flavourful in the world;
its flavour is completely different from that of other hams.
It's very special. The richness of the flavour is in the fat and
what the pigs feed on. I love it!'

'The stimulus I have received from Spanish cuisine has pushed me
to do new things. I adopted the use of the silk printer
with squid ink in my kitchen to expand my creations.'

Cocina innovadora con sello nipón

El restaurante Nihonryori Ryugin ha sido premiado con dos estrellas Michelín. La cocina de Yamamoto derrocha vanguardismo sin perder esa capacidad ancestral que poseen los cocineros nipones para transformar el acto de cocinar en un rito que descubre la armonía entre producto y naturaleza. Su corazón de artista se ve plasmado tanto en la elaboración de sus platos como en el menaje diseñado por él que usa en su restaurante, que define perfectamente su posicionamiento gastronómico y vital, la evolución. En Madrid Fusión su ingenio hizo confundir un rollo de verdura japonesa con un tapón de corcho, fruto de su manipulación y de la tinta de calamar.

Innovative cuisine with a Japanese hallmark

Nihonryori Ryugin restaurant has been awarded two Michelin stars. Yamamoto's cooking is full of cutting-edge innovation, while still preserving the ancestral power of Japanese chefs to transform cooking into a ritual revealing the harmony between products and nature. His artistic heart can be sensed both in the preparation of his dishes and in the dishes and utensils which he designed and uses in his restaurant, and which perfectly illustrate the philosophy of his gastronomy and life: evolution. At Madrid Fusión, his ingenuity made it possible to disguise a Japanese vegetable roll as a cork, the result of his skill and the use of squid ink.

Delicatessen

Ha inventado una impresora de seda con la que puede plasmar sobre platos y alimentos, letras y dibujos con tinta de calamar.

Traza en el plato una salsa con un código de barras comestible que puede ser leído con un teléfono móvil de última generación. Acto seguido recibes la receta completa de ese plato.

Es también un consumado maestro del *ikejime*, una técnica que consiste en mantener al pescado en su estado natural el mayor tiempo posible antes de cocinarlo para lograr un mejor sabor y textura.

Uno de sus grandes sueños es comer en El Bulli de Ferrán Adrià, «pero hay tanta lista de espera, que…».

He invented a silk printer which can be used to put letters and drawings in squid ink on plates and food.

He draws an edible barcode on the plate in sauce. This barcode can be read by the newest mobile phones and the diner immediately receives the full recipe for the dish.

He is also a consummate master of *ikejime*, a technique which keeps the fish in its natural state for as long as possible before cooking to give it a better flavour and texture.

One of his great dreams is to eat at Ferrán Adriá's El Bulli, but 'there's such a long waiting list that…'

restaurant
NIHONRYORI RYUGIN

Tres estrellas Michelín

Esquina Roppongi. Blg . 7-17-24 Minato-ku. Tokio. Japón. Tel: 03-3423-8006. www.nihonryori-ryugin.com

Sushi STYLE de secreto ibérico de Huelva al estilo Pedro Ximénez

Huelva Iberian pork secreto style sushi with aroma of Pedro Ximénez

Ingredientes para 4 personas

- 200 g de secreto de cerdo ibérico
- 75 ml de vino fino
- 125 ml de vinagre de Jerez
- 85 ml de vino Pedro Ximénez
- Gari (jengibre agridulce)
- 50 ml de jengibre
- 15 ml de salsa de soja Koikuchi
- Arroz para sushi
- Sal
- Sanshou (pimienta japonesa)
- Wasabi crudo (rábano picante japonés)
- Piel de yuzu (cítrico japonés)
- Katsoubushi (finas láminas de bonito seco)

Vinagreta para sushi y arroz

Ingredientes

- 75 ml de vino fino
- 35 ml de vino Pedro Ximénez
- 75 ml de vinagre de Jerez
- Arroz para sushi

Elaboración

Con los dos tipos de vinos que tenemos y el vinagre de Jerez, realizar una vinagreta. Cocer el arroz hasta que esté *al dente* y mezclar 100 g de arroz por 10 ml de vinagreta para sushi. Guardar a temperatura ambiente.

Gari

Ingredientes

- 50 g de jengibre fresco laminado
- 50 ml de vinagre de Jerez
- 50 ml de vino Pedro Ximénez

Elaboración

Pelar la raíz del jengibre, rebanarlo fino y cocerlo con agua y sal. Escurrirlo y dejarlo enfriar. A continuación, mezclar el jengibre con el vinagre y el vino Pedro Ximénez y dejarlo macerar todo durante una noche.

Dejar apartada un poco de esta salsa, que más tarde espesaremos y utilizaremos como ingrediente para acompañar el sushi.

Secreto ibérico

Elaboración

Limpiar el secreto de exceso de grasa y fibra, e introducirlo en una bolsa al vacío. Programar el Roner a 50ºC y meter la carne durante 15 minutos. Sacar el secreto de la bolsa al vacío y sazonar con sal y pimienta sanshou. Asar la superficie del secreto sobre brasas de carbón. Mientras se asa la carne, adobaremos la misma con una mezcla de vinagreta de sushi y salsa de soja.

Presentación

Laminar el secreto en pequeños trozos que colocaremos sobre bolitas de arroz de unos 15 g y añadir al arroz un poco de wasabi.

Decorar el plato con la salsa de la vinagreta de gari espesada. Rallar finamente yuzu sobre el plato y añadir una pequeña porción de wasabi y de katsuobushi.

Seiji
YAMAMOTO

Productos andaluces / **Andalusian products**

Vinagre de Jerez / Sherry vinegar

Vino Pedro Ximénez de Jerez / Pedro Ximénez Sherry wine

Vino fino de Montilla-Moriles (Córdoba) / Montilla-Moriles (Córdoba) Fino wine

Secreto de cerdo ibérico de Huelva / Huelva Iberian pork *secreto*

123

su NOZAKI

Tokio

Hiromitsu NOZAKI

«Cada vez se conocen más
los productos andaluces en Japón.
Es lógico, son ingredientes muy ricos.»

«El vinagre de Jerez, unido al jengibre,
suaviza el sabor de los productos japoneses.
Me gusta.»

«Algunos productos andaluces encajan
muy bien con nuestra cocina,
como demuestra mi receta en este libro.»

«Si llegásemos a investigar más sobre
la influencia de la cocina en la salud,
estoy seguro de que el hombre
podría vivir unos 120 años.»

'Andalusian products are becoming increasingly
better known in Japan. It's not surprising,
they are very delicious ingredients.'

'Sherry vinegar combined with ginger tones down
the flavour of Japanese products.
I like it.'

'Some of Andalusia's products fit in
very well with our cuisine,
as my recipe in this book shows.'

'If we were to do more research
into the influence of cooking on health,
I'm sure that humans could live to be 120.'

La elegancia y sencillez del clasicismo

Experto en encontrar el punto ideal en los productos de temporada, contemplar a este chef montando uno de sus platos es una de las mejores experiencias culinarias que se puede tener en Tokio. La cocina de Nozaki, chef del restaurante Waketokuyama –el establecimiento de Minato-Ku– recibió en 2007 una estrella en la primera *Guía Michelín* dedicada a Japón. Destaca por su sencillez, por la utilización de productos frescos y naturales, por la elegancia y armonía de sus sabores y por ofrecer una gastronomía nipona de corte clásico con una impecable ejecución.

The elegance and simplicity of classicism

Nozaki is expert at locating just the right touch for seasonal products. Watching this chef put together one of his dishes is among the best culinary experiences one can have in Tokyo. In 2007, the kitchen of Nozaki, chef at Waketokuyama Restaurant in Minato-Ku, received one star in the first *Michelin Guide* dedicated to Japan. He is noted for his simplicity, the use of fresh, natural products, the elegance and harmony of his flavours and for offering Japanese cuisine in the classic style with impeccable execution.

Delicatessen

Ha escrito más de una veintena de libros, uno de ellos titulado *Cocinas del mundo,* conjuntamente con Seiji Yamamoto.

Aceptó en 2004 el cargo de cocinero jefe del equipo nacional de *baseball* durante los Juegos Olímpicos de Atenas.

Es uno de los cocineros más mediáticos de Japón, gracias a sus programas de televisión y a su presencia constante en las revistas gastronómicas.

Su restaurante de Minato-ku es un edificio proyectado por el prestigioso arquitecto nipón Kengo Kuma.

Nozaki has written over twenty books, including *Cuisines of the World* with Seiji Yamamoto.

In 2004, he accepted the post of head chef for the national baseball team during the Olympic Games in Athens.

He is among the Japanese chefs most featured in the media, thanks to his television programmes and a regular presence in culinary magazines.

The building for his restaurant in Minato-ku was designed by the prestigious Japanese architect Kengo Kuma.

restaurant
WAKETOKUYAMA

Una estrella Michelín

5-1-5 Minami-Azabu. Minato-ku. Tokio. Japón. Tel: 3-5789-3838

Atún en dos texturas al estilo FUGUETSU con salsa de tres sabores

Fuguetsu style two-texture tuna with three flavoured sauces

Ingredientes para 4 personas

- 100 g de mojama de atún
- 1 lata de 110 g de ventresca de atún
- 1 pieza de brote de bambú cocido
- Raíz de jengibre
- 1 ramita de flor de colza (nanohana)
- 100 g de alga wakame
- 8 piezas de brote verde (kinome)
- 4 piezas de bofu (planta de la familia *Apiaceae*)
- 1 dl de vinagre
- 1 cucharada de zumo de jengibre
- 1 nabo japonés

Elaboración

1. Las verduras

Cortar el brote de bambú, el nabo japonés y la raíz de jengibre en láminas de 5 mm de grosor, que después troquelaremos con diferentes formas, según los moldes que queramos utilizar.

2. La mojama de atún

Limpiar la mojama y cortarla en láminas de 3 mm de grosor. Dejarla macerar durante 10 minutos en una mezcla de 1 dl de vinagre, al que añadiremos una cucharada pequeña de zumo de jengibre.

3. Hidratar el alga wakame y cortarla en porciones de 4 cm. Cocer *al dente* la flor de colza.

4. Elaboración de las salsas:

   – Awagoma goromo (tofu de sésamo)
   – Kimi Garashi (yema con mostaza)
   – Negi miso (miso de puerro)

Awagoma goromo (tofu de sésamo)

Ingredientes

- ½ pieza de tofu
- 1 cucharada sopera de azúcar
- 100 g de pasta de sésamo
- Salsa de soja

Elaboración

Envolver media pieza de tofu en una tela fina y escurrirla poniéndole un peso encima. Después, riturar con un pasapurés. Mezclar en un cuenco una cucharada grande de azúcar, 100 g de pasta de sésamo y salsa de soja ligera. Una vez realizada la mezcla, añadir el puré de tofu hasta conseguir una mezcla homogénea.

Negi miso (miso de puerro)

Ingredientes

- 100 g de miso blanco
- 1 cucharada sopera de mirinn (vino de arroz)
- 1 cucharada sopera de sake
- 1 yema de huevo
- 1 puerro blanco

Elaboración

Introducir en una olla 100 g de miso blanco, una cucharada sopera de mirinn, otra de sake, una yema de huevo y un puerro blanco y cocerlo todo lentamente. Triturar y dejarlo enfriar. Moler las hojas verdes del puerro que agregaremos al miso una vez enfriado para que tome un tono verdoso.

Kimi Garashi (yema con mostaza)

Ingredientes

- 3 yemas de huevo
- 1 cucharada sopera de azúcar
- 1 cucharada sopera de vinagre
- ½ cucharada de salsa de soja
- Mostaza japonesa

Elaboración

Mezclar en un bol 3 yemas de huevo, una cucharada sopera de azúcar, una cucharada sopera de vinagre y media cucharada sopera de salsa de soja ligera. Calentar la mezcla al baño maría, batiéndola constantemente para que no se cuaje. Una vez que obtengamos una salsa con textura, retirar del baño maría y añadir media cucharada de mostaza japonesa. Servir a temperatura ambiente.

Presentación

Colocar las figuras vegetales en el plato, intercalando las porciones de mojama entre trozos de jengibre, de nabo y de bambú. Añadir el wakame, los brotes de kinome, el tofu y la flor de colza, junto con la ventresca de atún. Colocar tres pequeños recipientes con las diferentes salsas.

Hiromitsu
NOZAKI

ANDALUSIA
WORLD
COOKING
TOUR

Latin AmeriCa

América Latina

Lima
Gastón ACURIO

Santiago
Guillermo RODRÍGUEZ

Buenos Aires
Fernando TROCCA

São Paulo
Álex ATALA

México D.F.
Enrique OLVERA

Gastón

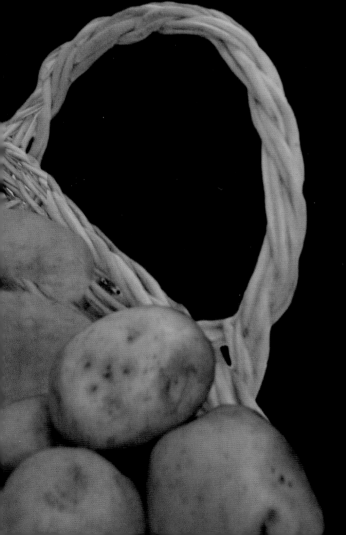

ACURIO
Lima

Gastón ACURIO

«Andalucía es la creadora de la fusión en España, mucho antes de que se inventara el término.»

«Para mí ser cocinero implica formar parte de una sociedad que debe, por medio de los fogones, cambiar el mundo.»

«Los cocineros somos a nivel mundial un gran ejército, capaz de librar las más hermosas batallas para hacer felices a aquellos que comen lo que cocinamos.»

«España y Andalucía son un ejemplo de cómo transformar la industria pesquera para mejorar el desarrollo del sector y la alimentación del país.»

'Andalusia was the creator of Spanish fusion, long before the term was invented.'

'For me, being a cook means forming part of a society which must change the world in its kitchens.'

'On an international level, cooks are like a great army, capable of engaging in the wonderful battles to make those who eat what we prepare happy.'

'Spain and Andalusia are examples of how to transform the fishing industry to improve the country's food and how the sector moves forward.'

Perú en el corazón

Máquina de trabajar, fábrica de ideas, mente privilegiada para los negocios, corazón solidario y extraordinario chef. Es el gran exportador de la gastronomía peruana en el mundo. Su cocina moderna, personal y reivindicativa es un ejemplo para los cocineros de Latinoamérica. Acurio no solo pretende conquistar los paladares más exigentes, sino también mostrar al mundo la bondad y la diversidad multicultural de los ingredientes, los productos y la cocina peruana. Además, aún le queda tiempo para dirigir desinteresadamente la escuela de cocina de la Universidad de Pachacútec, zona en la que viven más de 120.000 marginados.

Peru in the heart

An extremely hard worker, font of ideas and extraordinary chef with an exceptional head for business and a socially committed heart. He is the main exporter of Peruvian cuisine to the world. His modern, personal and committed cooking sets an example for Latin American cooks. Acurio not only aims to conquer the most discerning palates, he also wants to show the world the goodness and multicultural diversity of Peru's ingredients, products and cuisine. In addition, he even donates his time to manage the school of cooking at the Universidad de Pachacútec, an area inhabited by over 120,000 of the socially excluded.

Delicatessen

Engañó dos años a su padre —ex Primer Ministro del Perú—, haciéndole creer que estudiaba Derecho en Madrid. Se había matriculado en la Escuela de Hostelería madrileña.

Presente en casi veinte países de cuatro continentes, la marca Acurio vende más de 3.000 cubiertos diarios en todo el planeta.

Estrella televisiva en toda Latinoamérica, da la vuelta al mundo varias veces al año y no usa reloj.

Ha conseguido vender en su país hasta 450.000 ejemplares de sus libros, entre los que destaca *Perú: una aventura culinaria* y su famosa enciclopedia de cocina de diez volúmenes.

For two years, he misled his father, the former prime minister of Peru, leading him to believe that he was studying law in Madrid. In fact, he was attending the Hotel and Catering School in that city.

With a presence in close to twenty countries on four continents, the Acurio brand sells over 3,000 covers a day all over the world.

A television star throughout Latin America, he travels around the world several times a year and never wears a watch.

In his own country, he has sold close to 450,000 copies of his books, which include *Peru: a culinary adventure* and his famous ten-volume cookery encyclopaedia.

r e s t a u r a n t
ASTRID & GASTÓN

Emprendedor del año 2005 por la revista *América Economía*
Premio Imagen Turística del Perú

Cantuarias 175, Miraflores. Lima. Perú. Tel: 444 1496. www.astridygaston.com

Causa de papa morada con escabeche de caballa de Cádiz

Ingredientes para 4 personas

Ingredientes Causa

- ½ k de papa morada, cocida y prensada
- 100 g de pasta de ají amarillo
- 1 limón
- ¼ de taza de aceite de oliva
- Sal

Ingredientes Escabeche

- 1 lata de filetes de caballa
- 120 g de cebolla morada, cortada en juliana gruesa
- 1 ají amarillo en juliana
- 20 g de pasta de ají panca
- 15 g de pasta de ajo asado
- 50 ml de aceite de oliva
- 1 cucharada de vinagre de Jerez
- ½ taza de caldo de verduras
- Pimienta
- Comino
- Orégano
- 4 huevitos de codorniz
- 4 aceitunas negras

Elaboración Causa

Mezclar en un bol la papa prensada, el ají amarillo, el limón y el aceite. Sazonar con sal y unir todos los ingredientes hasta que queden en una pasta homogénea.

Elaboración Escabeche

En una sartén, calentar el aceite de oliva, añadir la cebolla y el ají amarillo y saltear a fuego fuerte durante 30 segundos. Retirar del fuego y reservar. En la misma sartén, agregamos aceite, la pasta de ají panca y la pasta de ajo, dejamos dorar unos minutos, vertemos el vinagre y el caldo y sazonamos con sal, pimienta, comino y orégano. Añadir las cebollas y el ají reservados y cocinar a fuego bajo durante tres minutos. Rectificar de sal, retirar del fuego y dejar enfriar.

Presentación de la causa

Formar quenelas de causa y sobre ellas colocar los filetes de caballa. Bañar con el escabeche y terminar decorándola con huevitos de codorniz, aceitunas y más aceite de oliva.

Causa de papa amarilla con ventresca de melva de Cádiz y huancaína de rocoto

Ingredientes para 4 personas

- 1 frasco de melva de almadraba en aceite de oliva

Ingredientes Causa

- ½ kilo de papa amarilla cocida y prensada
- 100 g de pasta de ají amarillo
- ¼ de taza de aceite oliva
- 1 limón
- Sal

Ingredientes Huancaína de rocoto

- 1 rocoto (ají del sur del Perú) sin semillas ni venas
- 100 g de queso fresco
- 50 ml de aceite de oliva
- Sal

Elaboración Causa

Mezclar en un bol la papa, la pasta de ají amarillo, el limón y el aceite de oliva. Sazonar. Unir todos los ingredientes hasta que queden bien fusionados.

Elaboración Huancaína de rocoto

Picar finamente el rocoto y colocarlo en un mortero, agregar el queso y el aceite. Triturar hasta que la salsa quede ligeramente cortada. Sazonar y reservar.

Presentación

Formar pequeños volcanes de causa y poner encima la ventresca de melva. Bañar la causa con la salsa huancaína de rocoto y terminar decorando con aceite de cilantro.

Causa de huamantaga al rocoto con ventresca de atún de Cádiz y salsa criolla

Ingredientes para 4 personas

- 1 frasco de ventresca de atún en aceite de oliva

Ingredientes Causa

- ½ kilo de papa huamantaga cocida y prensada
- 100 g de pasta de rocoto
- 50 ml de aceite de oliva
- 1 limón
- Sal

Ingredientes Salsa criolla

- 50 g de cebolla morada, cortada en juliana
- 1 ají limo en juliana
- Hojas de cilantro
- 1 limón

Elaboración Causa

Mezclar en un bol la papa prensada, la pasta de rocoto, el limón y el aceite de oliva. Sazonar. Unir todos los ingredientes hasta que queden fusionados y lisos.

Elaboración Salsa criolla

En un bol, colocar todos los ingredientes y sazonar, añadir jugo de limón. Mezclar bien y reservar.

Presentación

Formar volcanes de causa y sobre ellas colocamos la ventresca de atún y cubrimos con la salsa criolla.

Causa de papa yanaymilla con tartar de habitas baby en aceite de oliva

Ingredientes para 4 personas

Ingredientes Causa

- ½ kilo de papas yanaymilla, cocidas y prensadas
- ¼ de taza de aceite de oliva
- 1 limón
- Sal

Ingredientes Tartar

- ½ lata de habitas baby en aceite oliva
- ½ taza de mayonesa
- 2 cucharadas de cebolla picada
- 1 cucharadita de perejil picado
- Sal

Elaboración Causas

Mezclar en un bol la papa prensada, el limón y el aceite de oliva. Unir todos los ingredientes hasta formar una causa ligeramente cremosa y bien lisa.

Elaboración Tartare

En un bol, colocar las habitas, la cebolla, el perejil picado y la mayonesa. Mezclar bien y reservar.

Presentación

Formar pequeños volcanes de causas y rellenar con el tartar de habitas baby.

Presentación del surtido de causas

En plato largo, servir las causas surtidas y decorar con hierbas frescas, aceite de cilantro y juliana de ajíes.

Causas LIMEÑAS
con toque andaluz
Causas Limeñas Andalusian style

Gastón
ACURIO

Productos andaluces / **Andalusian products**

Melva de atún en conserva / Frigate mackerel belly in olive oil
Caballa en conserva / Chub mackerel fillet in olive oil
Ventresca de atún de Cádiz / Tuna belly from Cádiz
Vinagre de Jerez / Sherry vinegar
Aceitunas de Sevilla / Olives from Seville
Habitas baby de Córdoba / Córdoba baby broad beans
Aceite de oliva de Priego de Córdoba / Priego de Córdoba olive oil
Aceite de oliva de Antequera (Málaga) / Antequera (Málaga) olive oil
Aceite de oliva de Sierra de Cádiz / Sierra de Cádiz olive oil
Aceite de oliva de Sierra Mágina (Jaén) / Sierra Mágina (Jaén) olive oil

Guillermo
RODRÍGUEZ
Santiago de Chile

Guillermo RODRÍGUEZ

«Creo que el aceite de oliva, el jamón ibérico, y las legumbres envasadas son los productos que mejor entrada tendrían en el mercado chileno.»

«La mayor cualidad de los productos andaluces es que están consolidados. Uno prueba un jamón ibérico y sabe que la textura, el color, el sabor y la calidad son permanentes.»

«Lo que más me sorprendió de mi participación en la Expo de Sevilla fue el consumo de las sopas frías –gazpacho, ajoblanco, salmorejo…– que nosotros estamos incorporando ahora a la cocina chilena y a la gente le encantan.»

«El cocinero es un artista, es un individuo que trabaja con todos sus sentidos: el gusto, el olfato, la vista, el tacto y hasta el oído.»

«Una cocina bien hecha es aquella en el que el pescado y las carnes están en su punto, las verduras se sirven *al dente* y las salsas son livianas. Es decir, que los sabores sean puros y delicados.»

'I think olive oil, Iberian cured ham and tinned or bottled pulses are the products which would have the most success in the Chilean market.'

'The best thing about Andalusian products is that they are solidly established. One tastes an Iberian ham and knows that its texture, colour, flavour and quality are enduring.'

'What most surprised me when I took part in the Seville Expo were the cold soups – *gazpacho, ajoblanco, salmorejo* – which we are now incorporating into Chilean cuisine, and people love them.'

'The chef is an artist, an individual who works with all the senses: taste, smell, sight, touch and even hearing.'

'Good cooking is when the fish and the meat are cooked just enough, the vegetables are served *al dente* and the sauces are light. That is, the flavours should be pure and delicate.'

De Francia a territorio mapuche

Es miembro de Les Toques Blanques en Chile, estudió en la Escuela de Hostelería de París y participó en la creación del primer restaurante francés de Santiago, L'Etoile. Sin embargo, Guillermo Rodríguez, decidió hace algunos años dar un giro a su formación francesa y hoy lidera la búsqueda de una cocina chilena moderna, de alto nivel y con identidad propia. Director del restaurante Bristol, en el Hotel Plaza San Francisco de Santiago, su gran anhelo es reinventar la cocina tradicional chilena –la heredada del pueblo mapuche–, recuperando productos milenarios, actualizando y mejorando procesos de elaboración y cuidando el emplatado.

From France to Mapuche land

He is a member of Les Toques Blanques in Chile, studied at the Paris Hotel School and was involved in creating the first French restaurant in Santiago, L'Etoile. However, Guillermo Rodríguez decided some years ago to turn his French training on its head and today leads the search for a modern haute Chilean cuisine with its own identity. Manager of the Bristol Restaurant at the Plaza San Francisco Hotel in Santiago, his great desire is to reinvent traditional Chilean cooking – the heir of the Mapuche people – recovering ancient products, updating and improving preparation processes and taking care with the presentation.

Delicatessen

Es nieto de un granadino de Santa Fe, emigrado a Chile en 1939 a bordo del buque Winnipeg, fletado por el poeta Pablo Neruda.

Como chef oficial de la Presidencia de la República, es el gran embajador de la cocina chilena en el mundo desde hace dos décadas.

En el libro *Recetas con historia,* reseña algunos de los banquetes ofrecidos a los principales jefes de Estado del mundo.

No duda en rodearse de antropólogos para investigar la tradición culinaria de los pueblos indígenas e incorporarla a su cocina.

El restaurante que dirige es el único de Chile incluido en la prestigiosa guía *Fodor's* de Estados Unidos y es el más galardonado del país en la última década.

The grandson of an emigrant from Santa Fe, Granada who came to Chile in 1939 aboard the ship Winnipeg, chartered by the poet Pablo Neruda.

Official chef to the President of the Republic, he has been the great ambassador for Chilean cuisine, bringing it to the world for two decades now.

In the book *Recetas con historia (Recipes with History),* he describes some of the banquets offered to the world's leading heads of state.

He does not hesitate to work with anthropologists to research the culinary traditions of the indigenous peoples and incorporate them into his cooking.

The restaurant he runs is the only one in Chile included in the prestigious American guidebook *Fodor's* and winner of the most awards in the country over the last decade.

r e s t a u r a n t
B R I S T O L

Medalla de Oro Alto Sham 2000 para Chefs Expertos
Único restaurante chileno destacado por la prestigiosa guía de viajes *Fodor`s* de EE.UU

Hotel San Francisco Plaza. Alameda Libertador Bernardo O'Higgins, 816. Santiago. Chile. Tel: 639 3832. www.plazasanfrancisco.cl

ATÚN sellado en aceite de oliva con quinoa andina y crocante de jamón de Trévelez

Tuna sealed in olive oil with Andes quinoa and Trévelez cured ham crisp

Ingredientes para 4 / 6 personas

- 750 g de atún de almadraba
- 60 cc de aceite de oliva virgen extra
- 200 g de quinoa
- 2 lonchas finas de tocino ibérico
- ¼ de cebolla picada
- 6 dl de caldo de ave
- 1 diente de ajo
- 1 *bouquet* de hierbas aromáticas (tomillo, perejil, romero, etc.)
- 60 cc de puré de pimiento amarillo
- 60 g de guisantes cocidos
- 15 g de calabacines
- 15 g de zanahorias
- 4 hojas de albahaca
- Vino manzanilla
- Huevas prensadas de atún laminadas
- Jugo de 1 limón
- Sal, pimienta blanca

Bouquet de verduras en crocante de jamón

- 3 lonchas de jamón
- 50 g de apio en juliana
- 100 g de espárragos
- 10 g de berros
- 10 g de brotes de guisantes
- Aceite de oliva virgen extra
- Sal y pimienta

Elaboración

1. Cortar el atún en trozos rectangulares de 60 g aproximadamente, y macerar con sal, pimienta y jugo de limón.

Pintar los filetes de atún con aceite de oliva virgen extra y dorarlos por ambos lados en una plancha muy caliente, cuidando que quede rojo en su interior. Reservar.

2. Quinoa

Poner en un bol la quinoa y lavarla varias veces hasta que el agua salga sin espuma, dejándola escurrir un buen rato.

Calentar el aceite de oliva en una olla, saltear la cebolla y agregar el diente de ajo y las lonchas de tocino.

Una vez salteado todo, agregar la quinoa y saltearla. A continuación añadir la manzanilla de Sanlúcar y reducir unos segundos. Finalmente incorporar el caldo de ave y el *bouquet* de hierbas.

Salpimentar y cocer a fuego lento durante 25 minutos aproximadamente. Una vez terminado, retirar el diente de ajo, el tocino y las hierbas. En una sartén aparte, saltear las verduras en aceite de oliva.

Agregar las verduras a la quinoa y ligar todo con el puré de pimiento y las hojas de albahaca recién picadas.

3. *Bouquet* de verduras en crocante de jamón

Cortar el jamón en finas láminas y secarlo al horno a 70ºC durante 5 minutos.

Armar un *bouquet* con las verduras y envolverlas en las lonchas de jamón. Condimentar todo con sal, pimienta y aceite de oliva.

4. Aceite de oliva a la albahaca

Blanquear las hojas de albahaca durante 5 segundos en agua hirviendo. Enfriarlas en agua con hielo, escurrirlas y triturarlas con 30 cc de aceite de oliva. Añadir sal y pimienta.

Presentación

Sobre un fondo de quinoa andina, colocar dos porciones de atún. Calentar ligeramente el *bouquet* de verduras envuelto en jamón y colocarlo en el plato.

Decorar con las huevas de atún cortadas en finas láminas y rociar con el aceite de oliva a la albahaca.

Guillermo
RODRÍGUEZ

Fernando TR

Buenos Aires

O CCA

Fernando Trocca

Fernando TROCCA

«Sin duda, para cualquier cocinero es un privilegio tener acceso a productos de excelencia, procedentes de otros países.»

«Andalucía sabe a pasión, entusiasmo y felicidad.»

«El atún de almadraba es un producto con el que no puedo contar habitualmente en mi cocina, dado que no se encuentra en mi país. Me da pena no poder incorporarlo a mi carta.»

«Me encanta la cocina española. Soy un amante de sus ingredientes porque España trata con mucho respeto y amor tanto a sus productos como a sus tradiciones; aunque sin duda, también influye que el cincuenta por ciento de mi sangre procede de allí.»

'Without a doubt, for any chef it is a privilege to have access to excellent products from other countries.'

'Andalusia tastes of passion, enthusiasm and joy.'

'Tuna caught using the *almadraba* technique is a product which I cannot normally use in my kitchen, as I can't find it in my country. I'm sorry I can't include it on my menu.'

'I love Spanish cooking. I'm a lover of its ingredients because Spain treats both its products and its traditions with great respect and love. However, the fact that fifty percent of my blood comes from there doubtlessly has an influence.'

La naturalidad viene del sur

Si hay un adjetivo que defina a Trocca es «internacional». Desde el inicio de su andadura profesional, su trayectoria está marcada por las buenas compañías, Gato Dumas y Francis Mallman son solo alguna de ellas. Viajero incansable en busca de nuevas experiencias, recaló en Nueva York en 1997 para trabajar en Novecento, desde donde posteriormente pasó a dirigir la cocina del restaurante Vandam, en Tribeca. No tiene reglas para cocinar, aunque la influencia francesa e italiana se percibe claramente en sus platos. Trocca se declara enemigo de las tendencias y las modas culinarias, sigue su instinto. En la actualidad dirige, junto a Pablo Bruzzo, el restaurante Sucre en Buenos Aires y sigue vinculado al mundo gastronómico newyorkino con su restaurante Industria Argentina.

Naturalness comes from the South

If there is one adjective which describes Trocca it is 'international'. From the start of his professional career, his experience has been marked by good companies, Gato Dumas and Francis Mallman being just two of them. A tireless traveller in search of new experiences, he arrived in New York in 1997 to work at Novecento, from which he would later move to run the kitchen at Vandam, in Tribeca. He follows no rules in his cooking, although French and Italian influences clearly show in his dishes. Trocca declares himself to be an enemy of culinary fads and fashions; he follows his instinct. He currently runs Sucre in Buenos Aires together with Pablo Bruzzo, and maintains his links with the culinary world of New York with his restaurant Industria Argentina.

Delicatessen

Trocca fue nominado como mejor chef del año 2007 en Argentina.

Considera no tener un estilo definido y, aunque bautizó su cocina con el paradójico nombre de *South American French Style,* declara que en la actualidad su cocina ha evolucionado hacia otros caminos más complejos.

Cree que es difícil hablar de una cocina típica de su país, dada la gran cantidad de emigrantes que llegaron de Europa.

Paradójicamente aprendió a manejar los ingredientes sudaméricanos en Estados Unidos. Tanto es así que tuvo que traer de allí no pocos elementos con los que trabajar en Argentina.

Fernando Trocca was nominated for Best Chef of 2007 in Argentina.

He does not consider himself to have a definite style, and although he baptises his cooking with the paradoxical name South American French Style, he says that it is currently evolving in other, more complex directions.

He believes that it is difficult to talk about a typical cuisine of his country, given the huge number of emigrants who arrived from Europe.

Paradoxically, he learned how to work with South American ingredients in the United States, so much so that he had to bring with him not a few items with which to work in Argentina.

restaurant
SUCRE

Nominado Mejor Chef del Año 2007 por Tendencias Gastronómicas (Argentina)

Sucre, 676. Bajo Belgrano. Buenos Aires. Argentina. Tel: 4782-9082. www.sucrerestaurant.com.ar

Solomillo con puré de papas ahumado y polvo de jamón de TRÉVELEZ

Sirloin steak with smoked potato mash
and powdered Trévelez cured ham

Ingredientes para 4 personas

- 800 g de solomillo de cerdo
- 500 g de papas hervidas
- 100 g de aceitunas verdes y negras aliñadas
- 4 espárragos verdes
- 100 g de jamón
- 1 taza de aceite de oliva
- ½ cucharada de miel
- 3 cucharadas de vinagre de Jerez
- 1 cucharada de ralladura de piel de limón
- 1 pizca de nuez moscada

Chimichurri de hierbas frescas

- 60 g de perejil picado
- 10 g de cebolla blanca en brunoise
- 10 g de pimiento morrón rojo en brunoise
- 10 g de mezcla de hierbas frescas (cebollino, tomillo, romero, etc.) bien picadas
- 1 diente de ajo picado

Elaboración

Puré

Ahumar las papas crudas durante 15 minutos y luego hervirlas en abundante agua con sal hasta que queden bien cocidas. Pasar las patatas por un tamiz y agregar leche caliente, mantequilla y una pizca de nuez moscada. Batir hasta que tomen una consistencia de puré muy ligero.

Aceitunas

Mezclar las aceitunas verdes y negras con 3 cucharadas de aceite de oliva, media cucharada de miel de caña y una cucharada de ralladura de piel de limón.

Polvo de jamón

Picar el jamón, secarlo y triturarlo hasta formar un polvo de jamón.

Chimichurri

Picar el perejil, el ajo, las hierbas, la cebolla y el pimiento morrón en brunoise. Agregar el aceite de oliva, vinagre de Jerez, sal y pimienta.

Cerdo

Saltear el solomillo de cerdo en aceite de oliva hasta que se dore por todos sus lados. Terminar la cocción en el horno y cortar la carne en supremas de 5 cm aproximadamente. Sazonar.

Presentación

Colocar en el plato las tres supremas de solomillo caliente que aliñaremos con el chimichurri. A continuación, poner una quenelle de puré de papa ahumada con polvo de jamón. Posteriormente, freír en aceite de oliva unos chips de espárrago verde, que colocaremos sobre el relish de aceitunas.

Productos andaluces / Andalusian products

Jamón de Trévelez (Granada) / Cured ham from Trévelez (Granada)
Aceite de oliva virgen extra Montes de Granada / Montes de Granada extra virgin olive oil
Vinagre de Jerez / Sherry vinegar
Aceitunas verdes y negras aliñadas de Sevilla / Marinated Seville green and black olives
Miel de caña de Granada / Golden syrup from Granada

Fernando
TROCCA

Álex ATALA
São Paulo

Álex ATALA

«Andalucía tiene productos de altísimo nivel. Es una inspiración para nosotros. A diferencia de otros lugares en los que los productos están sujetos al devenir de las modas, en Andalucía, el producto es realidad.»

«Una buena receta se convierte en un plato excepcional gracias al conocimiento y al ejercicio de la profesión. No obstante, el sesenta por ciento de un gran plato son las materias primas; no hay grandes platos sin grandes productos.»

«El aceite de oliva de Andalucía tiene un sabor muy amplio, es muy aromático y, por encima de todo, es elegante. El producto habla por sí solo. Si trabajo con un aceite, por ejemplo, de Baena, no tengo que explicarle al cliente que le estoy ofreciendo lo mejor.»

«Soy un apasionado del aceite de oliva pero…¡Cómo no hablar también de sus maravillosos vinos, los jereces y los vinagres! Andalucía es sabor en todos y cada uno de sus productos.»

'Andalusia has products of the very highest quality. It is an inspiration for us. Unlike other places where the products are subject to the passing of fashion, in Andalusia the product is reality.'

'A good recipe becomes an exceptional dish thanks to knowledge and the exercise of the profession. However, sixty percent of a great dish is the raw materials: there are no great dishes without great products.'

'Andalusian olive oil has a very broad flavour. It is very aromatic and above all, it is elegant. The product speaks for itself. If I work with an oil from Baena, for example, I don't have to explain to the customer that I'm offering the best.'

'I'm a lover of olive oil, but how can I not also talk about the Sherries, the vinegars and their marvellous wines! Andalusia is flavour in each and every one of its products.'

El chef del Amazonas

Trotamundos convertido en cocinero por accidente, este chef de Sao Paulo es un enamorado de su trabajo y de su país. Se reconoce un «aficionado a la calidad» y eso le acerca mucho a la naturaleza; no en vano dedica gran parte de su tiempo libre a la caza y la pesca. Sus viajes por tierras del Amazonas, en las que adquirió un profundo conocimiento de los productos de esta zona, le han convertido en un defensor de los mismos con la idea de que al utilizarlos se crea riqueza y mejora la vida de los pueblos indígenas. Su sabrosa cocina, en la que conviven armoniosamente ingredientes y productos desconocidos de la Amazonía con nuevas técnicas, su diseño empapado de modernidad y su buena carta de vinos han convertido a D.O.M. en un uno de los restaurantes de vanguardia de Brasil por su acertada fusión.

The Amazon chef

A globetrotter who became a cook by accident, this chef from São Paulo is enamoured of his work and his country. He acknowledges that he is a 'fan of quality' and this brings him very close to nature. Not surprisingly, he dedicates a large part of his free time to hunting and fishing. His travels through the lands of the Amazon, where he acquired a comprehensive knowledge of the products of that region, have made him their champion, with the idea that when they are used, it creates wealth and improves the life of the indigenous peoples. His tasty cooking, in which unknown ingredients and products from the Amazon coexist with new techniques; his design, saturated with modernity; and his fine wine list have made the spot-on fusion of D.O.M. one of Brazil's most cutting-edge restaurants.

Delicatessen

Fue el primer latinoamericano invitado a dar clases en la centenaria escuela francesa Le Cordon Bleu de París.

Trabajó en el restaurante del chef Jean Pierre Bruenau, premiado con tres estrellas en la *Guía Michelín.*

Algunos críticos le consideran el Ferrán Adrià de Latinoamérica, debido a las nuevas técnicas que emplea, así como por la incorporación de ingredientes poco usuales en la cocina internacional.

El nombre de su restaurante D.O.M. se debe a la inscripción grabada sobre la puerta de una iglesia frente a la que vivió Alex durante su estancia en Italia.

Su restaurante ha sido elegido durante seis años consecutivos como el mejor de su especialidad en São Paulo.

He was the first Latin American invited to give classes at the venerable French school Le Cordon Bleu, in Paris.

He worked in the restaurant of the chef Jean Pierre Bruenau, recipient of three stars from the *Michelin Guide.*

Some critics consider him the Ferrán Adrià of Latin America because of the new techniques he employs, as well as his use of ingredients which are unusual for international cuisine.

The name of his restaurant, D.O.M., comes from an inscription carved on the door of a church opposite where Alex lived during his stay in Italy.

His restaurant has been chosen São Paulo's best in its speciality for six consecutive years.

restaurant

D.O.M.

Chef del Año 2006
Posición 38 en St. Pellegrino Best Restaurant de la publicación *Restaurant Magazine*

Rua Barao de Capanema, 549. Jardins, São Paulo. Brasil. Tel: 11 3085 0873. www.domrestaurante.com.br

Queso de Castañas de Pará con sopa de oloroso y pasas

Brazil nut cheese with *oloroso* wine and raisin soup

Ingredientes para 6/8 personas

- 1,75 k de castaña de Pará
- 400 ml de agua filtrada
- 20 g de azúcar
- 100 g de uvas pasas moscatel
- 300 ml de vino oloroso
- 10 cc de aceite de oliva virgen extra
- Brotes de romero

Elaboración

Queso de castaña de Pará

Son necesarios 8 días para la fermentación del queso de castaña.

Día 1

Rallar 1 k de castañas con un rallador (microplane). Después triturar las castañas ralladas con 250 ml de agua filtrada hasta obtener una pasta homogénea. Reservar a temperatura ambiente en un envase cubierto con un trapo durante 2 días.

Día 3

Rallar 250 g de castañas con un rallador (microplane). Después triturar las castañas ralladas con 150 ml agua filtrada y 20 g de azúcar hasta obtener una pasta homogénea. Mezclar la pasta con la del día 1. Dejar descansar cubierta con un trapo a temperatura ambiente durante otros 2 días.

Día 5

Rallar 500 g de castañas con un rallador (microplane). Mezclar con la pasta obtenida el día 3. Dejar descansar cubierta con un trapo a temperatura ambiente durante otros 3 días.

Día 8

Batir todo en la Thermomix a 50ºC durante 20 minutos hasta obtener una textura de queso. Colocar en un recipiente y cubrirlo con agua sin dejar que el agua se incorpore a la pasta. Hacer este proceso para que el queso no entre en contacto con el aire.

Dejar descansar durante 2 días a una temperatura inferior a 6ºC. Después de este período el queso estará preparado para ser consumido.

Sopa de oloroso y pasas

Calentar el vino oloroso a 50ºC, colocar las uvas pasas para hidratarlas durante 40 minutos. Retirar las uvas pasas, dejándolas enfriar y retirar cuidadosamente las semillas.

Calentar el oloroso a fuego bajo y dejar reducir hasta que quede con consistencia de jarabe. Retirar del fuego, dejándolo enfriar y guardar las uvas pasas dentro de este jarabe.

Presentación

Colocar una porción de queso de castañas en el fondo de un plato sopero. Añadir pasas y verter un poco de sopa de oloroso.

Finalmente decorarlo con unos brotes de romero y unas gotas de aceite de oliva virgen extra.

Servir frío.

Álex
ATALA

Enrique OLV

México DF

Enrique OLVERA

«El jamón ibérico es una de las maravillas del mundo. Cuando hace poco se votaron las nuevas, debería haber entrado en la lista.»

«El aceite de oliva es el más sano y el que más sabor aporta. Los aceites andaluces son más frutales, con un toque de cítrico y pimienta. El nivel de acidez es muy agradable. En México, también hay una gran cultura de la aceituna.»

«El jerez es un vino increíble. Es maravillosa toda su gama. El fino lo relaciono con el mar.»

«Soy vegetariano entre semana y no vegetariano el fin de semana. Todo lo que tiene que ver con vegetales me llama la atención y Andalucía es el mayor productor de vegetales de España.»

«No creo que la cocina sea un arte. Es un oficio, aunque la presentación pueda ser artística. Pero en sí misma la comida es una necesidad. Considerarnos artistas es algo que daña mucho a la profesión, porque no los somos.»

'Iberian ham is one of the wonders of the world. When they voted on the new ones not long ago, it should have been on the list.'

'Olive oil is the healthiest oil and the one that provides the most flavour. Andalusian oils are fruitier, with a touch of citrus and pepper. The acidity level is very pleasant. In Mexico there is also a great culture of the olive.'

'Sherry is an incredible wine. The entire range is marvellous. I associate Fino with the sea.'

'I'm a vegetarian during the week and a non-vegetarian at weekends. Anything to do with vegetables grabs my attention and Andalusia is the best vegetable producer in Spain.'

'I don't think cooking is an art. It is a trade, although the presentation may be artistic. However, in itself, food is a necessity. Considering ourselves artists is something which really hurts the profession, because we aren't.'

Nuevos aires en la cocina mexicana

Este joven chef, nieto de catalán, se ha convertido por méritos propios en la gran esperanza de la cocina mexicana de autor. Defensor de los productos ecológicos, ha introducido en su país nuevas técnicas culinarias de vanguardia y ha ido evolucionando hasta convertir su restaurante, Pujol, en un espacio gastronómico repleto de propuestas audaces, innovadoras y hasta divertidas, pero sin dejar de ofrecer una visión profundamente personal e incluso intros-pectiva de la cocina del país azteca, cuya identidad reivindica Este *gourmet* ama la cocina sencilla y sincera, no quiere platos ilegibles ni alucinados pero le gusta la improvisación y la sorpresa.

A new feel for Mexican cuisine

This young chef, the grandson of a Catalan, has on his own merits become the great hope of Mexican signature cuisine. A champion of organic products, Olvera has introduced his country to new cutting-edge culinary techniques. He has continued to develop, turning his restaurant, Pujol, into a gastronomic space filled with audacious, innovative and even fun offerings. However, he has never ceased to offer a profoundly personal and even introspective vision of the cuisine of Mexico, whose identity he supports. This gourmet loves simple, sincere cooking. He does not want illegible dishes which are like hallucinations but he likes improvisation and surprises.

Delicatessen

Estudió en el Culinary Institute of America de Nueva York. Ganó meda-llas de oro en concursos, se graduó con honores y recibió el MK Fisher Research Award a la mejor tesis de su promoción.

Apasionado de los vinos, la bodega de Pujol fue premiada por la revista *Wine Spectator.*

En 2005 abrió el Taller Enrique Olvera (TEO), centro de aprendizaje, in-vestigación y difusión gastronómica. Asimismo, dirige los restaurantes del Grupo Hotelero Habita en Puebla, México D.F., Monterrey y Nueva York.

He studied at the Culinary Institute of America in New York. He won gold medals in competitions, graduated with honours and received the MK Fisher Research Award for the best thesis of his year.

A wine lover, the cellar at Pujol was honoured by *Wine Spectator* ma-gazine.

In 2005, he founded Taller Enrique Olvera (TEO), a centre for culinary education, research and promotion. In addition, he runs the restaurants of the Habita hotel group in Puebla, Mexico City, Monterrey and New York.

restaurant
PUJOL

Mejor Chef del Año 2004
AAA Four Diamond Award

Francisco Petrarca, 254. Polanco. Ciudad de México. México. Tel: 5545 4111. www.pujol.com.mx

Tostada de Róbalo en ceviche con helado de aguacate

Sea bass toastette in *ceviche* with avocado ice cream

Ingredientes para 4 personas

Ceviche

- 250 g de róbalo cortado en pequeños dados
- 10 g de aceituna verde
- 50 g de cebolla morada cortada en juliana
- 2 g de chile verde en brunoise

Vinagreta

- Aceite de oliva virgen extra
- Vinagre de Jerez
- Brandy de Jerez

Helado

- 552 g de aguacate
- 1 dl de jugo de limón

Polvo de tortilla

- 2 tortillas tostadas
- 150 g de harina de maíz

Hierbas

- Pápalo quelite
- Pápalo pipicha
- 1 flor de nabo
- Brotes de cilantro
- Brotes de epazote

Elaboración

1. Polvo de tortilla

Triturar la tortilla hasta obtener un polvo fino y mezclar con la harina previamente tostada.

2. Vinagreta de Jerez

Emulsionar una mezcla de vinagre de Jerez y aceite de oliva en una proporción de 1 a 4. Salpimentar la vinagreta y añadir una pequeña cantidad de brandy de Jerez.

3. Ceviche

Mezclar la cebolla cortada en juliana fina, el chile y las aceitunas con la vinagreta que hemos preparado previamente y macerar los dados de róbalo durante unos minutos con esta mezcla.

4. Helado de aguacate

Triturar los ingredientes –aguacate y limón–, congelar y después batir.

Presentación

Disponer el polvo de tortilla como fondo de plato y sobre él colocar el ceviche de róbalo bien escurrido. Finalmente, colocar el helado de aguacate en el centro del ceviche y decorar con las hierbas.

Enrique
OLVERA

ANDALUSIA
WORLD
COOKING
TOUR

United StatEs

Estados Unidos

New York

Gabriel KREUTHER

Chicago

Gabino SOTELINO

Miami

Michelle BERNSTEIN

Gabriel
KREUTH
New York

G a b r i e l
KREUTHER

Arte alsaciano, sofisticación neoyorkina

Chef ejecutivo del restaurante The Modern (una estrella Michelín), ubicado en el Museo de Arte Moderno (MoMA) de Nueva York, este chef alsaciano es otro de los muchos *gourmets* que vivió la cocina desde su más tierna infancia: su tío tenía un hotel y restaurante en las montañas cercanas a Estrasburgo. Su prometedor comienzo se plasmó en 1987, cuando ganó el prestigioso Concurso Nacional Fernando Point del Mejor Aprendiz de Cocinero de Francia. Desde entonces, pasó por restaurantes tan prestigiosos como Le Caprice (Washington DC), Le Fer Rouge (Francia), L'Ermitage (Suiza) y La Caravelle, Jean Georges y Atelier (Nueva York). Sus platos están imbuidos de la atmósfera artística que envuelve al MoMA, realizando una cocina moderna de inspiración franco-americana.

«Me gusta el jamón ibérico, el aceite de arbequina –es amplio, sencillo y rico– y el atún.»

«El vinagre de Jerez es perfecto para cocinar. Es equilibrado, ni se queda ni se pasa, su acidez está al punto.»

«La búsqueda del equilibrio y de la armonía es una de las cosas más importante en una comida. Me encanta el vino y siempre pienso cómo va a reaccionar el plato con un vino en concreto.»

«El chef que más ha influido en mí no es nada conocido: es mi tío, que me inculcó el amor por la profesión y la humildad.»

«La diferencia entre los artistas del MoMA y lo que aquí hacemos los cocineros es que nosotros volvemos a empezar casi cada día, y a ellos les basta ser buenos una sola vez.»

Alsatian art, New York sophistication

Executive chef at The Modern (one Michelin star), located in New York's Museum of Modern Art (MoMA), this Alsatian chef is another of the many gourmets whose experience of the kitchen dates back to his earliest childhood: his uncle had a hotel and restaurant in the mountains near Strasbourg. His promising beginnings date to 1987, when he won France's prestigious Fernand Point National Best Kitchen Apprentice Competition. Since then, he has worked at such prestigious restaurants as Le Caprice (Washington D.C.), Le Fer Rouge (France), L'Ermitage (Switzerland) and La Caravelle, Jean Georges and Atelier (New York). His dishes are imbued with the artistic ambiance which envelops MoMA, creating a modern French-American inspired cuisine.

Delicatessen

Atelier fue su primera empresa en solitario. Recibió el premio al Mejor Chef Revelación de América en 2003 y el establecimiento fue nominado como Mejor restaurante revelación por la James Beard Foundation.

Trabaja quince horas al día y realiza «una de las cocinas más coherentes y sofisticadas del país», según John Mariani, crítico de *Esquire.*

Considerado «el próximo Jean George» por *New York Magazine,* el también crítico Pascale Le Draoulec, del *Daily News,* ha escrito que Kreuther «ha conseguido un sutil equilibrio entre su formación clásica francesa y la modernidad necesaria en una ciudad como Nueva York».

Colaboró con Lufthansa en 2006 y se encargó de elaborar la carta de *Alimentos a bordo y vino* para los pasajeros de Primera y Business Class.

'I like Iberian cured ham, Arbequina oil – it is expansive, simple, tasty, without a lot of acidity – and tuna.'

'Sherry vinegar is perfect for cooking. It is balanced, doesn't linger or get overcooked, its acidity is perfect.'

'The search for balance and harmony is one of the most important things in a meal. I love wine and I always think about how the dish will react to a specific wine.'

'The chef who has had the most influence on me is not at all famous: he is my uncle, who instilled in me a love for the profession and humility.'

'The difference between the artists at MoMA and what we chefs do here is that we start again almost every day, and they have to be good once and that's enough.'

Atelier was his first solo endeavour. He was named America's Best New Chef in 2003 and the establishment was nominated for the James Beard Foundation's Best New Restaurant Award.

He works 15 hours a day and creates 'one of the country's most consistent and sophisticated cuisines', according to John Mariani, critic for *Esquire.*

He is considered 'the next Jean George' by *New York Magazine.* The *Daily News* critic Pascale Le Draoulec has written that Kreuther 'strikes that subtle balance between his classical French training and the modernity required in a city like New York'.

In 2006, he worked with Lufthansa and was responsible for designing the on-board food and wine menu for passengers in first and business class.

restaurant
THE MODERN

Una estrella Michelín
Tres estrellas en el *New York Times*
Mejor Chef Revelación de América 2003

The Museum of Modern Art. 9 West 53rd Street. New York, USA. Tel: 212.333.1220. www.themodernnyc.com

Panna cotta de almendras con caviar andaluz, navajas y crujiente de TINTA de calamar

Almond panna cotta with Andalusian caviar, razor-shells and squid ink crisp

Ingredientes para 6 / 8 personas

- 100 g de caviar

Panna Cotta

- 75 g de harina de almendra
- 2,5 dl de nata
- 2,5 dl de leche
- 4 g (2 láminas y ½) de gelatina humedecida
- 2 cucharadas soperas de extracto de almendra
- 150 g de yogur
- Sal y pimienta

Navajas

- 1 k de navajas
- 1 ramito de tomillo fresco
- 1 chalota cortada
- 1 cucharada sopera de aceite de oliva virgen extra
- 1 vaso de vino fino

Emulsión de naranja

- El zumo de 5 naranjas
- 16 cl de reducción de caldo de navajas
- 12 cl de aceite de oliva virgen extra
- Navajas cortadas
- El zumo de un limón
- Albahaca baby. Se puede sustituir por hojas de apio, de la zona del corazón.
- Sal y pimienta

Crujiente de tinta de calamar

- 125 g de arroz tipo sushi
- 125 ml de agua
- 1 cucharada sopera de tinta de calamar
- Sal

Elaboración

Panna cotta

Poner a hervir la leche y la nata en un cazo de tamaño mediano y añadir la harina de almendra. Remover bien la mezcla hasta que tenga una consistencia uniforme. Añadir el extracto de almendras, el yogur y las hojas de gelatina humedecidas. Sazonar con sal y pimienta y dejar que se enfríe a temperatura ambiente. Verter la mezcla en 4 pequeños moldes o ramequines, cubrir con papel transparente y enfriar en la nevera un mínimo de 4 horas o durante toda la noche.

Navajas y emulsión

En un cazo de tamaño medio saltear la chalota cortada en aceite de oliva. Añadir las navajas lavadas y saltear durante un par de minutos. Verter el vino fino, tapar y cocinar durante 4 minutos. Pasar a una bandeja metálica que haga las veces de colador y dejar enfriar. Verter de nuevo el líquido de cocción en la sartén y pasar por un tamiz fino. A fuego medio reducir a la mitad, luego reservar el líquido y dejarlo enfriar. Retirar las navajas de sus cáscaras, limpiarlas y cortarlas al bies en trozos de 1,5 cm. Reservar.

Verter el zumo de naranja en una sartén mediana y reducir a la mitad a fuego medio. Retirar del fuego y dejar enfriar. Cuando se haya enfriado, añadir el jugo de navajas, el zumo de limón, aceite de oliva y salpimentar. No dejar que la emulsión sea demasiado dulce, equilibrar con zumo de limón si fuese necesario. Cuando la emulsión esté lista, añadir los trozos de navaja.

Crujiente de tinta de calamar

Poner el arroz, el agua y la sal en un cazo de fondo grueso, cubrir y llevar a ebullición. Bajar la temperatura y hervir a fuego lento hasta que el arroz se pase, aproximadamente unos 25-30 minutos. Retirar del fuego, añadir la tinta de calamar y mezclar bien con una espátula aplastando algunos granos de arroz. Extender una capa fina de arroz sobre una bandeja de hornear cubierta con un silpat y dejar que se cocine en el horno a 40ºC hasta que esté seco por completo. Retirar el crujiente del silpat y dividirlo en rectángulos del tamaño de la palma de la mano. Freír a 105ºC-120ºC, lo suficiente para que se hinchen. Sacar del aceite y colarlos sobre papel absorbente para quitar el exceso de aceite. Sazonar.

> ## Presentación
>
> Meter la base de cada molde de panna cotta en un bol de agua caliente durante 10-15 segundos para que se separe. Suavemente dar la vuelta sobre un bol poco profundo colocando la panna cotta en el centro. Verter 2 ó 3 cucharadas de la emulsión de naranja, con las navajas alrededor. Colocar una quenelle de caviar encima de la panna cotta con cuidado. Colocar el crujiente de tinta de calamar en un lateral del plato y espolvorear con hojas de albahaca o de apio baby.

Productos andaluces / Andalusian products

Caviar de Granada / Caviar from Granada
Aceite de oliva Priego de Córdoba / Priego de Córdoba olive oil
Vino fino de Jerez / Fino Sherry wine

Gabriel
KREUTHER

Gabino SOTELINO
Chicago

Gabino SOTELINO

«En Andalucía me tratan bien y allí puedo comer el pescado salvaje que falta hoy en día. Me encantan las sardinas en espeto.»

«A mí me gusta la manzanilla fresca y también el oloroso, el moscatel y el fino de Málaga. En Ba-Ba-Reeba! hacemos promociones ofreciendo con las tapas tres copas diferentes: un fino, un oloroso y una manzanilla.»

«No utilizo ningún aceite que no sea andaluz; también uso en las cocinas de mis restaurantes el vinagre de Jerez.»

«Actualmente los productos andaluces que gozan de una mejor acogida en los EEUU son los vinos de Jerez, los vinagres, los aceites, los frutos secos y los pescados y mariscos.»

«Hoy por hoy la cocina española se ha abierto al mundo y yo he añadido mi granito de arena, ofreciendo a los americanos lo que más conocen de la cocina española, las tapas.»

'In Andalusia they treat me well and there I can eat the wild fish that's missing today. I love skewered sardines'.

'I like fresh Manzanilla and also Oloroso, Muscatel and Málaga Fino. At Ba-Ba-Reeba! we do promotions, offering three different drinks with the tapas: a Fino, an Oloroso and a Manzanilla.'

'I don't use any oil that is not Andalusian. I also use Sherry vinegar at my restaurants.'

'Today the Andalusian products which are best received in the United States are Iberian cured ham, Sherry, vinegar, oil, nuts, fish and seafood.'

'At this moment in time, Spanish cuisine has opened up to the world and I have done my bit, offering the Americans the Spanish cuisine they are most familiar with, *tapas*'.

El pionero de las tapas en USA

Este gallego llegó a Chicago en 1974 y desde entonces no ha dejado de sorprender al público de Estados Unidos con nuevos establecimientos en los que se ofrece el mejor producto adaptado al gusto del consumidor. Embajador de las tapas, no renuncia a ofrecer en sus restaurantes el auténtico sabor español en convivencia con la cocina francesa que le sirvió de escuela, así como una amplia y variada selección de mariscos frescos. Ambria y El Gran Café fueron sus primeros establecimientos. Después vinieron Mon Ami Gabi y Ba-Ba-Reeba!, cuyos nombres definen el carácter afable de este español, presidente de Euro-Toques en USA y Miembro de la Commanderie des Cordon Bleus de Francia. Sotelino es, además, vicepresidente de la Compañía Lettuce Entertain You, un consorcio que agrupa a una treintena de restaurantes repartidos por todo el país.

The pioneer of *tapas* in the USA

This Galician arrived in Chicago in 1974 and since that time he has never ceased to surprise the American public with new establishments offering the best products adapted to consumer tastes. Ambassador of *tapas*, he does not relinquish offering the authentic taste of Spain at his restaurants, together with the French cuisine which served as his school and an extensive and varied selection of fresh seafood. Ambria and El Gran Café were his first establishments. Then came Mon Ami Gabi and Ba-Ba-Reeba!, whose names demonstrate this Spaniard's affable nature. He is president of Euro-Toques in the U.S.A. and a member of France's Commanderie des Cordon Bleus. Sotelino is also vice-chairman of the company Lettuce Entertain You, a group of some thirty restaurants located throughout the country.

Delicatessen

Es el primer chef español galardonado con el Premio de la Academia Gastronómica de Francia.

Se muestra orgulloso de haber hecho lo que siempre quiso hacer. Su madre pretendía que fuese sacerdote y él prefirió desviar su devoción hacia el mundo gastronómico.

La Academia Española de Gastronomía le concedió el Premio Marqués de Busianos al Mejor Embajador del Vino de Jerez.

Considera que su trayectoria profesional ha sido un largo y duro camino en el que tuvo la oportunidad de encontrarse con buenos maestros que, aunque fueron duros, le dieron buenos consejos. Si tuviera que hacerlo de nuevo, cambiaría pocas cosas.

He is the first Spanish chef to be honoured by the Academie Culinaire de France.

He is proud of having done what he always wanted to do. His mother had plans for him to become a priest, but he preferred to transfer his devotion to the culinary world.

The Academia Española de Gastronomía gave him the Marqués de Busianos Award for Best Ambassador for Sherry Wine.

He sees his professional career as a long, hard road along which he has had the opportunity to meet good teachers who, even though they were tough, gave him good advice. If he had it to do all over again, he would change very little.

restaurant
MON AMI GABI

Premio Academia Gastronómica de Francia
Chef del Año en Chicago por la Chef of America en 1990

2300 N Lincoln Park W. Chicago, Illinois 60614. United States. Tel: 773-348-8886. www.monamigabi.com

Carabineros marinados, caviar andaluz con crema de ajo tostado y galleta del GUADALQUIVIR

Marinated scarlet shrimp, Andalusian caviar with cream of roasted garlic and Guadalquivir biscuit

Ingredientes para 4 personas

- 16 carabineros
- 120 g de caviar
- Aceite de oliva extra virgen
- 2 limones
- Brotes de rúcula y pétalos de caléndula
- 1 cebollino
- Aceite de perejil

Crema de ajo tostado con vinagre de Jerez

- 4 dientes de ajo
- 1 yema de huevo
- 150 cc de aceite de oliva
- 1 cucharada sopera de vinagre de Jerez
- Pimentón dulce
- Sal y pimienta

Galletas de aceitunas negras

- Aceitunas negras
- 4 láminas de pasta brick

Elaboración

1. Pelar los carabineros y enfriar las colas hasta alcanzar los 0ºC.

2. Una vez congeladas, usando un cuchillo de sashimi, laminar las colas de carabinero muy finas y extenderlas con forma de abanico en la base de un plato frío.

3. Aliño de limón

Sacar los gajos sin piel de los limones, posteriormente cortar cada gajo en pequeños trozos y mezclarlos con 50 cc de zumo de limón y 150 cc de aceite de oliva. Sazonar.

4. Crema de ajo tostado con vinagre de Jerez

Confitar los ajos en aceite de oliva a 80ºC durante 1 hora. Dejar enfriar a temperatura ambiente. A continuación triturar los ajos con el mismo aceite.

Montar la yema de huevo con una varilla añadiéndole una cucharada de vinagre de Jerez y media cucharita de pimentón dulce.

Agregar aceite de oliva hasta conseguir una emulsión homogénea de todos los ingredientes. Añadir sal y pimienta.

5. Galleta de aceitunas negras

Triturar las aceitunas hasta conseguir una crema fina. A continuación pintar rectángulos de pasta brick con la crema de aceitunas. Enrollarlos y hornearlos a 120ºC durante 10 minutos.

Presentación

Disponer los carabineros en el plato y colocar una quenelle de 30 g de caviar en el centro. Decorar con una línea de aceite de perejil alrededor de los carabineros y colocar los brotes de rúcula y los pétalos de caléndula. Por último, rociar todo con el aliño de limón.

Gabino
SOTELINO

Michelle BERNSTEIN
Miami

Michelle BERNSTEIN

«Es increíble cómo Andalucía, sin hacer ruido, ha empezado a influirnos tanto. En mi despensa no faltan aceite de oliva, vinagre de Jerez, jamón, aceitunas y almendras.»

«La cocina andaluza es mucho más que tapas. Cuando pienso en tapas no pienso en Andalucía pero cuando pienso en ingredientes sí. En Andalucía la comida está muy poco manipulada, es muy auténtica.»

«El salmorejo siempre está en mi carta de verano y el jamón durante todo el año; también los pescados cocinados con aceite de oliva y los langostinos. No puedo vivir sin el atún de almadraba.»

«En EEUU, todo el mundo habla del jamón ibérico y del Jerez. Años atrás no se tomaba en los restaurantes, ahora no conozco ninguno que no sirva un buen fino.»

'It's incredible how Andalusia, without making any noise, has begun to influence us so much. In my pantry I always have olive oil, Sherry vinegar, Iberian cured ham, olives and almonds.'

'Andalusian cuisine is much more than *tapas*. When I think about *tapas*, I don't think about Andalusia, but when I think about ingredients I do. In Andalusia the food is not overly processed, it is very authentic.'

'*Salmorejo* soup is always on my summer menu, and cured ham all year round, as well as fish cooked with olive oil and king prawns. I can't live without tuna caught using the *almadraba* technique.'

'In the United States, everyone talks about Iberian cured ham and Sherry. Years ago, nobody drank it in restaurants, and now I don't know of one that doesn't serve a nice Fino.'

La bailarina del mar

De antepasados judíos y latinos, ha conseguido fusionar ambas culturas traduciéndolas en una profunda pasión por la comida y el arte de su preparación. Bailarina profesional y titulada universitaria en nutrición, recibió clases de cocina en la Johnson & Wales University. Cuidadosa en la selección de los mejores y más frescos ingredientes, consiguió para el restaurante Azul, la AAA Five Diamond Award en 2003 y 2004. Apasionada y apasionante; comprometida con el medioambiente y el desarrollo sostenible, ha trasladado este profundo respeto a los fogones de su restaurante Michy's a la hora de cocinar pescados, ostras y mariscos del Mediterráneo. Para esta chef, la cocina orgánica es una propuesta sana por naturaleza, ya que se prepara con alimentos no procesados y que pueden presumir de la pulcritud de su origen.

The sea ballerina

Of Jewish and Latino ancestry, she has succeeded in fusing the two traditions, translating them into a profound passion for food and the art of its preparation. Professional ballerina and holder of a degree in nutrition, she took cooking classes at Johnson & Wales University. Careful about selecting the best and freshest ingredients, she obtained the AAA Five Diamond Award for the restaurant Azul in 2003 and 2004. Passionate and fascinating, committed to the environment and sustainable development, she has transferred this profound respect to the kitchen of her restaurant Michy's when cooking the fish, oysters and seafood of the Mediterranean. For this chef, organic cooking is a naturally healthy option, as it is prepared with unprocessed foods and can boast of the immaculateness of its origins.

Delicatessen

Se siente muy latina… en su cuerpo, en su manera de pensar y en la pasión que siente por todo. Pasión por comer, pasión por cocinar, divertirse y amar. Siempre tiene ganas de cocinar y asegura que sueña con comida.

Manifiesta que dentro de cincuenta años no quedarán en los mares pescados para comer. Esta preocupación se refleja en su carta a la hora de escoger las especies que aparecen en ella.

Ha dirigido programas televisivos de cocina, prepara el menú de una linea aérea y tiene su nombre grabado en hierro, ya que comercializa las ollas Michelle Bernstein.

She feels very Latina … in her body, in her way of thinking and in the passion she feels for everything. Passion for eating, passion for cooking, enjoying herself and loving. She always feels like cooking and insists that she dreams about food.

She speaks of how in fifty years there will be no fish left in the sea to eat. This concern is reflected in her menu when it comes to choosing the species which appear on it.

She has directed cooking programmes for television, designs the menus for an airline and has her name engraved in iron, as she markets Michelle Bernstein pots.

restaurant
MICHY'S

Mejor Restaurante 2006 por *Food&Wine Magazine*
Nominada por The James Beard Foundation como Mejor Chef del Año en 2004 y 2006

6297 Biscayne Blvd. Miami, Florida 33138. United States. Tel: 305 759-2001

Pez espada con JAMÓN ibérico y vinagreta de almejas

Swordfish with Iberian cured ham and clam vinaigrette

Ingredientes para 4 personas

- 12 filetes (60 g cada uno) de pez espada
- 12 lonchas de jamón ibérico
- 7 cucharadas de aceite de oliva virgen extra
- 2 chalotas
- 1 diente de ajo
- 24 almejas frescas
- 2,3 dl de vino fino
- 1 cucharada de vinagre de Jerez
- ¼ de cucharita de chile seco
- 1 taza de caldo de pollo
- 2 cucharadas de perejil
- 1 cucharada de albahaca

Elaboración

Vinagreta

En una olla mediana saltear las chalotas y el ajo durante 3 ó 4 minutos hasta que estén dorados, con 2 cucharadas de aceite de oliva virgen extra.

Añadir las almejas y el vino fino, reducir durante 4 minutos y cuando las almejas comiencen a abrirse, retirarlas. Agregar el chile seco y el caldo de pollo, reducir otros 3 minutos e incorporar el vinagre.

Licuar esta reducción con 3 cucharadas de aceite de oliva virgen extra hasta que emulsione.

Pez Espada

Envolver los filetes de pez espada en las lonchas de jamón ibérico. Cocinar todo en una sartén con 2 cucharadas de aceite de oliva hasta que pescado y jamón estén dorados.

Presentación

Sacar las almejas de sus conchas, añadir en la vinagreta caliente y emulsionada, aderezar con el perejil y la albahaca y servir con el pescado.

Michelle
BERNSTEIN

ANDALUSIA
WORLD
COOKING
TOUR

Europe

Europa

París
Yannick ALLÉNO
Alain DUTOURNIER

Valence
Anne-Sophie PIC

Montpellier
Hermanos POURCEL

Luxemburgo
Léa LINSTER

Kruishoutem
Peter GOOSSENS

Noville Sur Mehaigne
Sang HOON

Baiersbronn -Mitteltal
Claus-Peter LUMPP

Berlín
Thomas KELLERMANN

Londres
Pierre GAGNAIRE

Yannick
ALLÉNO
París

Yannick
ALLÉNO

«Ayudo a preservar nuestro patrimonio gastronómico y le doy mucha
importancia al trabajo de los productores porque, si no es así,
dentro de quince años podemos encontrarnos sin productos.»

«En los años noventa, los chefs se han despertado de la mano
de gente como Ferrán Adrià y a partir de ahí,
hemos podido mostrar, desde otro punto de vista,
lo que ofrecemos en nuestros restaurantes.»

«La española es una cocina de emociones que enamora,
pues sus chefs defienden y tratan sus productos con cariño.»

«Los jamones ibéricos andaluces son extraordinarios.
Andalucía tiene muy buenos productos.»

«Conseguir la tercera estrella Michelín era mi sueño.
Es el resultado de veintitrés años de trabajo,
de la pasión y el deseo de ser el mejor en todo momento.»

'I help to preserve our culinary heritage and place a lot of importance
on the work of producers, because otherwise, within fifteen years
we could find ourselves without products.'

'In the nineties, chefs woke up in response to people like
Ferrán Adrià. And since then we have been able to demonstrate,
from another viewpoint, what we offer at our restaurants.'

'Spanish food is a cuisine of emotions which enamours,
as its chefs defend and treat their products with affection.'

'Andalusian Iberian cured hams are extraordinary.
Andalusia has very good products.'

'Achieving the third Michelin star was my dream. It is the result
of twenty-three years of work, passion and the desire
to be the best at all times.'

Un clásico de vanguardia

En el exigente firmamento culinario francés, Yannick Alléno brilla con luz propia.
Chef del legendario restaurante Le Meurice, fue galardonado en 2007 con su
tercera estrella Michelín. Los críticos coinciden en definir con tres palabras su
cocina: armonía, refinamiento y buen gusto. Al frente de los fogones, demuestra su maestría en el dominio de los tiempos de cocción y su incondicional
reverencia a los productos sanos y naturales. Sus brillantes platos se presentan como una culminación de sabores, texturas y aromas que, respetando la
cocina francesa tradicional, los actualiza con gusto y audacia. Discípulo del
chef vasco, Gabriel Vizcay, Alléno realiza una cocina segura que recupera el
humor y la elegancia de un París que parecía perdido para siempre.

A cutting-edge classic

In the demanding French culinary firmament, Yannick Alléno shines with his
own light. Chef of the legendary restaurant Le Meurice, he received his third
Michelin star in 2007. The critics agree on a three-term definition for his cuisine: harmony, refinement and good taste. In the kitchen, he demonstrates his
mastery of cooking times and his unconditional reverence for healthy, natural
products. His brilliant dishes are presented as a culmination of flavours, textures and aromas which he modernises with taste and audacity, respecting
traditional French cuisine. A disciple of the Basque chef Gabriel Vizcay, Alléno
creates a confident cuisine which brings back the humour and elegance of a
Paris that seemed lost forever.

Delicatessen

Le Meurice forma parte del hotel de lujo del mismo nombre; un impresionante palacio de finales del siglo XVIII situado en el corazón de París
y al que Alléno llama «el sueño en el que ejercer mi pasión».

Consiguió dos estrellas Michelín para el restaurante del hotel Scribe
(París) antes de su llegada a Le Meurice.

Junto con la periodista japonesa Kazuko Masui, escribió el libro *4 saison
a la table nº 5,* prologado por Paul Bocuse, en el que cada plato da paso
a una historia.

Aficionado a incorporar flores a su cocina, Alléno ha declarado que Francia es ahora su jardín.

Le Meurice is part of a luxury hotel of the same name: an incredible
18th-century palace located in the heart of Paris, which Alléno calls 'the
dream in which I exercise my passion'.

He obtained two Michelin stars for the restaurant at the Scribe Hotel
(Paris) before coming to Le Meurice.

He wrote the book *4 Seasons at Table No. 5* together with Japanese
journalist Kazuko Masui, with a preface by Paul Bocuse. In it every dish
gives way to a story.

A fan of incorporating flowers into his cooking, Alléno has said that
France is now his garden.

restaurant
LE MEURICE

Tres estrellas Michelín
Premio Bocuse de Plata 1999

228 Rue de Rivoli. 75001 París. Francia. Tel: (1) 44581055. www.lemeurice.com

Espárragos lacados con salmón ahumado y caviar de GRANADA

Lacquered asparagus with smoked salmon and Granada caviar

Ingredientes para 4 personas

- 12 espárragos
- 250 g de salmón ahumado
- 40 g de caviar
- 2 rábanos
- ½ manojo de perifollo
- 4 cebollinos
- 1 limón
- 1 naranja
- 1 l de nata
- 3 g de agar-agar
- 3 láminas de gelatina
- 5 cl de aceite de oliva virgen extra

Blinis

- 60 cc de leche
- 60 cc de nata líquida
- 50 g de harina
- 1 yema de huevo
- 6 g de levadura
- 2 claras de huevo

Elaboración

1. Espárragos

Pelar el último tercio de los espárragos y cocerlos en agua hirviendo. Enfriarlos y secarlos con un paño. Reservar.

2. Meter en una cacerola el salmón, la nata líquida y el zumo de media naranja y medio limón, cuando rompa a hervir retirarla del fuego. Infusionar durante 30 minutos. A continuación, triturar la crema de salmón y pasarla por un chino fino. Para ligar la crema de salmón utilizar 3 g de agar-agar y 3 hojas de gelatina.

Cubrir por completo el espárrago con la crema de salmón, dejando la punta visible, dejar enfriar.

3. Blinis

Mezclar todos los ingredientes en un bol y dejar reposar unos minutos.

En una sartén bien caliente poner unas gotas de aceite de oliva virgen extra y con la ayuda de una cuchara de moka verter la masa de blinis sobre la sartén. Reservar.

Presentación

Colocar tres espárragos por plato y sobre ellos los blinis con el caviar. Decorar los blinis con finas láminas de cebollino, rábano y perifollo.

Yannick
ALLÉNO

Alain DUTOURNIER

París

Alain
DUTOURNIER

«Todo el mundo, al hablar del caviar,
me cuenta que bebe champán, vodka…
Para mí la mejor pareja que existe son la manzanilla y el caviar.»

«El vino andaluz que más me fascina es el Pedro Ximénez;
una variedad que no es excesivamente dulce y
huele a nuez verde, dátiles, miel… Es totalmente oriental.»

«Un buen jamón de Jabugo es un producto único.
En Andalucía, en primavera el olor y el sabor
del jamón son inmejorales. »

«Creo en la cocina de mestizaje, que es fruto
del paso del tiempo, de invasiones, de la emigración,
de la integración de usos y costumbres
de diferentes pueblos. En definitiva, el mestizaje
es producto de la historia.»

'When they talk about caviar,
everyone tells me they drink champagne, vodka…
For me, the best pairing there is: Manzanilla and caviar.'

'The Andalusian wine that most fascinates me is Pedro Ximénez,
the variety that is not excessively sweet and smells of
green walnuts, dates and honey. It is utterly oriental.'

'Good Jabugo cured ham is a one-of-a-kind product.
In spring, in Andalusia, it seems to me that the smell and
flavour of the ham cannot be surpassed.'

'I believe in fusion cooking, which is the fruit of
the passing of time, of invasions, emigration,
integrating the habits and customs of different peoples.
In sum, fusion is a product of history.'

El sabio paladín del mestizaje

Es uno de los cocineros más prolíficos y experimentados de París. Poseedor de una estrella Michelín en su primer restaurante, Le Trou Gascon, abierto en 1973, y de dos estrellas en Le Carré des Feuillants, uno de los actuales iconos de la cocina parisina. Dutournier es un sabio de la vida y de la cocina que no ha claudicado a la hora de mantener sus convicciones culinarias y de cumplir sueños. Dos de ellos, la Sydrerie de l'Étoile y Pinxo —sidrería y bar de tapas respectivamente— causan sensación en la capital gala. Se considera un *gourmet* incomprendido, quizá porque evita el esnobismo y es un eterno inconformista, Combina con maestría elegancia e informalidad. Impulsor en los años 70 de la *nouvelle cuisine,* es un chef innovador al que le gusta evolucionar y renovar tradiciones, pero sin olvidar el terruño: el mestizaje de la cocina de París con el acento de su Gascuña natal.

The wise paladin of fusion

One of Paris's most prolific and experienced chefs, he has been awarded a Michelin star for his first restaurant, Le Trou Gascon, opened in 1973, and two stars for Le Carré des Feuillants, currently one of the icons of Parisian cooking. Dutournier possesses a wisdom about life and cooking which he has not abandoned, remaining true to his culinary convictions and realizing his dreams. Two of them, Sydrerie de l'Étoile and Pinxo – a cider restaurant and tapas bar respectively – have caused a sensation in the French capital. Considered a misunderstood gourmet, perhaps because he avoids snobbishness and is an eternal non-conformist, he masterfully combines elegance and informality. A promoter of *nouvelle cuisine* in the 1970s, he is an innovative chef who lives to evolve and renew traditions, never forgetting his homeland: the fusion of Parisian cooking with the accent of his native Gascony.

Delicatessen

Apasionado de los toros y de las sopas frías andaluzas, es un habitual de la Feria de Abril de Sevilla.

Participó en la enciclopedia *Larousse Gastronómica,* junto a cocineros de la talla de Adrià, Ducasse, Hermé, Ruscalleda…

Enamorado del Armagnac, su bodega de Le Carré des Feuillants alberga cien referencias de este licor y más de 3.000 vinos.

Chef solidario, es uno de los impulsores de 'Enfants de l'oval'. Esta iniciativa trata de integrar, a través del rugby, a niños en situación de exclusión social de barrios de Marruecos y Madagascar.

A bullfighting enthusiast and fan of cold Andalusian soups, he is a regular visitor to Seville's Feria de Abril.

He was involved in the encyclopaedia *Larousse Gastronomique,* together with chefs of the stature of Adrià, Ducasse, Hermé, Ruscalleda, and others.

A lover of Armagnac, his cellar at Le Carré des Feuillants houses one hundred varieties of this liquor and over 3,000 wines.

A socially-committed chef, he is one of the driving forces behind 'Enfants de l'oval'. This initiative seeks to use rugby to integrate socially excluded children in neighbourhoods of Morocco and Madagascar.

restaurant
CARRE DES FEUILLANTS

Dos estrellas Michelín

14 rue de Castiglioni. 75001 París. Francia. Tel: 01 42 86 82 82. www.carredesfeuillants.fr

Rollito de ABRIL y aceite negro

April roll and black oil

Ingredientes para 4 personas

- 4 hojas de arroz (poner previamente a remojo en agua)
- 12 alcaparras de rabo largo
- 200 g de jamón ibérico de bellota cortado muy fino
- 30 g de almendras saladas partidas a lo largo
- 1 cogollo pequeño de lechuga romana
- 150 g de aceitunas negras confitadas
- 2 tomates RAF
- Aceite de oliva virgen extra
- 1 pimiento rojo
- 100 g de queso fresco de oveja (blanco)
- Azúcar
- Pimienta negra molida
- Orégano
- Sal

Elaboración

Deshuesar las aceitunas y secarlas lentamente en el horno (2 horas a 75ºC).

Pelar y despepitar los tomates con el fin de obtener 4 lomos grandes. Salpimentar, espolvorear con azúcar y orégano y rociar con aceite de oliva.

Al mismo tiempo, pelar el pimiento rojo, cortarlos en 4 partes, quitar las pepitas y aliñarlo de la misma forma que los tomates sobre una placa con papel antiadherente. Finalmente, hornear todo a 130ºC durante una hora.

Rallar las aceitunas deshidratadas y emulsionar con 50 ml de aceite de oliva para obtener una textura aterciopelada y de un negro profundo en frío, lo que el chef denomina «aceite negro».

Los rollitos

En cada hoja de arroz empapada y dispuesta sobre un paño húmedo, colocar en primer lugar los cortes de jamón ibérico de bellota. A continuación, cubrir con el tomate, el cogollo de lechuga partido a lo largo y rociado con aceite de oliva, sal, pimienta negra recién molida, el queso fresco en palitos y el pimiento en tiras.

Presentación

Enrollar las hojas de arroz para que el contenido quede prieto. Igualar los extremos y cortar transversalmente cada rollito en tres trozos de forma oblicua. Colocar en un plato. Disponer una alcaparra sobre cada uno y acompañarlos de un generoso chorro de «aceite negro» y varias almendras saladas.

Productos andaluces / Andalusian products

Jamón ibérico de bellota de Huelva / Iberian cured ham from Huelva
Tomate RAF de Almería / RAF tomato from Almería
Aceite de oliva virgen extra de Estepa (Sevilla) / Extra virgin olive oil from Estepa (Seville)
Aceitunas negras sevillanas / Black olives from Seville

A l a i n
DUTOURNIER

Anne-Sophie
PIC

Valence

Anne-Sophie PIC

«Tanto el jamón como el chorizo ibérico son dos productos excepcionales. También lo son todos los vinos de Jerez. Hay tantos productos andaluces buenos que es muy difícil hacer una lista exhaustiva.»

«Mi padre solo utilizaba vinagre de Jerez y yo también lo uso mucho. Recuerdo que hace 40 años las casas que exportaban vinagre andaluz eran las de champagne. El vinagre de Jerez ya era como Moët-Chandon.»

«Lo interesante del aceite de oliva es dar el toque final para que refuerce, por ejemplo, el lado herbáceo de una verdura. Esa perla de aceite que aporta textura y sabor es un elemento esencial.»

«Busco una cocina que sea lo más refinada y perfecta posible, que haya una simbiosis entre los elementos, un equilibrio. Que se produzca una emoción por la relación entre sabores.»

«Cuando preparo un plato, soy muy crítica. Tengo la impresión de estar siempre buscando lo que no funciona. Es cuestión de personalidad.»

'Jabugo ham and Iberian *chorizo* sausage are exceptionals products. And all the wines of Jerez. There are so many good Andalusian products that it is very difficult to make an exhaustive list.'

'My father used only Sherry vinegar and I also use it a lot. I remember that 40 years ago the companies that exported Andalusian vinegar were those that dealt in champagne. Sherry vinegar was like Moët-Chandon.'

'An interesting thing to do with olive oil is add a final touch to intensify, for example, the herbaceous side of a vegetable. That pearl of oil which bring texture and flavour is an essential element.'

'I seek the most refined and perfect cuisine possible, where there is a symbiosis between elements, a balance. The relationship between flavours should produce an emotion.'

'When I prepare a dish, I'm very critical. I get the sensation of always looking for what doesn't work. It's a matter of personality.'

La gran dama de la cocina francesa

La historia de su vida es la crónica de la cocina francesa del último siglo. A pesar de su juventud, 37 años, es actualmente la única chef gala distinguida con tres estrellas Michelín y encabeza la cuarta generación de la mítica dinastía Pic. Bisnieta de cocinera y nieta e hija de chefs, Anne-Sophie dirige con dulzura, pero también con seguridad y ritmo vertiginoso, la cocina de la Maison Pic, hotel y restaurante ubicado en Valence. Esta emperatriz del arte culinario entiende cada plato como una emoción única y hace una cocina de hoy, con puntas de acidez y parca en salsas; sencilla y sensible. Una cocina que asombra por sus sorprendentes asociaciones de sabores y por la precisión de sus cocciones, de sus proporciones y de sus emplatados.

The grand dame of the French cuisine

The history of her life is the chronicle of French cuisine over the last century. Despite her young age, 37 years old, Pic is currently the only French chef to have been honoured with three Michelin stars and she heads the fourth generation of the mythical Pic family dynasty. The great-granddaughter of a chef and granddaughter and daughter of chefs, Anne-Sophie runs Maison Pic, a hotel and restaurant located in Valence. She runs it with sweetness, but also confidence and dizzying speed. This empress of the culinary arts sees each dish as a unique emotion and creates a cuisine for today: with acidic elements and light on the sauces; simple and sensitive. A cuisine which amazes with surprising associations between flavours and the precision of its preparation, proportions and presentation.

Delicatessen

Ha vivido desde su más tierna infancia entre fogones. Con solo cinco años su padre, Jacques, otro nombre legendario de la cocina francesa, le presentó a los inspectores de la Michelín.

En su más de cien años de existencia, la guía roja solo ha concedido tres estrellas a cinco chefs francesas. Anne-Sophie es una de ellas. Hacía 40 años que una mujer no recibía la máxima distinción de la Michelín.

En 2002 publicó *Au nom du Père (En el nombre del padre),* libro homenaje a su padre y a su cocina. Jacques Pic fue uno de los maestros de Ferrán Adrià, quien realizó prácticas a sus órdenes.

Está en posesión de las distinciones culinarias y civiles más importantes de Francia, entre las que destacan la de Caballero de las Artes y las Letras.

From a tender age she has lived in the kitchen. At just five years of age, her father Jacques, another legendary name in French cuisine, introduced her to the Michelin inspectors.

In its more than one hundred years of existence, the *Red Guide* has only awarded three stars to five French chefs. Anne-Sophie is one of them. It had been 40 years since a woman received Michelin's top award.

In 2002, she published *Au nom du Père (In the Name of the Father)*, a book which paid homage to her father and his cooking. Jacques Pic was one of the teachers of Ferrán Adrià, who gained experience under his supervision.

She has received France's most important culinary and civilian awards, among the most noteworthy being that of Knight of Arts and Letters.

r e s t a u r a n t
MAISON PIC

Tres estrellas Michelín
Chef del Año 2007
Trofeo Louise Pommery a la Mujer del Año 2006

285, avenue Victor-Hugo. 26000 Valence (Drôme). Francia. Tel: 04 75 44 15 32. www.pic-valence.com

Lubina *Meunière* con caramelo de nueces y mantequilla montada al vino de JEREZ

Sea bass *meunière* with walnut caramel and whipped Sherry butter

Ingredientes para 4 personas

- 4 porciones de lubina de 170 g
- 4 cebollas rojas
- 4 cebollas blancas
- 2 endivias
- 1 chalota
- 3 dl de nata líquida
- 140 g de azúcar
- 25 g de glucosa
- 400 g de nueces frescas
- ½ l de fondo blanco
- ¼ l de vino fino
- 300 g de mantequilla dulce
- 200 g de mantequilla salada
- Sal / pimienta
- Aceite de oliva virgen extra

Elaboración

1. Pelar las cebollas y cortarlas en láminas de un centímetro con la ayuda de una mandolina o cortadora. Salpimentar y cocinar en *papillote* en el horno a 180ºC, con un poco de mantequilla dulce, durante 15 minutos. Montar en torre las cebollas, intercalando capas de cebolla blanca con cebolla roja. Necesitaremos un montoncito pequeño y otro grande por persona.

2. Hacer un caramelo con el azúcar y la glucosa en una cazuela de cobre y añadir las nueces troceadas y tostadas. Reservar.

3. Saltear la chalota picada en mantequilla dulce, añadir el vino fino y reducir a la mitad. Añadir la nata, reducir de nuevo a la mitad y montar la mezcla con la mantequilla dulce. Rectificar de sal y pimienta y reservar la mantequilla montada.

4. Cortar las endivias en palitos finos y saltear con aceite de oliva virgen extra, añadir un poco de fondo blanco y cocer durante 2 minutos. A continuación ligar las endivias con un poco de mantequilla montada.

5. Dorar las porciones de lubina por las dos caras y, a continuación, cocerlas a 48ºC hasta conseguir el punto.

Presentación

Cubrir las cebollas con fondo blanco y mantequilla y salpimentar. Disponer las cebollas en un plato y cubrir de nuevo, en esta ocasión con el caramelo de nuez. Colocar las endivias y rociar con la mantequilla montada. Finalmente presente la lubina junto a las endivias.

Productos andaluces / Andalusian products
Aceite de oliva de Sierra de Segura (Jaén) / Olive oil from Sierra de Segura (Jaén)
Vino fino de Jerez / Fino Sherry wine

Anne-Sophie PIC

Jacques
POUR

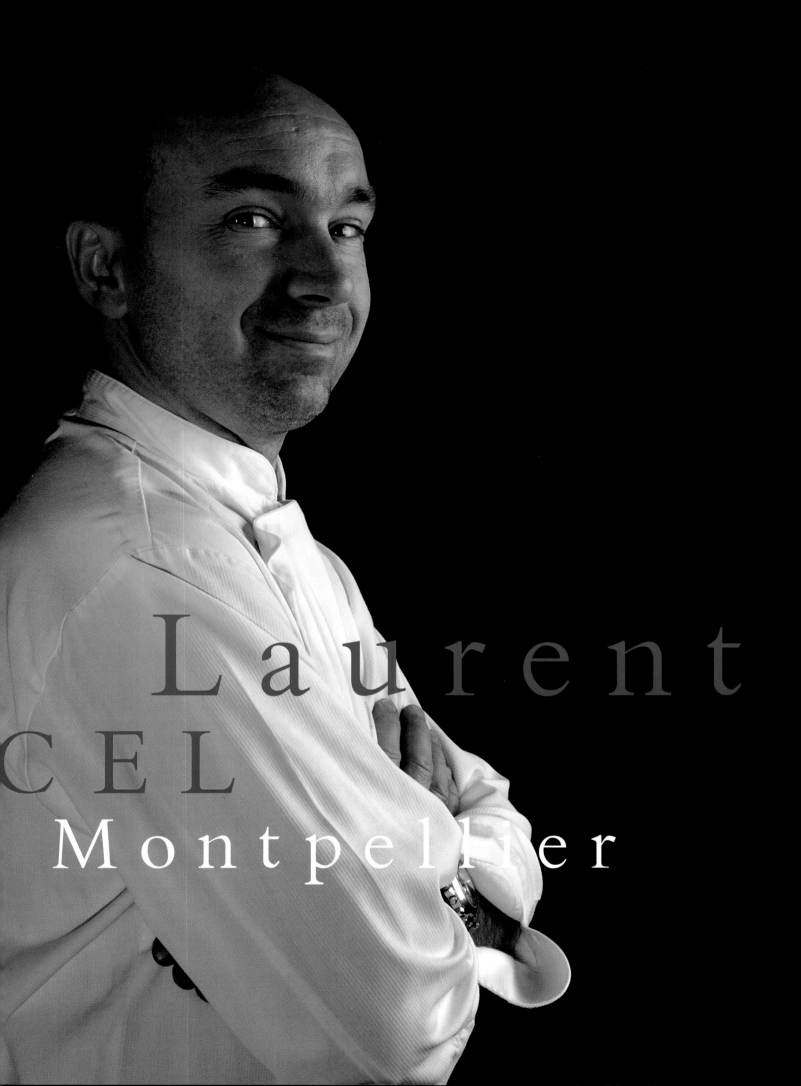

Laurent
CELLIER
Montpellier

Hermanos POURCEL

«La miel de caña de Andalucía es excelente, y las tortas de aceite tienen un sabor muy original propio del sur de España.»

«Hemos viajado varias veces a Andalucía y tiene productos muy buenos: la mermelada de mandarina, la naranja amarga, el aguacate…»

«Nuestro trabajo es nuestra pasión. Ante todo somos cocineros pero nos hemos extendido por el mundo, que es muy grande para hacer otras cosas.»

«Un chef es alguien que va más allá de la cocina, que traslada un mensaje. Primero, su personalidad; luego, su cocina. El alma de nuestra cocina es el Mediterráneo.»

«Hay que encontrar cada uno de los sentidos en el plato, sin que haya uno más importante que otro, si bien daría una cierta prioridad al gusto. Si el plato no está bueno, la comida queda arruinada.»

'Andalusian golden syrup is excellent and the Andalusian olive *torta* bicuit have a very original flavour, characteristic of Southern Spain.'

'We have travelled to Andalusia several times and there are very, very good products: mandarin marmalade, bitter orange, avocado…'

'Our work is our passion: above all, we are chefs, but it is not possible to live on culinary restaurants alone. We have moved out into the world because the world is a big place and there is space to do things.'

'A chef is someone who goes beyond the kitchen, who transmits a message. First, their personality; then, their cooking. The soul of our cooking is Mediterranean.'

'Each one of the senses must be found in a dish, without any one of them being more important than the others, although I would give a certain priority to taste. If the dish is not good, the food has been ruined.'

Concierto culinario a dúo

Lo que tocan se convierte en oro. Dos cabezas, cuatro manos y una cocina, una grandiosa cocina. Los gemelos Jacques y Laurent Pourcel (1964) son dos visionarios de la restauración del siglo XXI que han cuadrado el círculo: han edificado en solo veinte años un imperio gastronómico mundial sobre los pilares de la máxima calidad. Su marca La Compaigne des Comptoirs es una de las multinacionales de alta cocina más potentes del mundo, con fogones en París, Montpellier, Marsella, Ginebra, Marrakech, Tokio, Shangai, Bangkok, Singapur, Mauricio… Pero que nadie se engañe, los Pourcel son por encima de todo unos cocineros excepcionales que tienen presentes sus orígenes: el Mediterráneo y su primer restaurante Le Jardin des Sens (dos estrellas Michelín).

Cooking duet in concert

Anything they touch turns to gold. Two heads, four hands and one kitchen, an enormous kitchen. The twins Jacques and Laurent Pourcel (1964) are two 21st-century restaurant visionaries who have squared the circle: In just twenty years, they have built a worldwide gastronomic empire with the very highest quality as their foundation. Their La Compaigne des Comptoirs brand is one of the world's most powerful haute cuisine multinationals, with kitchens in Paris, Montpellier, Marseilles, Geneva, Marrakech, Tokyo, Shanghai, Bangkok, Singapore and Mauritius. They still remain, above all, exceptional chefs who always remember their origins: the Mediterranean and their first restaurant, Le Jardin des Sens (two Michelin stars).

Delicatessen

Hijos de viticultores, los gemelos confiesan que la cocina mediterránea es una de sus principales fuentes de inspiración.

Forbes se refiere a La Maison Blanche como un lugar que puede presumir de cocina y de vistas sobre París. Ha sido escenario de varios episodios de la glamourosa serie televisiva *Sexo en Nueva York* rodados en París.

Estos gemelos son, además, una máquina editorial: En *Destinations Cuisine* y *Pourcel brothers cookbook* nos introducen en las recetas de sus restaurantes. En *L'Asie des frères Pourcel* nos cuentan su aventura asiática.

El libro *In Sensé,* el más reciente de los Pourcel, ofrece el sabor del mundo efervescente de la noche. También son autores de *Tapas, petites bouchées,* en el que los hermanos se revelan como firmes defensores de las tapas.

The sons of grape growers, the twins confess that Mediterranean cuisine is one of their main sources of inspiration.

Forbes magazine described La Maison Blanche as: 'It can boast of its cuisine and views of Paris.' It was the setting for various episodes of the glamorous television series *Sex and the City* filmed in Paris.

In addition, these twins are a publishing machine: In *Destinations cuisines* and *Pourcel Brothers Cookbook,* they introduce us to recipes from their restaurants. In *L'Asie des Frères Pourcel,* they tell us of their Asian adventure.

The book *Insensé,* the most recent by the Pourcels, offers the flavour of the vivacious world of the night. They are also the authors of *Tapas: Petites bouchées,* in which the brothers show themselves to be firm defenders of the *tapa.*

LE JARDIN DES SENS

Dos estrellas Michelín

Avenue Saint-Lazare, 11. 34000 Montpellier. Francia. Tel.: 04 99 58 38 38. www.jardin-des-sens.com

Pato asado con torta ANDALUZA, vino de JEREZ especiado y mermelada de mandarinas sevillanas

Roast duck with Andalusian olive oil *torta* biscuit, spiced Sherry wine and Seville mandarin orange marmalade

Ingredientes para 4 personas

- 3 filetes de pato tierno
- 3 tortas de aceite andaluzas
- 50 g de mantequilla

Mermelada de berenjenas

- 4 berenjenas
- 100 g de champiñones
- 1 loncha de jamón Ibérico
- 1 dl de nata líquida
- 2 chalotas partidas
- 30 g de queso parmesano
- 30 g de aceitunas negras
- 3 cucharadas soperas de pan de molde rallado
- Aceite de oliva virgen extra
- Sal y pimienta

Cortar las berenjenas por la mitad y hornearlas con aceite de oliva virgen extra y sal durante una hora a 170ºC. A continuación, extraer la carne con ayuda de una cuchara y cortarla con un cuchillo.

Rehogar el jamón junto con las chalotas en aceite de oliva y añadir los champiñones para, finalmente, incorporar la nata líquida. Reducir y añadir la carne de las berenjenas, manteniendo la cocción hasta que tenga consistencia de compota. Por último, añadir el queso parmesano, el pan rallado y las aceitunas cortadas en juliana. Salpimentar. Verter la mermelada en moldes y espolvorearlo con queso parmesano y pan rallado. Cocinar 10 minutos a 170ºC antes de servir.

Mermelada de mandarinas

- 3 mandarinas
- 1 cuchara sopera de mermelada de mandarinas
- 1 cuchara sopera de aceite de oliva virgen extra

Con la ayuda de un cuchillo, retirar la piel de la mandarina y escaldarla tres veces. Escurrir, enfriar y laminar con la ayuda de un cuchillo. Conservar los gajos de las mandarinas para luego, en el momento de servir, mezclar la piel, la mermelada y la mitad de los gajos frescos. Añadir una cucharada de agua tibia y de aceite de oliva.

Aceite de hierbas

- ½ manojo de cilantro
- ½ manojo de perejil
- 1 dl de aceite de oliva virgen extra

Escaldar el cilantro y el perejil en agua hirviendo salada. Enfriar y escurrir. Triturar con 10 dl de aceite de oliva, un poco de agua y sal. Reservar.

Vino especiado

- 1 l de vino tinto
- ½ l de vino Pedro Ximénez
- 30 g de azúcar
- 1 rama de canela
- 1 cucharada sopera de pimienta en grano (mezcla de Sichuan y Penja)
- 1 cuchara de café de cilantro en grano
- 5 anises estrellados
- 1 dl de vinagre
- El zumo de dos naranjas
- 0,5 dl de aceite de oliva virgen extra

Mezclar todos los ingredientes y reducir hasta obtener un sirope. A continuación, pasar por el chino y añadir el aceite de oliva. Reservar a temperatura ambiente.

Elaboración

1. Triturar las tortas y mezclarlas con la mantequilla a temperatura ambiente. Reservar en el frigorífico.

2. Elaborar las mermeladas, el aceite de hierbas y el vino especiado.

3. Asar los filetes de pato por el lado de la piel a fuego suave. Terminar de cocinarlos en horno caliente a 170º C durante 4-6 minutos, dependiendo del grosor de la pieza. Sacar del horno y dejar reposar la carne. Laquear la piel de pato con mermelada de mandarina y caramelizarla en el grill. A continuación, colocar encima el crujiente de torta de aceite y gratinar.

Presentación

Partir en dos los filetes y colocar en el plato la mermelada de berenjenas, la mermelada de mandarinas y las porciones de pato. Y terminar con las diferentes salsas. Decorar con chips de verduras y brotes de acelgas.

Hermanos
POURCEL

Léa

LINSTER
Luxemburgo

Léa
LINSTER

«Sin amor no podría vivir. Pongo amor en todo lo que hago…
en mi cocina, en el trato con mi gente, con mis clientes.
Me gusta divertirme y ser feliz. »

«Me gusta seducir con mi cocina, seducir el paladar del cliente
con mis platos. Ese es mi mayor orgullo.»

«Tengo en mi carta una sopa de tomate elaborada
con vinagre de Jerez y aceite de oliva virgen extra,
acompañado con queso de cabra.»

«Si tuviera que elegir un solo producto andaluz, de los que conozco
lo tendría difícil y definitivamente elegiría tres: el jamón ibérico,
el aceite de oliva y el vinagre de Jerez.»

«Mirando al exterior, lo primero que importa un país es el vino
y detrás van el resto de productos. Hay que ser escrupuloso
y cuidar la distribución para no crear necesidades
que después no se puedan cumplir.»

'I couldn't live without love. I put love into everything I do…
in my cooking, in how I deal with my staff, with my customers.
I like to have fun and be happy.'

'I like to seduce with my cooking, seduce the palate of
the customer with my dishes. This is my greatest pride.'

'On my menu I have a tomato soup made with Sherry vinegar and
extra virgin olive oil, accompanied by goat cheese.'

'If I had to choose a single Andalusian product of those I know
I would find it difficult. I would definitely choose three:
cured Iberian ham, olive oil and Sherry vinegar.'

'Looking abroad, the first thing imported from a country is the
wine and then come the rest of the products. It's necessary to be
particular and careful with the distribution to not create
a need which later cannot be filled.'

La brillante emprendedora

Cocinera por vocación, Léa Linster es poseedora de dos reconocidos galardones en su oficio: única mujer ganadora del Bocuse de Oro (1989), el nobel de la profesión; y una estrella Michelín desde 1987. Durante más de un cuarto de siglo ha demostrado sobradamente su capacidad de empresaria, regentando dos restaurantes y un bar lounge que abrirá en breve. Sus actuaciones en la televisión alemana han contribuido a que sus libros de cocina superen las cien mil copias vendidas por título. El cordero con costra de patatas, con el que ganó el Bocuse, la ensalada de bogavante, que no puede quitar de su carta desde hace dos décadas y su *crême brulée,* calificada por los expertos como «la mejor del mundo», ratifican que, como chef, tiene la sartén por el mango.

The brilliant entrepreneur

Chef by vocation, Léa Linster has received two well-known awards for her trade: she is the only woman to have won the Bocuse d'Or (1989), the Nobel Prize of the profession; and a Michelin star since 1987. For over a quarter century, she has fully demonstrated her business abilities, running two restaurants and a lounge bar which will open shortly. Her appearances on German television have helped her cookery books to sell more than one hundred thousand copies each. Lamb with potato crust, with which she won the Bocuse; lobster salad, which she has not been able to take off her menu for two decades; and her *crême brulée,* described by experts as 'the best in the world', confirm that, as a chef, she's got things well under control.

Delicatessen

Linster es una escritora de éxito. Su libro *Best of Léa Linster* fue galardonado como el mejor libro de cocina del mundo escrito por una chef.

En 1990 recibió en París el gran premio a la Mujer Empresaria de Europa. La *Guía Gault- Millau* le otorgó en 1999 la Llave de Oro de la Gastronomía y en octubre de 2002 recibió el premio Michele Schumacher.

Interrumpió sus estudios de Derecho para dedicarse a los fogones, su verdadera pasión que mantiene intacta.

Como empresaria, tiene mil proyectos y entre sus prioridades está presente su idea de transmitir sus conocimientos en otro entorno. Estados Unidos es uno de sus horizontes.

Linster is a successful writer. Her book *Best of Léa Linster* was named the best cookery book in the world written by a chef.

In 1990 she was honoured as Europe's Businesswoman in Paris. In 1999, the *Gault-Millau Guide* gave her the Gastronomic Golden Key and in October 2002 she received the Michele Schumacher Award.

She interrupted her studies in law to devote herself to the kitchen, her true passion, which remains intact.

As a businesswoman, she has a thousand projects going and amongst her priorities is the idea of transferring her knowledge to another environment. The United States is one of her future aims.

restaurant
LÉA LINSTER CUISINIÈRE

Una estrella Michelín
Premio Bocuse de Oro 1989

17, route de Luxembourg. L-5752. Frisange. Luxembourg. Tel: 23 66 84 11. www.lealinster.lu

Bacalao con salazones de atún y acento IBÉRICO

Cod with salted tuna and Iberian essence

Ingredientes para 4 personas

- 8 cucharadas de aceite de oliva virgen extra
- 1 filete de bacalao con piel de unos 500 g
- 1 chorizo ibérico
- 100 g de mojama de atún
- 50 g de caviar
- 100 g hueva de atún
- 250 g de alubias
- 2 zanahorias
- 8 sepias de 20 g cada una
- 2 tomates
- 1 hoja de laurel
- 1 puerro
- 1 cebolla
- 1 diente de ajo
- Perejil
- Pimienta negra en grano
- Sal

Elaboración

1. Dejar las alubias en remojo la noche anterior.

2. En una olla de tamaño mediano con 1 ½ l de agua poner las alubias escurridas, la zanahoria y el tomate cortados en dados, el diente de ajo, el puerro entero y la cebolla picada muy fina, la hoja de laurel, 4 granos de pimienta y sal. Añadir 4 cucharadas de aceite de oliva y dejar que hierva suavemente durante 2 horas aproximadamente.

3. Una vez que estén cocidas las alubias, retirar la hoja de laurel, el diente de ajo y el puerro. Sacar 100 cc del agua resultante de la cocción de las alubias y con 1/3 del puerro cocido, el diente de ajo y 2 cucharadas soperas de alubias hacer un puré muy triturado y añadir al guiso de alubias junto con perejil picado.

4. A continuación, en una sartén con aceite de oliva muy caliente saltear las sepias. Reservar.

5. Cortar el chorizo en rodajas finas y saltearlo levemente en una sartén caliente. Reservar.

6. Partir el bacalao en 4 trozos y freírlo en una sartén con aceite de oliva por la parte de la piel hasta que quede crujiente. Y a continuación, hornearlo a 180ºC durante 4 minutos.

Presentación

En un plato sopero, y sobre un fondo de guiso de alubias poner una porción de bacalao caliente. A continuación, añadir las sepias cortadas por la mitad y las láminas de chorizo templadas.

Por último, disponer sobre el bacalao una quenelle de caviar y unas láminas finas de mojama y de hueva de atún de almadraba.

Decorar el plato con un poco de aceite de oliva virgen extra y alguna hierba aromática.

Léa
LINSTER

Productos andaluces / Andalusian products

Aceite de oliva de Sierra de Cazorla (Jaén) / Olive oil from Sierra de Cazorla (Jaén)

Chorizo ibérico de Huelva / Iberian *chorizo* sausage from Huelva

Mojama de atún de Cádiz / *Mojama* (cured and salted tuna) from Cádiz

Caviar de Granada / Granada caviar

Huevas de atún de Barbate (Cádiz) / Tuna roe from Barbate (Cádiz)

Peter
GOOSSENS

Kruishoutem
Bélgica

Peter GOOSSENS

«Me encanta el vinagre de Jerez. ¡Es fantástico!
Un plato siempre necesita un grado de acidez y frescura.»

«Conozco bien las fresas y chirimoyas de Andalucía, son suaves y
sabrosas y por eso utilizo ambas frutas en mi cocina.»

«La manzanilla y los finos son vinos frescos.
Me gusta combinarlos con los crustáceos.»

«No me atraen los restaurantes en los que todo el mundo está
muy serio. En mi casa la gente viene a comer bien y a divertirse.
Mi equipo tiene que sonreír.»

«Cuando voy a un restaurante no soporto tener que esperar
un cuarto de hora para que me sirvan algo.»

'I love Sherry vinegar. It's fantastic!
A dish always needs a touch of acidity and freshness.'

'I have been sent Huelva strawberries and they are very good.
I am also familiar with the custard apple from Andalusia:
it is mild and flavourful. I use both fruits in my cooking.'

'Sherry, Manzanilla, Finos… these are fresh ingredients.
I like to combine them with crustaceans.'

'I am not keen on restaurants where everyone is very serious.
At mine, people come to eat well and have fun.
My team has to smile.'

'When I go to a restaurant, I can't stand having to wait
fifteen minutes for them to serve me something.'

El compositor de sabores

Su restaurante Hof van Cleve ocupa el lugar 14 entre los 50 mejores restaurantes del mundo, según la última clasificación realizada por la prestigiosa revista *Restaurant,* y Goosens está considerado unánimemente el mejor cocinero de Bélgica. Inteligente, cerebral, erudito y metódico, proyecta matemáticamente en su quehacer diario sabores refinados y armónicos llamados a complacer al cliente, al que considera el rey de su restaurante. Este chef se considera un compositor de sabores y no le gusta la palabra «gastronomía»; hubiese preferido que la lengua ofreciese un término más acorde con lo que el considera la esencia artística de la cocina.

The composer of flavours

His restaurant Hof van Cleve ranks 14th amongst the world's top 50 restaurants, according to the latest classification by the prestigious magazine *Restaurant,* and Goosens is universally considered the best chef in Belgium. Intelligent, cerebral, erudite and methodical, in his everyday work, mathematically plans refined and harmonious flavours intended to please the customer, whom he considers the king of his restaurant. This chef considers himself a composer of flavours and does not like the word 'gastronomy': He would have preferred language to offer a term more in keeping with what he considers the artistic essence of cooking.

Delicatessen

Armonía, esa es la clave de su cocina, tanto en los contrastes como en las similitudes. Además, este chef manifiesta un constante espíritu evolutivo dentro de su estilo reflexivo y perfeccionista.

No cultiva el mito del hombre forjado en solitario. La sofisticación de su cocina exige construcciones elaboradas, en las que cada cual debe ocupar su puesto. Para ello, procura que las nuevas generaciones de cocineros belgas se sientan involucradas en la pasión culinaria.

Una comida en Hof van Cleve tiene algo de representación teatral. La zona de los fogones tiene una organización precisa y sistemática. El servicio ralla en la perfección.

Harmony, this is the key to his cooking, in both its contrasts and similarities. This chef also displays a steady evolutionary spirit within his reflective and perfectionist style.

He does not cultivate the myth of the self-made man. The sophistication of his cooking requires elaborate constructions, in which each must occupy his place. For this reason, he tries to make the new generations of Belgian chefs feel part of a passion for cooking.

A meal at Hof van Cleve is something of a theatrical performance. The kitchen area is organised precisely and systematically. The service borders on perfection.

restaurant
HOF VAN CLEVE

Tres estrellas Michelín

Riemegemstraat, 1. 9970 Kruishoutem. Bélgica. Tel.: 09 383 5848. www.hofvancleve.com

Mojama de BARBATE
con brotes de berros
al aire de ibérico

Barbate mojama with watercress sprouts and Iberian air

Ingredientes

- 12 lonchas de mojama de atún
- 24 berberechos
- 240 g de tallos de lúpulo (lavados)
- 8 almendras crudas
- 1 limón
- 200 g de chorizo ibérico
- 150 g de jamón ibérico
- 80 g de coulis de berros
- Aceite de oliva virgen extra
- 16 brotes de berros Goa
- 4 brotes de berros rojos Sakura
- 25 g de Malto (polvo de tapioca)
- 6 g de lecitina
- Nuez moscada
- Sal, pimienta

Elaboración

1. Laminar la mojama muy fina y aliñar con el aceite de oliva virgen extra. Aclarar los berberechos dos veces y cocinar al vapor durante 3 minutos. Sacar los berberechos de sus conchas.

2. Aclarar los brotes de lúpulo y cocerlos hasta que estén *al dente,* saltearlos con un poco de mantequilla. Aderezar con pimienta, sal y nuez moscada.

3. Pelar las almendras crudas y partirlas por la mitad.

4. Aclarar medio limón confitado a la sal y cortar su piel en juliana muy fina.

5. Aire de ibérico

Preparar 200 cc de consomé de jamón y chorizo ibéricos, añadir 6 g de lecitina y mezclar con la batidora hasta conseguir un aire de ibérico.

6. Crumble

Dejar secar cuatro lonchas finas de chorizo (unos 50 g) y posteriormente triturarlas. Mezclar con 25 g de malto (polvo de tapioca) y hornear a 160ºC. Moler en polvo esta pasta y pasar por un tamiz.

7. Coulis de berros

Retirar los tallos de los berros, cocer las hojas y enfriarlas en agua helada. Sacar y triturar muy fino en la Thermomix. Para terminar, añadir un poco de nata.

Presentación

Sobre un fondo de coulis de berros y el aceite de aliñar la mojama, colocar los brotes de lúpulo y las almendras. Intercalar los berberechos, las láminas de mojama, los tallos de berro fresco (Goa y Sakura) y el limón en juliana. Terminar el plato colocando el aire de ibérico y el crumble de chorizo.

Peter
GOOSSENS

Productos andaluces / Andalusian products

Mojama de atún de Cádiz / *Mojama* (cured and salted tuna) from Cádiz
Chorizo ibérico de Huelva / Iberian *chorizo* sausage from Huelva
Jamón ibérico de Huelva / Iberian cured ham from Huelva
Aceite de oliva de Sierra de Cazorla (Jaén) / Olive oil from Sierra de Cazorla (Jaén)

Sang

HOON

Noville
Sur Mehaigne
Bruselas

Sang HOON

«Me encanta la manzanilla porque es de gran calidad. El Jerez constituye la imagen de una cocina rotunda, porque aporta mucho sabor, pero a la vez añade finura y elegancia femenina.»

«El aceite de oliva andaluz es ideal para la cocina, tiene muchísimo sabor, es más oxidante que el italiano.»

«El tomate RAF es interesante porque es bastante dulce, no tiene una acidez muy marcada.»

«En la escuela a uno le dicen "haz esto y lo otro", y se convierte en un cocinero autómata, que no piensa. Pero al ser autodidacta, es necesario plantearse cada gesto que se hace. La química, la ciencia, me han aportado mucho.»

«El hecho de ser asiático en Bélgica, de ser cocinero y de tener influencias de la cocina española me permite hacer lo que me apetezca.»

'I love manzanilla because of its great quality. Sherry creates the image of a rounded cuisine, because it offers a lot of flavour, while at the same time adding feminine refinement and elegance.'

'Andalusian olive oil is ideal for cooking. It has a great deal of flavour and is more oxidant than the Italian.'

'The RAF tomato is interesting because it is quite sweet. It doesn't have very strong acidity.'

'At school they tell you, "Do it like this and that." And you become a chef automaton that doesn't think. But when you are self taught, it is necessary to consider every move you make. Chemistry, science, they have given me a lot.'

'That I am Asian in Belgium, that I am a chef and that I am influenced by Spanish cuisine allow me to do what I like.'

El chef que surgió del vino

Nació en Corea y creció y se hizo *sommelier* y chef –por este orden– en Bélgica, donde hace once años abrió su propio restaurante, L'Air du Temps. Considera que la comida y el vino no solo se complementan entre sí, sino que «son una y la misma cosa». Trabaja con los productos más frescos y de mejor calidad del mercado y gracias a una paleta de especias de todo el mundo, sabe añadir un toque personal a cada plato. Entusiasta de la experimentación, practica la cocina molecular –prefiere usar un término más calido, como cocina «tecno-emocional»– y utiliza el nitrógeno líquido porque le proporciona texturas impensables, que no comprometen ni la calidad ni el sabor del producto.

The chef who emerged from wine

He was born in Korea, but grew up, became a sommelier and a chef – in that order – in Belgium, where eleven years ago he opened his own restaurant, L'Air du Temps. He believes food and wine not only complement each other, but that 'they are one and the same'. He works with the freshest and highest quality products available, and thanks to a palette of spices from all over the world, he is able to add a personal touch to each dish. A fan of experimentation, he is involved in molecular cuisine – he prefers to use a warmer term such as 'techno-emotional' cuisine. He uses liquid nitrogen because it produces otherwise unthinkable textures, which do not compromise either the quality or the flavour of the product.

Delicatessen

Adora los ingredientes versátiles como la vieira y la remolacha, ya que puede hacer estos productos salados, ácidos o dulces.

Respeta al máximo los sabores, y hasta su cocina molecular es más espectacular en boca que a la vista. No obstante, sus composiciones son cromáticas y coloristas, con atractivas formas; es decir, una cocina de autor de cuerpo occidental y rasgos orientales.

Sus platos constituyen construcciones muy trabajadas y bien resueltas técnicamente, que proyectan sabores originales, delicados y armónicos.

La filosofía de este chef, que quiso ser farmacéutico, queda reflejada en el nombre de su restaurante, de evidente cariz evolutivo. Tiene una visión contemporánea de la cocina, una óptica que conjuga erudición y fantasía.

He adores versatile ingredients such as scallops and beetroot, as they can be made salty, acidic or sweet.

He respects flavour to the utmost, and even his molecular cuisine is more spectacular in the mouth than in appearance. However, his compositions are chromatic and colourist, with attractive shapes. That is to say, this is signature cuisine with a Western body and Asian features.

His dishes are constructions which are extensively worked and well executed technically speaking. They put forward original, delicate, harmonious flavours.

The philosophy of this chef, who wanted to be a pharmacist, is reflected in the name of his restaurant, with a clearly evolutionary quality. He has a contemporary view of cooking, a point of view which combines erudition and fantasy.

Una estrella Michelín

Chaussée de Louvain 181. 5310 Noville-Sur-Mehaigne. Bélgica. Tel: 081.81.30.48. www.airdutemps.be

Monocromo de pez espada y piruleta aceite de oliva

Monochrome swordfish and olive oil lollipop

Ingredientes para 4 personas

- 200 g de lomo de pez espada
- 16 almejas medianas
- Aceite de oliva virgen extra
- Vinagre de Jerez
- 100 g de arroz
- Vino fino

Guiso de almejas

- 1 cucharada sopera de chalotas picadas
- 1 dl de vino fino
- 2 cucharadas soperas de aceite de oliva
- ½ diente de ajo picado
- 1 ½ cucharada sopera de harina

Saltear las chalotas y el ajo picado con el aceite de oliva y añadir la harina. A continuación, desglasar con el vino blanco y un poco de jugo de las propias almejas. Añadir los moluscos limpios y retirar del fuego.

Cobertura de tinta

- 1 cucharada sopera de chalotas picadas
- 1 dl de vino fino
- 1 dl de jugo de almejas
- 8 g de tinta de sepia
- 4 cucharadas soperas de aceite de oliva
- 2,3 g de carragenato

Rehogar las chalotas picadas con el aceite, añadir el vino blanco y llevar a ebullición. Agregar el jugo de las almejas y la tinta de sepia. Filtrar y añadir el carragenato y calentar esta mezcla a 70ºC.

Rissotto

- 100 g de arroz
- 4 cucharadas soperas de aceite de oliva
- 1 cucharada sopera de chalotas picadas
- 1 cucharada de café de cilantro muy picado
- 1 cucharada sopera de tomates cortados en brunoise
- 5 cl de vino fino
- 2 dl de caldo de ave

Lavar el arroz con agua para que pierda el almidón. Rehogar las chalotas picadas y el tomate con aceite de oliva, añadir el arroz y saltearlo. Cortar la cocción con el vino blanco, que dejaremos absorber. A continuación, añadir el caldo de ave y cocinar a fuego suave durante 15 minutos, removiendo a menudo para que la cocción sea uniforme. Retirar, cubrir y dejarlo reposar durante 5 minutos. A continuación añadir el cilantro.

Piruleta de aceite de oliva

(Ingredientes para 1 l de sorbete)

- 4 dl de aceite de oliva virgen extra
- 400 dl de agua mineral neutra
- 100 g de azúcar fina S2
- 20 g de hojas de gelatina
- 50 cc de zumo de limón amarillo
- Reducción de vinagre

Calentar el agua mineral con el azúcar y el zumo de limón hasta 40ºC. Disolver las láminas de gelatina hidratadas y escurridas, enfriar e incorporar el aceite de oliva. Emulsionar la mezcla de agua y aceite con una batidora hasta que obtenga la consistencia y el aspecto de una muselina. Dejar en el congelador en un bol de sorbetera Pacojet.

Reducción de vinagre de Jerez

- 1 dl de vinagre de Jerez
- 25 g de glucosa

Mezclar el vinagre y la glucosa y reducir 2/3. Reservarlo a temperatura ambiente.

Papel de azúcar

- 100 g de fondant
- 50 g de glucosa
- 50 g de isomalt

Calentar los azúcares a 162ºC y bajar a 100ºC para trabajarlos.

Elaboración

1. Poner las almejas en remojo con una cucharada sopera de sal y otra de harina. Mezclar y dejar reposar durante una hora. Aclarar las almejas con agua del grifo y abrirlas en una cazuela grande a fuego fuerte. Retirar los moluscos y reservar el caldo colado de la cocción.

2. El pez espada

Dividir el lomo de pez espada en cuatro partes iguales y remojarlas en la cobertura de tinta hasta cubrirlas totalmente. Colocar los lomos en un plato de horno, cubrirlos con papel film e introducirlo en un horno de vapor. Cocinar a 80ºC durante 15 minutos.

Presentación

Pez espada y el risotto con almejas guisadas

Mezclar el risotto con el guiso de almejas, colocarlo en un lateral del plato y cubrirlo con una guarnición de aromáticas: flor capuchina mashua, atsina (hierba aromática), hojas de shiso verde partidas y similares. A continuación, colocar el pez espada. Servir el plato acompañado con la piruleta de aceite, cuya elaboración se explica a continuación.

Piruleta

Procesar el sorbete con la Pacojet. Con una cuchara de helado, crear esferas de 2 a 3 cm de diámetro, a continuación pinchar un palo de piruleta en cada esfera. Reservar en el congelador.

Preparar el papel de azúcar y hacer círculos con la ayuda de un molde de 3 cm de diámetro.

Con la ayuda de un biberón fino, rodear el sorbete con una espiral de vinagre reducido.

Cubrir la bola de sorbete con el cilindro de papel de azúcar. Repetir la operación dos veces más (tres en total), para conseguir una envoltura fina y crujiente.

Consumir en el momento.

Sang
HOON

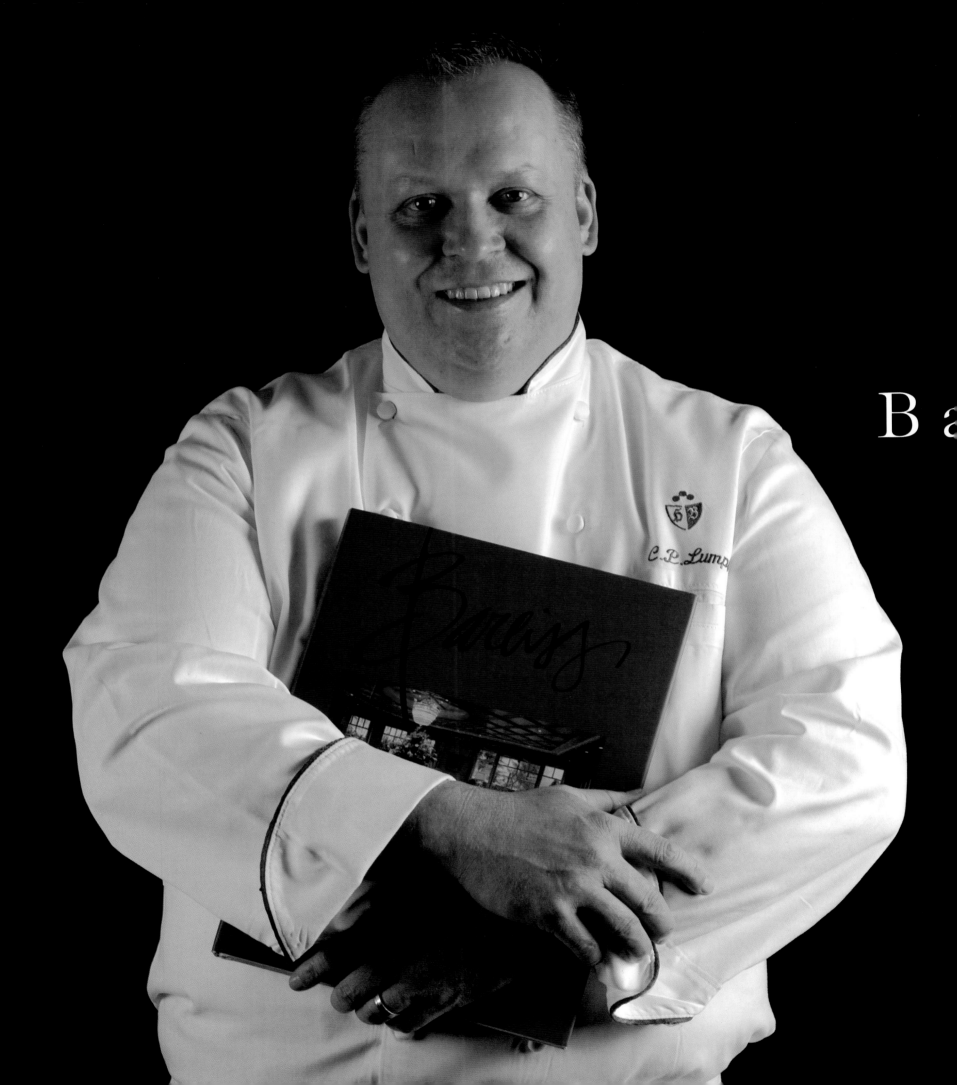

Claus-Peter
LUMPP
iersbronn-Mitteltal

Claus-Peter LUMPP

«El cerdo ibérico en su conjunto, y no solo el jamón,
es un producto increíble; es imposible encontrarlo
en ningún otro lugar del mundo.
Esto es así por su alimentación y medio natural.»

«El aceite de oliva y el vino de Jerez gozan de gran aceptación
en Alemania y son productos muy apreciados.
Nuestro cordero alemán con vino de Jerez
es una excelente fusión de nuestras gastronomías.»

«En cada país hay una cultura unida a la cocina y yo quiero,
a través de ella, ser partícipe de esa cultura de país.»

«Mi reto diario es que mis clientes queden satisfechos.
No lo hago para recibir premios y distinciones,
sino por amor a mi trabajo.»

'Iberian pork as a whole, not just the cured ham,
is an incredible product; it is impossible to find
anywhere else in the world.
This is because of what it feeds on and its natural habitat.'

'Olive oil and Sherry are very common in Germany and are highly
appreciated. Our German lamb with Sherry
would be an excellent fusion of our two cuisines.'

'In every country there is a culture linked to food.
Through food I want to participate in this culture of the country.'

'My daily challenge, twice a day, is to satisfy my customers.
I don't do it to receive awards or honours,
but because I love my work.'

Claridad e intensidad con aires latinos

Este chef de 44 años es uno de los profesionales más respetados de la cocina alemana. Jefe de cocina del restaurante Bareiss, situado en el hotel del mismo nombre, en la Selva Negra (Baden-Württemberg), consiguió el pasado año su tercera estrella Michelín. La también prestigiosa guía *Gault-Millau* (segunda en influencia por detrás de la *Guía roja*) le otorga 18 puntos sobre 20. Lumpp confiesa que sus creaciones se inspiran en la cocina francesa clásica con influencia mediterránea. Sus platos son claros, los productos están muy definidos y el sabor es intenso. El mismo lo resume con toda claridad y contundencia: «No hago experimentos. Primero está el gusto y después la vista».

Clarity and intensity with a Latin air

This 44-year-old chef is one of German cooking's most respected professionals. Executive chef at Restaurant Bareiss, located in the hotel of the same name in the Black Forest region of Baden-Württemberg, last year he received his third Michelin star. Another prestigious guide, *Gault-Millau* (second in influence only to the *Red Guide*) gives him 18 points out of 20. Lumpp confesses that his creations are inspired by classic French cuisine with a Mediterranean influence. His dishes are distinct, the products highly defined and the flavour intense. He himself offers a clear, convincing summary: 'I don't experiment. First comes the taste and then the appearance.'

Delicatessen

Con 25 años de experiencia, Lumpp se ha formado en los mejores restaurantes de Alemania, como el mítico Tantris, en Munich, a las órdenes de Heinz Winkler.

Ha trabajado también en Mónaco, en ese templo de la gastronomía que es el restaurante Louis XVI del gran patriarca Paul Bocuse.

El restaurante Bareiss está situado en el pequeño municipio de Baiersbronn, que concentra la mayor densidad de estrellas Michelín de Alemania: Harald Wohlfahrt (tres estrellas), Jörg Sackmann (una estrella) y, por supuesto, Claus-Peter Lumpp (tres estrellas).

Piensa que los jóvenes que quieran ser cocineros deben tener la mente abierta, trabajar mucho y marcarse una meta.

With 25 years' experience, Lumpp trained at Germany's best restaurants, including the legendary Tantris, in Munich, where he learned his first lessons from the brilliant chef, Heinz Winkler.

He has also worked at Mónaco, and at the temple to gastronomy which is Louis XVI Restaurant, from the great patriarch Paul Bocusse.

Restaurant Bareiss is located in the small town of Baiersbronn, which has the highest concentration of Michelin stars in Germany: Harald Wohlfahrt (three stars), Jörg Sackmann (one stars) and of course, Claus-Peter Lumpp (three stars).

A piece of advice: 'Young people who want to be chefs must have an open mind, work hard and set a goal for themselves,' says Lumpp, who could already distinguish between the smells of different spices as a child. His family had a butcher's shop and a guesthouse which served meals.

restaurant
BAREISS

Tres estrellas Michelín

Gärtenbühlweg, 14. D-72270 Baiersbronn-Mitteltal (Baden-Württemberg). Alemania. Tel.: (0) 7442 470. www.bareiss.com

Bacalao Escalfado en Aceite de Oliva con Habas y Espuma de vinagre de JEREZ

Cod poached in olive oil with broad beans and Sherry vinegar mousse

Ingredientes para 4 personas

- 4 filetes de bacalao de 80 g cada uno
- ¼ de lde aceite de oliva para escalfar
- 30 g de patatas peladas
- 1 diente de ajo
- 20 g de chalota cortada en dados
- 50 g de zanahoria
- 20 g de apio
- 500 ml de caldo de ave
- 150 ml de aceite de oliva para freír y saltear
- 200 g de habas desgranadas y sin piel
- 5 rodajas de tomates deshidratados
- 10 mitades de aceitunas negras tostadas
- 60 ml de vinagre de Jerez
- 0,75 g de agar-agar
- 0,4 g de lecitina
- 1 rama de romero
- 1 rama de tomillo
- Perifollo
- Sal
- Pimienta

Elaboración

Las habas

Saltear con aceite de oliva las habas, la mitad de la chalota y el ajo picado en daditos. Sazonar con sal y pimienta. Añadir un poco de caldo de ave y reducir hasta que quede cremoso.

Salsa de aceite

Freír a fuego lento en 50 ml de aceite de oliva las patatas con las chalotas restantes, las zanahorias y el apio hasta que se doren. Retirar la verdura del aceite y añadir el caldo. Esperamos a que hierva. Dejar reposar todo durante 30 minutos hasta que la verdura esté blanda. Triturar, colar y añadir sal y pimienta. Por último, mezclar el aceite de oliva con la batidora.

Gelatina de vinagre de Jerez

Mezclar el vinagre de Jerez con el agar-agar y llevar a ebullición. Rápidamente verter en un recipiente (10x10 cm) y dejar enfriar.

Cortar la gelatina en finas láminas, adornar con los tomates deshidratados y las aceitunas, y cubrir con perifollo.

Espuma de Jerez

Mezclar en una batidora 60 ml de caldo de ave, 20 ml de vinagre de Jerez y 0,4 g de lecitina.

Bacalao

Condimentar los filetes de bacalao con sal y pimienta, colocarlos en una pequeña sartén y cubrir con aceite de oliva. Añadir una ramita de tomillo y una de romero. Calentar la sartén cuidadosamente (el aceite de oliva no debe superar los 50ºC) y confitar los filetes de bacalao a una temperatura de 40º C.

Presentación

Verter la salsa de aceite en el centro del plato y repartir las habas de forma uniforme.

Colocar en el centro del plato los filetes de bacalao escalfados y sobre éstos, la gelatina de vinagre de Jerez.

Finalmente, repartir la espuma de Jerez entre las habas y las aceitunas.

Claus-Peter
LUMPP

Productos andaluces / Andalusian products

Aceite de oliva de Poniente de Granada / Olive oil from Poniente de Granada
Aceite de oliva de los Montes de Granada / Olive oil from Montes de Granada
Vinagre de Jerez / Sherry vinegar
Tomates de Almería / Almería tomatoes
Aceitunas negras de Sevilla / Black olives from Seville

Thomas
KELLERM

Berlín

ANN

Thomas
KELLERMANN

«El aceite de oliva andaluz me parece fantástico porque es muy aromático y el de consistencia más equilibrada que conozco.»

«La carne de cerdo ibérico encajaría muy bien con las famosas verduras alemanas.»

«Utilizo mucho el vinagre de Jerez en pescados y mariscos y el Pedro Ximénez lo sirvo en copas para acompañar helados y quesos.»

«En la cocina no hay límites mientras el cliente admita lo que le sirvas en el plato. Es quien tiene decidir cuando hay que dejar de evolucionar.»

'Andalusian olive oil seems fantastic to me because it is very aromatic and the one with the most balanced consistency I know of.'

'Iberian pork would go very well with Germany's famed vegetables.'

'I use Sherry vinegar a lot on fish and seafood, and I serve Pedro Ximénez in glasses to accompany ice creams and cheeses.'

'In the kitchen there are no limits, as long as the customer accepts what you serve them. It is not the critics who should decide when to stop evolving, but the consumers.'

Alquimista de aromas y sabores

Premiado con el Bocuse de Oro en 1998, elegido Berlin's Master Chef en 2002, 2006 y 2007, y distinguido en 2007 como Estrella Emergente del Año en Alemania por la revista *Bunte,* este *gourmet* de 37 años ha conseguido también una estrella Michelín como jefe de cocina del restaurante Vitrum, en el Hotel Ritz-Carlton de la capital alemana. Kellermann es un cocinero con influencias mediterráneas que practica una cocina muy cuidadosa con la selección de los productos y la interacción de las especias y los aromas. Así, no tiene miedo a probar nuevas combinaciones y le gusta ofrecer tentadores sabores en pescados y carnes acompañados de vegetales y enriquecedores condimentos.

Alchemist of aromas and flavours

Winner of the Bocuse d'Or in 1998, named Berlin's Master Chef in 2002, 2006 and 2007, and honoured as the 'Germany's Rising Star of the Year' for 2007 by the magazine *Bunte,* this 37-year-old gourmet has also obtained a Michelin star as chef de cuisine of Vitrum Restaurant in the German capital's Ritz-Carlton Hotel. Kellermann is a chef with Mediterranean influences whose cooking is both innovative and avant-garde. He takes great care in selecting products and with the interaction between spices and aromas. He is not afraid to try new combinations and he likes to offer tempting flavours in fishes and meats, accompanied by vegetables and enriching condiments.

Delicatessen

Vitrum, «vidrio» en latín, es un restaurante de lo más completo. Es, a la vez, el edén de los vegetarianos y el paraíso de los adictos a las carnes.

La prestigiosa revista alemana *Der Spiegel* señaló en enero del pasado año que «Kellermann será una de las 50 personas de las que más se hable durante el año 2007, junto al autor danés de best-seller Peter Høeg, la estrella de cine George Clooney y la diseñadora Donatella Versace».

En un viaje a España quedó impresionado con la calidad de las tapas. «¿Cómo es posible hacer tan bien una cosa tan sencilla?», se pregunta.

Considera que la perfección de la cocina japonesa en la utilización de los alimentos y la vanguardia española están creando algo increíble.

Vitrum, 'glass' in Latin, is a truly complete restaurant. It is simultaneously a haven for vegetarians and paradise for meat lovers.

In January of last year, the prestigious German magazine *Der Spiegel* stated that 'Kellermann will be one of the 50 most talked-about people of 2007, together with the best-selling Danish author Peter Høeg, film star George Clooney and designer Donatella Versace.'

On a trip to Spain, he was 'amazed' by the quality of the *tapas*. 'How is it possible to do something so simple so well?' he asked himself.

He believes that the perfection of Japanese cuisine lies in how it uses foods and that the Spanish avant-garde 'is creating something incredible'.

restaurant
VITRUM

Una estrella Michelín
Bocuse de Oro 1998

Hotel Ritz-Carlton. Potsdamer Platz, 3. 10785 Berlín. Alemania. Tel: 33 777 6340

Sopa de aceitunas con helado de aceite de oliva y galleta de chorizo ibérico

Olive soup with olive oil ice cream and Iberian *chorizo* sausage biscuit

Ingredientes para 5/8 personas

Sopa de aceitunas

Ingredientes

- 3 chalotas, peladas y cortadas en juliana
- 2 dientes de ajo, pelados y laminados
- 1 ramillete de tomillo
- 1 ramillete de romero
- 300 g de mantequilla
- 300 g de aceitunas verdes sin hueso
- 7 dl de caldo de ave
- Pimienta blanca molida
- Sal

Elaboración

Saltear las chalotas y el ajo en 50 g de mantequilla espumosa. Añadir las especias, las hierbas aromáticas y las aceitunas y cubrir con el caldo de ave. Dejar hervir a fuego lento durante unos 15 minutos y, a continuación, mezclar con 250 g de mantequilla y pasar por un tamiz fino.

Helado de aceite de oliva

Ingredientes

- 7,5 dl de aceite de oliva

Elaboración

Verter el aceite de oliva en un vaso Pacojet y dejar congelar durante 12 horas a -20º C. Finalmente pasarlo por la máquina Pacojet.

Galleta de chorizo

Ingredientes

- 125 g de harina
- 125 g de mantequilla
- 125 g de queso parmesano
- 1 huevo
- 90 g de chorizo desmigado
- Naranja amarga

Elaboración

Amasar la harina, la mantequilla, el chorizo desmigado, el parmesano y el huevo y dejarlo enfriar una hora. A continuación, extender una capa fina entre 2 hojas de papel para hornear y congelar. Cuando la masa esté congelada, cortar las galletas a un tamaño de 10x0,5 cm.

A continuación, colocar en papel para hornear y calentar en el horno a 170ºC durante unos 7-8 minutos para que se tueste. Dejar enfriar. Untar con mermelada de naranja amarga y espolvorear con el chorizo asado.

Presentación

Servir la sopa en un plato caliente. Preparar bolas de helado de aceite de oliva y colocarlas en la sopa. Servir inmediatamente para evitar que se funda el helado de aceite. Por último, decorar la sopa con la galleta y el polvo de chorizo.

Thomas
KELLERMANN

Productos andaluces / Andalusian products

Aceite de oliva virgen extra Montoro Adamuz (Córdoba) / Olive oil from Montoro Adamuz (Córdoba)

Aceitunas verdes de Sevilla / Green olives from Seville

Chorizo ibérico de Huelva / Iberian *chorizo* sausage from Huelva

Mermelada de naranja amarga de Sevilla / Bitter orange marmalade from Seville

Pierre
GAGNAIERE
Londres

Pierre GAGNAIRE

«Comparo el trabajo de alta cocina con el de una figura del toreo. Cada vez te juegas todo a cara o cruz. Pones el corazón, tu pasión y tu oficio pero hay imponderables para el torero, el toro pero también el viento y el público; los productos, un error del equipo de sala un mal día y también el público, en el caso del chef.»

«Cuando digo y cuando escucho la palabra manzanilla, me quedo con esa sílaba "za". El arrastrar de la zeta es sinónimo de la sedosidad de la manzanilla en el paladar y, ahora, gracias a la receta que he elaborado para este libro, he redescubierto el amontillado.»

«Andalucía es increíble. Es una de las regiones del mundo con más puntos a favor. Todo allí es importante: el clima, los aromas, los productos…»

«Para trabajar mi receta, utilicé conscientemente ventresca de atún de Andalucía. Todos los productos andaluces que he probado tienen una característica común: son sabrosos.»

'Despite the obvious differences, I like to compare the work of a chef of haute cuisine with that of a bullfighter. In the case of a chef, you have to deal with the products, with possible mistakes by staff on a bad day and also your customers.'

'When I pronounce and when I hear the word manzanilla, I like to relish the syllable 'za.' The hissing sound of the 'z' is synonymous with the silkiness of manzanilla on the palate, and now, thanks to the recipe I developed for this book, I have rediscovered *amontillado* sherry.'

'Andalusia is incredible. It is one of the regions in the world with the most things in its favour. Everything there is important: the climate, the aromas, the products…'

'When developing my recipe, I purposely used the belly tuna from Andalusia. All of the Andalusian products that I have tried, both now and on earlier trips, have one thing in common: they are flavourful.'

El constructivismo romántico

Talento, técnica e infinita cultura atesora Pierre Gagnaire en sus creaciones. Su cocina se basa en lo que llama «constructivismo culinario» y con el científico Hervé This investiga las aplicaciones tecnológicas de la gastronomía molecular. De esta manera, presenta sus platos con toques de genialidad artística, en los que difícilmente se pueden apreciar las formas y sabores de los alimentos originales. Gagnaire posee varios restaurantes repartidos por toda la geografía mundial; en París donde su homónimo restaurante cuenta con tres estrellas Michelín, en Tokio, Dubai, Hong Kong y en Londres, Sketch, al que junto con su socio Mouraud Mazous ha convertido en el espacio más *trendy* de la capital inglesa.

Romantic constructivism

Talent, technique and infinite culture abound in Pierre Gagnaire's creations, which overflow with imagination. His cooking is founded on what he calls 'culinary constructivism,' and together with scientist Hervé This, Gagnaire studies the technological applications of Molecular Gastronomy. As a result, he presents his dishes with dashes of artistic genius, in which the shapes and flavours of the original ingredients are difficult to distinguish. Gagnaire owns several restaurants throughout the world: in Paris, where the restaurant which takes his name has earned three Michelin stars, in Tokyo, in Dubai, in Hong Kong and in London, where the restaurant he runs with his partner Mouraud Mazous (Momo), 'Sketch,' has become the trendiest spot in the English capital.

Delicatessen

Considera que la cocina puede ser un medio real de expresión y de relación con los demás. Al igual que la música o la pintura, es capaz de comunicar emociones.

Es autor varios libros, *La cuisine inmediate, Sucré-Salé, La cuisine, Lúcido y lúdico y Alchimistes aux fourneaux*.

Su carácter se aprecia en cada comida. Es capaz de plasmar en cada plato detalles de genialidad que muestran sabores y colores insólitos, tan refinados como sofisticados.

Su restaurante Sketch ocupa un espacio de más de 2.500 m² y está diseñado por Marc Newson, Ron Arad, Jorgensen y Vicent Le Roy.

Sus ingredientes fetiche son, entre otros, el aceite de oliva, el vinagre de Jerez, el salmonete y las cigalas.

He believes that cooking can be a true medium of expression and communication with others. Just like music and painting, it is capable of transmitting emotions.

He is the author of numerous books: *La Cuisine Inmediate, Sucré-Salé, La Cuisine, Lúcido y lúdico y Alchimistes aux Fourneaux*.

His character can be felt in each meal. He is capable of infusing each dish with touches of genius that show extraordinary flavours and colours which are both subtle and sophisticated.

His restaurant Sketch occupies more than 2,500 m² and was designed by Marc Newson, Ron Arad, Jorgensen and Vicent Le Roy.

His preferred ingredients are, among others, olive oil, Jerez sherry vinegar, red mullet and lobster.

r e s t a u r a n t
SKETCH

Tres estrellas Michelín, restaurante Balzac (París)

9 Conduit street. London, w1s2xg, Tel: 207 659 45 00. www.sketch.uk.com

La Andaluza

Ingredientes para 6 personas

Sopa fría de pepino

- 2 pepinos
- 20 cl de leche
- 2 láminas de gelatina
- 1 poco de aceite de oliva virgen extra
- 1 poco de amontillado reserva
- Unas gotas de vinagre de Jerez
- Sal y pimienta

Acompañamientos

- 250 g de atún de almadraba en escabeche
- 20 g de mojama de atún
- 20 g de hueva de atún
- 30 g de jamón ibérico
- 1 lámina fina de queso (40 g)
- 50 g de sandía
- 50 g de mango
- 1 manojo de rúcula
- 6 rodajas de nabo blanco cocidas al vapor

Todo cortado en pequeñas láminas

Elaboración

Cortar 2 pepinos grandes en dados pequeños y echar un poco de sal. Dejar reposar 3 horas hasta que suelten toda el agua. Aclararlos y triturarlos mientras se añaden 20 cl de leche hirviendo con sal, pimienta y 2 láminas de gelatina, aceite de oliva virgen extra, vinagre y vino amontillado reserva.

Pasar la mezcla por un tamiz y reservar en la nevera.

Presentación

Emplatar sobre un fondo de rúcula la mojama, la hueva de atún, el atún de almadraba en escabeche, el jamón ibérico, el nabo, el mango, la sandía y una fina lámina de queso. Rociar todo con unas gotas de aceite de oliva y añadir la sopa fría de pepino con mucho cuidado.

Poner unas gotas de escabeche del atún de almadraba sobre la sopa fría.

Esta preparación se puede acompañar de finas láminas de pan crujiente secado al horno.

Pierre
GAGNAIRE

ANDALUSIA
WORLD
COOKING
TOUR

Spain

España

Marbella
Dani GARCÍA
Celia JIMÉNEZ

Córdoba
Kisko GARCÍA

Puerto de Santa María
Ángel LEÓN

Madrid
Paco RONCERO

San Sebastián
Pedro SUBIJANA

Rentería
Andoni Luis ADÚRIZ

Sant Pol de Mar
Carme RUSCALLEDA

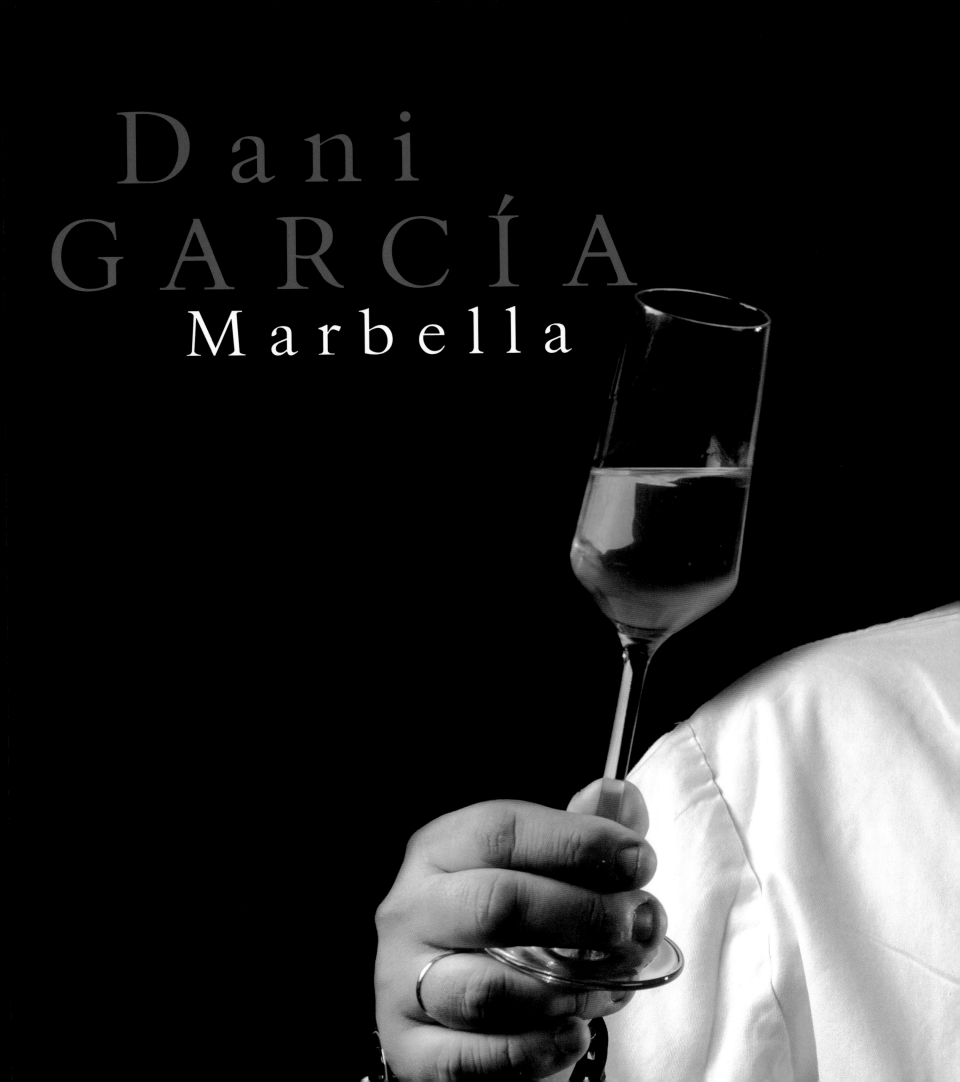

Dani
GARCÍA
Marbella

Dani GARCÍA

«Hago una cocina cien por cien andaluza porque Andalucía merece la pena ser cocinada.»

«El caviar de Granada es un producto excelente para la exportación.»

«Por su textura, la quisquilla; por su color, el tomate negro y por su sabor, el jamón ibérico y el aceite de oliva.»

«No sería el cocinero que soy si no hubiera pasado por la Escuela de Cocina de La Cónsula (Málaga).»

«Hay que tener cuidado con el término "cocina fusión", porque es un concepto muy complejo que a veces degenera en cocina "confusión". No vale todo.»

«Ser o no propietario de un restaurante, para mí, es secundario. Solo quiero ser feliz cocinando.»

'I cook one hundred percent Andalusian cuisine, because Andalusia is worth cooking.'

'Granada caviar is an excellent product for export.'

'For its texture, shrimp; for their colour, black tomatoes and for their flavour, Iberian cured ham and olive oil.'

'I wouldn't be the chef I am today if I hadn't attended La Cónsula cooking school (Málaga).'

'We have to be careful with the term "fusion cuisine" because it is a very complex concept which sometimes degenerates into "confusion". Not everything is acceptable.'

'Whether or not I own a restaurant is of secondary importance for me. I just want to enjoy cooking.'

Maestro del aceite y el nitrógeno

Dani es otro magnífico «producto» cocinado en la escuela malagueña de La Cónsula. Con una estrella Michelín en su restaurante marbellí Calima, este cocinero de profundas raíces culinarias andaluzas, se está acostumbrando a coleccionar premios y se ha convertido en una de las figuras más importantes del panorama gastronómico actual. Innvovador e imaginativo, experimenta con las técnicas más modernas y arriesgadas para, respetando el sabor tradicional del producto, ofrecer al comensal gustos y texturas verdaderamente únicos, como los que produce el aceite de oliva pasado por nitrógeno o las palomitas de tomate RAF. Apasionado del oro líquido de su tierra, sorprendió en Madrid Fusión 2007 con un plato: caviar granadino con lingote de oro de aceite de oliva y guarnición de aceitunas deshidratadas.

Master of oil and nitrogen

Dani is another of the magnificent 'product' cooked up by the Malaga school La Cónsula. With one Michelin star at his Marbella restaurant Calima, this chef with deep Andalusian culinary roots is growing used to collecting awards. He has become one of the most important figures in today's culinary scene. Innovative and imaginative, he experiments with the most modern and daring techniques. However, he always respects the traditional flavour of the product, offering diners truly unique tastes and textures, such as olive oil run through liquid nitrogen or RAF tomato 'popcorn'. An enthusiast of the liquid gold of his homeland, he surprised attendees at Madrid Fusión 2007 with one dish: Granada caviar with an olive oil gold ingot and a dehydrated olive garnish.

Delicatessen

En 1998 fue nombrado jefe de cocina del restaurante Tragabuches, en Ronda. Solo dos años después recibió su primera estrella Michelín.

Asesorado por la Universidad de Granada, ha introducido en la alta cocina la técnica de la congelación de las materias primas con nitrógeno líquido a -196ºC, a la que denomina «criococina».

Asegura: «Soy un 4x4, como absolutamente de todo. Lo que más me gusta son las sardinas, el pescado frito y la cocina tradicional de nuestra tierra. También me gusta una buena pizza, una tortilla, un huevo frito o una buena salchicha».

Gran aficionado a la cocina japonesa, ha publicado dos libros: *Tragabuches y Dani García, Técnica y Contrastes.*

In 1998 he was named the chef of Tragabuches restaurant in Ronda. Just two years later, he received his first Michelin star.

Advised by the University of Granada, he has introduced the technique of using liquid nitrogen to freeze raw materials at 196º to haute cuisine. He calls it 'criocooking'.

He says: 'I'm a 4x4, I eat absolutely everything. What I like most are sardines, fried fish and the traditional cooking of our land. I also like a good pizza, a Spanish omelette, fried eggs or a good sausage.'

A great fan of Japanese cooking, García has published two books: *Tragabuches* and *Dani García, Technique and Contrasts.*

restaurant
C A L I M A

Una estrella Michelín
Mejor Cocinero de España 2006
Mejor Cocinero Joven de Europa 2006

Hotel Gran Meliá Don Pepe. Avda. José Meliá, s/n. 29602 Marbella (Málaga). España. Tel: 952 764 252. www.restaurantecalima.es

Ensalada de cigalas de MOTRIL, palomitas de aceite de oliva y tomate RAF de Almería

Motril Norway lobster salad, olive oil popcorn and Almería RAF tomato

Ingredientes para 4 personas

Cigalas de Motril

Ingredientes

- 4 cigalas
- Sal maldom

Elaboración

Pelar las cigalas y reservar. Extraer el jugo de las cabezas con la ayuda de un chino. Marcar la cigala sólo por la parte de abajo para dejarla medio cruda. Sazonar con sal maldom y añadir un poco del jugo de las cabezas.

Agua de tomate

Ingredientes

- 1 k de tomate RAF
- 5 g de albahaca
- 5 g de sal
- 2 g de azúcar

Elaboración

Triturar los tomates, la albahaca, la sal y el azúcar. Cuando todos los productos estén bien triturados, coger una estameña y un recipiente. Colocar la estameña dentro del recipiente e ir añadiendo poco a poco la mezcla que hemos triturado. Con ellos, conseguimos un agua transparente pero con todo el sabor del tomate RAF.

Gelatina de tomate

Ingredientes

- ¼ l de agua de tomate RAF
- 2 g de agar-agar

Elaboración

Poner a calentar un ¼ de l de agua de tomate y cuando rompa a hervir, añadir el agar-agar. Dejar que hierva durante unos 15 segundos y agregar el agua de tomate a la base del plato. Enfriar en la nevera.

Crudités

Ingredientes

- 4 puntas de espárrago cocidas *al dente*
- 4 acelgas rojas sanguínea
- Rúcula
- Mostaza
- 4 semillas de tomate RAF
- 4 tirabeques
- 20 g de jamón ibérico
- 100 g de habas
- 5 cc de jugo de aceituna manzanilla

Elaboración

Cortar el jamón en lonchas finas e introducir en aceite de oliva virgen extra a fuego lento hasta que quede crujiente. Sacar y reservar. Pelar las habas y reservar. Reservamos también las puntas de espárrago *al dente* y el resto de los ingredientes.

Palomitas de tomate RAF y aceite de oliva

Ingredientes

- ¼ l de agua de tomate RAF
- ¼ l de aceite de oliva virgen extra
- 1 hoja de gelatina
- Nitrógeno líquido
- 5 g de sal
- 1 sifón
- 2 cargas de gas

Elaboración

Calentar 125 cc de agua de tomate y añadir la hoja de gelatina y diluir. Retirar del fuego, mezclar con el agua restante y enfriar. Añadir el aceite de oliva y la sal y emulsionar. Introducir la mezcla dentro del sifón y también las cargas. Proyectar la emulsión sobre el nitrógeno líquido y se formarán palomitas. Sacarlas con mucho cuidado y mantenerlas dentro de un abatidor de temperatura.

> **Presentación**
> Colocar las pepitas de tomate sobre la gelatina, luego las verduras cortadas muy finas, las hojas, el jamón y la cigala. Añadir sal maldom y terminar con las palomitas de tomate RAF y aceite de oliva.

Dani
GARCÍA

Productos andaluces / Andalusian products

Cigalas de Motril (Granada) / Motril (Granada) Norway lobster
Tomate RAF de Almería / RAF tomatoes from Almería
Jamón ibérico de Huelva / Huelva Iberian cured ham
Espárrago de Granada / Granada asparagus
Habas de Córdoba / Córdoba broad beans
Aceitunas de manzanilla sevillana / Manzanilla olives from Seville
Aceite de oliva virgen extra de Baena (Córdoba) / Baena (Córdoba) extra virgin olive oil
Aceite de oliva virgen extra de Estepa (Sevilla) / Estepa (Seville) extra virgin olive oil

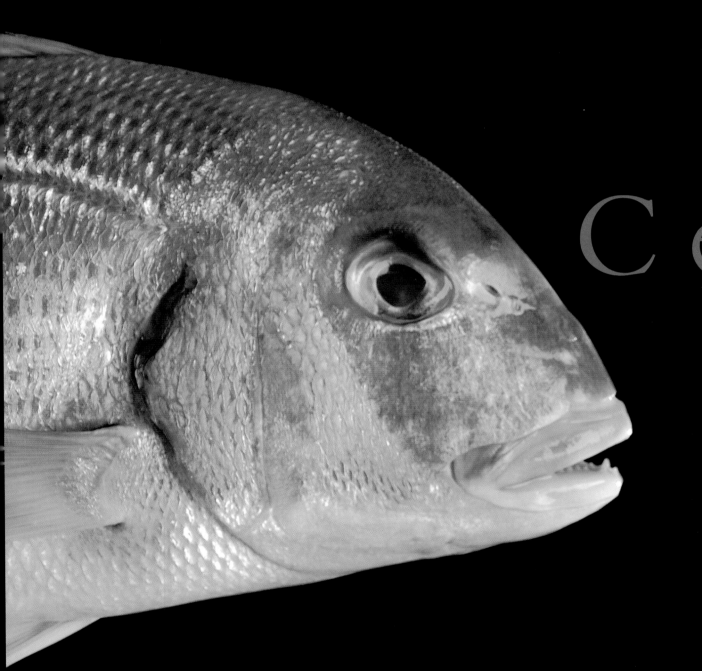

Celia
JIM
Ma

ÉNEZ
bella

Celia
JIMÉNEZ

«Andalucía es una de las regiones del mundo con más riqueza de productos por las influencias culturales que hemos tenido.»

«Si tuviera que quedarme con un producto andaluz elegiría el tomate. Lo empleo mucho en mi cocina.»

«Me gustan también la carne de cerdo ibérico y los pescados.»

«Para mí, lo más importante es la calidad del producto, el producto fresco. Y en Andalucía tenemos esos productos.»

«La cocina andaluza será un referente en España dentro de poco.»

«Me siento muy orgullosa de la estrella Michelín porque es una recompensa. Pero a la vez me asusta un poco, porque tengo un gran sentimiento de responsabilidad. No quiero defraudar.»

«Lo más difícil en un restaurante es mantener todos los días el nivel. Las técnicas se aprenden y se mecanizan.»

'Andalusia is one of the world's regions with the greatest wealth of products due to our cultural influences.'

'If I had to choose just one Andalusian product, I would pick the tomato. And I use them a lot in my cooking.'

'I also like Iberian pork and fish.'

'For me, the most important thing is the quality of the product, the fresh product. And in Andalusia we have these products.'

'Andalusian cooking will be a point of reference in Spain before too long.'

'When I eat at a restaurant, I don't look for them to surprise me with sophisticated techniques. I like dishes which are made with love.'

'The most difficult thing in a restaurant is keeping up the same level every day. Techniques are learned and become automatic.'

La profundidad de la Andalucía contemporánea

Es la única chef andaluza distinguida con una estrella Michelín, y define su cocina como andaluza y contemporánea. Esta chef, de apenas 32 años, dirige la cocina del restaurante El Lago (Marbella), en donde combina las tendencias culinarias más modernas con el apego a sus raíces cordobesas y al mar Mediterráneo, a cuya orilla vive desde hace años. Precisamente, es en la preparación de los pescados del litoral andaluz donde sobresale la mano experta de Celia Jiménez. Una chef formada en Málaga, pero que se siente cordobesa por los cuatro costados. Por eso también es una apasionada de la carne de cerdo ibérico.

The depth of modern Andalusia

Jiménez is the only Andalusian chef to have been honoured with a Michelin star. She defines her cuisine as Andalusian contemporary. This chef, just 32 years old, runs the kitchen at El Lago restaurant (Marbella), where she combines the most modern culinary trends with a fondness for her roots in Córdoba and the Mediterranean, on whose shores she has lived for years. And it is at preparing fish from the Andalusian coast that the expert hand of Celia Jiménez excels. The chef was trained in Málaga, but considers herself a Córdoba native to the core. For this reason, she is also a true lover of Iberian pork.

Delicatessen

Algunos de sus productos marinos favoritos son la urta, la lubina y el pulpo. También ofrece extraordinarias recetas de carne, como su famoso cabrito asado con apio y mollejas.

Defensora de las verduras ecológicas, muchas de las hortalizas que se ofrecen en su restaurante proceden de una huerta cercana.

Asegura que cuando no está trabajando le gusta la comida sencilla, los platos poco elaborados. En Málaga, le encanta comer pescaíto frito.

Formada en la escuela malagueña de La Cónsula, alaba su pionero método de enseñanza: «Desde el primer día permite al alumno trabajar en una cocina, aunque supervisado por un profesional», afirma.

Recomienda sensatez a los jóvenes chefs porque opina que la cocina tiene una cara bonita, pero tiene que gustarte mucho porque es muy sacrificada.

Among her favourite foods from the sea are redbanded sea bream, sea bass and octopus. She also offers extraordinary recipes for meat dishes, such as her famous roast kid goat with celery and sweetbreads.

A champion of organic vegetables, much of the produce offered at her restaurant comes from a nearby market garden.

She says that when she is not working, she likes simple food, dishes with very little preparation. In Málaga, she loves eating *pescaíto frito* (fried fish).

Trained at Málaga's La Cónsula, she praises its pioneering teaching methods: 'From the first day, students are allowed to work in the kitchen, although they are supervised by a professional,' she says.

She recommends that young chefs exercise 'good sense' because 'cooking has its positive side, but you have to really love it because it requires a great deal of sacrifice'.

restaurant
EL LAGO

Una estrella Michelín

Greenlife Golf. Urb. Avda. Las Cumbres s/n. 29603 Marbella (Málaga). España. Tel: 952 832 371. www.restauranteellago.com

Urta de Conil confitada con pulpo del Mediterráneo asado al limón, cebolletas caramelizadas y toques cítricos

Conil redbanded sea bream confit with lemon-roasted Mediterranean octopus, caramelised spring onions and citrus nuances

Ingredientes para cuatro personas

- 1 urta
- 1 pulpo mediano
- 200 ml aceite de oliva extra virgen
- 2 cebollas
- 2 tomates RAF
- 3 dientes de ajo
- 4 limones
- 2 hojas de laurel
- 2 cebolletas grandes
- 500 ml de aceite de oliva virgen extra
- Vinagre de Jerez
- Escamas de sal y algas
- Hojas de tomillo limonero
- Azúcar
- Sal

Elaboración

Limpiar la urta retirando las escamas, las aletas, las vísceras y la cabeza. Sacar los lomos y reservar.

Limpiar el pulpo con abundante agua eliminando los restos de suciedad y arena. Una vez limpio, escurrir y poner en una bandeja de horno junto con los ajos machacados, los tomates cortados en cuartos, la cebolla troceada y los limones, a los que habremos retirado la piel cortados a la mitad.

Añadir el aceite de oliva y las hojas de laurel y asar en el horno a 200ºC durante 90 minutos. Transcurrido este tiempo, comprobar que el pulpo esté tierno y retirar, reservando el jugo de la cocción, que colaremos por la superbag y reduciremos. Cortar el pulpo en rodajas gruesas y reservar para la presentación.

Cortar las cebolletas a la mitad y envolver en papel de aluminio junto con unas gotas de aceite, sal y azúcar. Cocinar a 160ºC hasta que comiencen a caramelizar. Retirar del aluminio y reservar.

Picar en brunoise la piel de limón, escaldar y enfriar en agua con hielo. A continuación, elaborar una vinagreta de limón junto con el vinagre de Jerez y aceite de oliva.

A continuación, marcar la urta en una sartén antiadherente hasta que adquiera color tostado y terminar durante 4 minutos en un baño de aceite a 67ºC.

Calentar en salamandra las cebolletas y el pulpo.

Presentación

Poner en un plato el jugo reducido de limón, las cebolletas y el pulpo. Colocar el pescado y terminar con la vinagreta de limón, las hojas de tomillo y las escamas de sal y algas.

C e l i a
JIMÉNEZ

Productos andaluces / Andalusian products

Urta de Conil (Cádiz) / Conil (Cádiz) redbanded sea bream
Pulpo de Motril (Granada) / Motril (Granada) octopus
Aceite de oliva virgen extra de Priego de Córdoba / Priego de Córdoba extra virgin olive oil
Aceite de oliva de Antequera (Málaga) / Antequera (Málaga) extra virgin olive oil
Tomate RAF de Almería / RAF tomatoes from Almería
Vinagre de Jerez / Sherry vinegar

K i s k

o GARCÍA
Córdoba

Kisko GARCÍA

«Desde muy pequeño tenía claro cuál iba a ser mi profesión. Igual que cualquier niño aprende a jugar al fútbol, yo cocinaba con mi padre.»

«En mi memoria gustativa tengo una fusión de todos los productos andaluces, aunque el aceite de oliva y el jamón ibérico son los que más me enloquecen.»

«Para mí, la cocina no es algo metódico, sino que tiene que ver con los sentimientos. Es algo espiritual y artístico.»

«Afortunadamente en Andalucía se han conjugado la tradición y la innovación en los sistemas de pesca y cultivos de frutas y verduras. Estamos en un momento muy bueno y debemos ser exquisitos para conseguir que la calidad de esos productos no disminuya.»

«La cocina de Andalucía está de moda. Tenemos que hacer que esta región huela a cocina. Para eso debemos darle un tratamiento más actual a nuestros productos y crear una gastronomía nueva.»

'From a very young age, I was sure what my profession would be. Just as any other kid learns to play football, I cooked with my father.'

'In my taste memory I have a fusion of all the Andalusian products, although olive oil and cured Iberian ham are what most drive me mad.'

'For me, cooking is not something methodical, but is related to feelings. It is something spiritual and artistic.'

'Fortunately, in Andalusia the traditional systems of fishing and cultivating fruits and vegetables have been retained. Now is a very good time and we must be careful to ensure that the quality of these products does not diminish.'

'Andalusian cuisine is in fashion. We have to make this region smell of cooking. To do so, we must handle our products in a more modern way and create a new cuisine.'

Espíritu de Andalucía hecho arte

Este joven chef cordobés pertenece a la denominada «nueva generación de cocineros andaluces». Orgulloso de llevar la cocina en la sangre, ya que nació y creció en el bar El Choco que originariamente regentaban sus padres, presenta una cocina creativa de raíces andaluzas con toques de fusión y aromas de la tierra. Kisko define su estilo culinario como personal y de autor, estilo que puede considerarse como un perfecto maridaje entre el producto autóctono y la aplicación de nuevas técnicas. Respetuoso con la tradición, refleja en sus platos su incesante inquietud por aprender una gastronomía de altos vuelos que, como forma de expresión, le permita compartir su talento y relacionarse con otras personas.

Andalusia spirit made art

This young chef from Córdoba is part of the so-called 'new generation of Andalusian chefs'. Proud of having cooking in his blood, as he was born and raised in the bar El Choco, originally run by his parents, he offers creative cooking with Andalusian roots, touches of fusion and aromas of the land. Kisko defines his culinary style as 'personal and signature', a style which can be considered a perfect match between native product and applying new technologies. Respectful of tradition, his dishes reflect his ceaseless curiosity to learn a virtuoso cuisine which as a form of expression will allow him to share his talent and relate to others.

Delicatessen

Lleva tres años sorprendiendo en El Choco con una cocina innovadora y arriesgada que, poco a poco, ha ido convenciendo a los más escépticos de su entorno.

En 2007 representó a España en el Salón Internacional de Restaurantes de Lyon junto con Dani García, Paco Roncero y Alberto Chicote.

Modesto donde los haya, opina que hay que tener los pies en el suelo aunque ha trabajado con grandes chefs como Sergi Arola, los hermanos Roca, Nacho Manzano y Dani García.

Está convencido de que la nueva generación de cocineros andaluces nació con un gran impulso y apunta lejos. Considera que para conseguir un buen plato, la motivación es fundamental.

For three years he has been offering surprises at El Choco with a daring and innovative cuisine that, little by little, has convinced the most sceptical around him.

In 2007, he represented Spain at the International Restaurant Show in Lyon, together with Dani García, Paco Rocero and Alberto Chicote.

Modest as they come, he believes it is necessary to have one's feet on the ground, although he has worked with great chefs such as Sergi Arola, the Roca Brothers, Nacho Manzano and Dani García.

He is convinced that the new generation of Andalusian chefs started with a bang and aims high. He believes that in order to achieve a good dish, motivation is key.

restaurant
EL CHOCO

Premio Mejor Restaurante Revelación Madrid Fusión 2006

Compositor Serrano Lucena, 14. 14010. Córdoba. España. Tel: 957 264 868. www.restaurantechoco.es

Nido de QUESO Dorado
Golden cheese nest

Ingredientes para 4 personas

Esfera de queso

Ingredientes

- 160 g de queso de cabra
- 40 cc de aceite de oliva virgen extra
- 40 g de crema de nata
- Sal

Elaboración

Introducir el queso en la Thermomix, atemperarlo a 40ºC durante 3 minutos, añadir la nata y el aceite poco a poco hasta conseguir una crema homogénea. Sazonar.

Preparar unos moldes de silicona en forma de medias esferas, llenarlos con la crema de queso y darles un golpe de congelación. Sacar del congelador, atemperar las esferas, unirlas y hacer unos círculos perfectos que reservamos en frío.

Compota de fresas de Huelva

Ingredientes

- ½ k puré de fresas
- 3 g agar-agar

Elaboración

Cocer ½ k de fresas de Huelva. Una vez cocidas las fresas, triturarlas y pasarlas por un chino fino. Añadir el agar-agar y reservar.

Baño de oro

Ingredientes

- ½ litro agua mineral
- 30 g agar-agar
- 15 g polvo de oro

Elaboración

Calentar el agua mineral hasta llegar a unos 70ºC, añadir el agar-agar y el polvo de oro. Batir hasta conseguir una mezcla homogénea.

A continuación introducir las bolas de queso en el baño de oro y dejarlas secar en frío.

Presentación

Preparar con una máquina de algodón de azúcar un nido, y sobre él colocar una cama de dados de pan de especias y la esfera de oro.

Finalmente, pintar el plato con compota de fresas.

Productos andaluces / Andalusian products
Queso de cabra de Málaga / Málaga goat cheese
Aceite de oliva de Montoro Adamuz (Córdoba) / Montoro Adamuz (Córdoba) olive oil
Fresas de Huelva / Huelva strawberries

K i s k o
GARCÍA

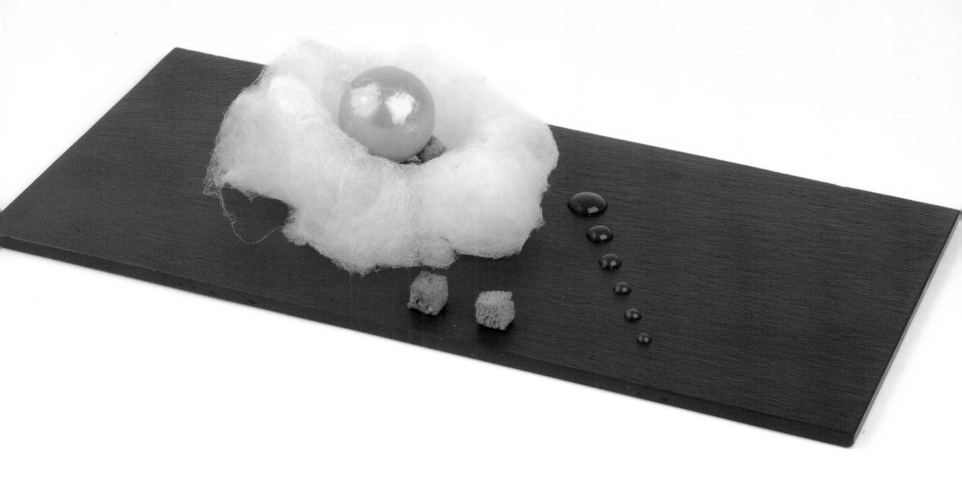

ÁngelLEÓN

Puerto de
Santa María

Ángel LEÓN

«El jamón ibérico, el aceite de oliva y los vinos son la "santísima trinidad" de la gastronomía andaluza, pero yo añadiría los productos pesqueros. Andalucía es mar, somos todo costa.»

«Los huesos de aceituna son un nuevo combustible, que aporta sabores y aromas increíbles a los pescados.»

«La cocina andaluza ha superado viejos complejos y se ha posicionado en los primeros puestos de la alta cocina mundial.»

«Aunque haga investigaciones y sea… digamos, diferente, no puedo ni debo olvidar que soy un cocinero, y la humildad es fundamental para mantenerse.»

'Iberian cured ham, olive oil and wine are "the holy trinity" of Andalusian cuisine, but I would also add fish products. Andalusia is the sea, we are all about the coast.'

'Olive stones are a new fuel which lends fish incredible flavours and aromas.'

'Andalusian cooking has moved beyond its old insecurities and has positioned itself among the top international haute cuisines.'

'Although I may do research and am, shall we say, different, I can't and I mustn't forget that I'm a cook. Modesty is key to holding one's position.'

El cocinero de mares y sueños

Lleva toda su vida vinculado al mar y a través de los peces de la bahía gaditana descubrió la cocina. Experto en el tratamiento de todo tipo de pescados, León es cocinero, artista y científico. Junto con la Universidad de Cádiz ha inventado la máquina Clarimax que, con la utilización de algas diatomeas como filtro, permite desgrasar los caldos hasta en un 94%, manteniendo todo su aroma y sabor. Otra de sus aportaciones más novedosas es la util ización de huesos de aceituna como brasas. Actualmente trata de crear condimentos a base de esencias de vinos. Desde su restaurante Aponiente, en El Puerto, no deja de asombrar al mundo gastronómico. Y aún no ha cumplido los 30.

The cook of seas and dreams

His entire life he has had a connection with the sea, and he discovered cooking through the fish of the Bay of Cádiz. An expert in handling all types of fish, León is a cook, artist and scientist. Together with the University of Cádiz, he invented the Clarimax machine, which can remove 94% of the oil from stock using diatom algae, retaining the full aroma and flavor. Another of his most novel contributions is the use of olive pits for grilling. Currently, he is working on creating condiments based on wine essences. He continues to astound the culinary world from his restaurant, Aponiente, in El Puerto. And he is not yet even 30.

Delicatessen

Asegura que habla con los peces.

Ha recorrido medio mundo enrolado en barcos pesqueros.

Aprovecha las escamas de los peces para emulsiones; los ojos, como ligazones y las algas, para las clarificaciones.

Quiere descubrir a la alta gastronomía los sabores de pescados de la bahía gaditana que siempre se han desechado.

Su cocina tiene una clara influencia árabe.

He insists that he talks to the fish.

He has traveled half the world aboard fishing vessels.

He makes use of the fish scales for emulsions, uses the eyes for binding and algae for clarifying.

He wants to bring the flavors of Bay of Cádiz fish that have always been rejected to the world of haute cuisine.

His cuisine have a clear Arabic influence.

restaurant
A P O N I E N T E

Premio a la Innovación y Tecnología en la VI edición Madrid Fusión 2008

Puerto Escondido, 6. 11500 El Puerto de Santa María. Cádiz. Tel: 956 851 870. www.aponiente.com

Langostino de SANLÚCAR asado en arena sobre huesos de aceituna, infusión de mojama de BARBATE clarificada y torrefactado marino

Sanlúcar lobster baked in sand over olive stones, infusion of clarified Barbate *mojama* and marine torrefaction

Ingredientes para 4 personas

- 400 g de atún fresco de almadraba

Los langostinos

Ingredientes

- 4 langostinos
- 300 g de arena de mar
- 100 g de lechuga de mar
- 20 g de albúmina en polvo
- 40 cl de agua de mar

Elaboración

Introducir la arena en la Thermomix junto con el agua de mar y la lechuga, que previamente hemos dejado hidratar en agua. Cuando tengamos una textura parecida al salmorejo, añadir los 20 g de albúmina.

Cubrir el cuerpo de los langostinos, dejando las patas fuera, con una capa de la arena marina tratada en la Thermomix y colocar sobre las brasas de huesos de aceituna durante 7 minutos, tiempo justo para que la albúmina haga su efecto y el langostino salga limpiamente de la arena.

Infusión de mojama

Ingredientes

- 1 l de agua mineral
- 100 g de alga combo
- 400 g de mojama
- 100 g de soja fermentada blanca
- 100 g de soja fermentada roja

Elaboración

Infusionar el alga combo durante 15 minutos en agua mineral fría y retirar. A continuación, en el mismo agua, infusionar la mojama a unos 70°C, retirar a los 15 minutos y enfriar. Seguidamente, añadir una cucharada de soja fermentada roja y blanca. Poner a punto de sal y calentar, pero nunca puede hervir, por lo tanto lo adecuado es que esté entre 80°C y 90°C. Finalmente, filtrar este caldo en el Clarimax y reservar.

Torrefactado marino

Ingredientes

- 30 g de hinojo
- 25 g de piel de manzana verde
- 40 g de almendras
- 40 g de piñones
- 40 g de anacardos
- 20 g de piel de naranja
- 20 g de piel de limón
- 10 g de codium (alga)
- 2 o 3 cucharadas de aceite de oliva virgen extra

Elaboración

Introducir los productos en una bandeja de horno y asar a 160°C alrededor de unos 7 minutos. Una vez que se han torrefactado (estén bien dorados), introducir en laThermomix y emulsionar con unas 2-3 cucharadas de aceite de oliva virgen extra muy suave, consiguiendo un praliné con matices dulces, amargos, salados y marinos.

Presentación

En el fondo de un plato colocar almendras, anacardos, piñones, manzana verde y atún fresco de almadraba picados muy finos. Pelar los langostinos y servir sobre una cama de praliné marino junto con la infusión de mojama.

Ángel
LEÓN

Paco
RONCERO
Madrid

Paco RONCERO

«La cocina andaluza es un referente a nivel mundial. Tiene productos maravillosos y un montón de elaboraciones diferentes. Andalucía es una de las regiones que más se preocupa de los cocineros y más se está moviendo para promocionar su cocina.»

«El jerez, el fino y la manzanilla son vinos maravillosos. Creo que se debe a su tierra.»

«El jamón ibérico es un producto único en el mundo y los derivados del cerdo son auténticos manjares.»

«Es importante estar en los medios porque en la sociedad en que vivimos, la comunicación es algo básico. Los cocineros hemos crecido como profesionales y ahora somos capaces de subir a un escenario y hablar para muchas personas.»

«El amor que sentimos por la cocina es lo que nos motiva a hacer cosas nuevas y evolucionar, siempre con coherencia, que es algo que muchos han perdido por el camino.»

'Andalusian cuisine is renowned worldwide. It has marvellous products and a wealth of different dishes. Andalusia is one of the regions that takes the best care of its chefs and is most actively promoting its cuisine.'

'Jerez, Fino and Manzanilla sherries are excellent wines. I think this has to do with their place of origin.'

'Iberian cured ham is a unique product in the world, and pork products are true delicacies. Iberian ham represents purity; Jerez vinegar, history and Jerez Brandy, tradition.'

'It's important to have a presence in the media because in today's society, communication is fundamental. We chefs have evolved as professionals, and how we are able to get up on stage and talk to a multitude of people.'

'The love we have for cooking is what motivates us to do new things and to evolve, always coherently, which is something that others have left by the wayside.'

El mago de las texturas

El chef de la Terraza del Casino de Madrid es un innovador nato que confiesa seguir la metodología y las directrices del gran Ferrán Adrià. Con su creatividad, plasmada en la elaboración de diferentes texturas, así como sus juegos de temperaturas con nitrógeno líquido, ha llevado a la cocina del Casino de Madrid a conseguir una estrella Michelín, siendo el primer club privado de Europa que la obtiene. Este Chef L´Avenir 2005 realiza múltiples transformaciones con el aceite de oliva, cristalizadas en nuevas expresiones y sensaciones que reinterpretan platos tradicionales. Colaborador en publicaciones, programas televisivos, así como conferenciante y ponente en numerosos congresos, Roncero ha contribuido ha situar la gastronomía española en lo más alto del panorama internacional.

The Magician of Textures

This chef from La Terraza del Casino in Madrid is a born innovator who admits to following the techniques and teachings of the great Ferrán Adrià. Thanks to his boundless creativity, brought to life in the preparation of different textures, as well as his playful use of temperatures achieved with liquid nitrogen, Roncero has earned the cuisine at the Casino de Madrid one Michelin star, thus making the Casino the first private club in Europe to achieve this distinction. Named Chef L´Avenir in 2005, Roncero accomplishes multiple feats with olive oil, crystallized in expressions and sensations that bring new life to traditional dishes. As a collaborator with numerous publications and television programe, and a guest speaker and lecturer at countless conferences, Roncero has helped put Spanish gastronomy at the pinnacle of the international scene.

Delicatessen

Premio Nacional de Gastronomía 2006, descubrió que su futuro era la cocina cuando ingresó en la Escuela Superior de Hostelería y Turismo de Madrid, después de haberse matriculado en Ciencias Biológicas y no llegar a pisar la facultad.

En 2003 crea el software «gestor de cocina» para mejorar el rendimiento de las cocinas y el entorno gastronómico.

Ha publicado el libro *Las tapas en la gastronomía del siglo XXI* y posee un espacio en el Canal Cocina titulado *Cocina en miniatura.*

Sorprendió a la Comisión de Turismo de Singapur en 2006 con la elaboración de fideos de aceite de oliva que medían dos metros.

Winner of the National Gastronomy Award in 2006. He discovered that his future was to lie in the culinary arts when he entered the Higher School of Hospitality and Tourism in Madrid, after having first registered as a biology student but never having set foot in the school.

In 2003, he created Kitchen Manager, software for improving kitchens and eating establishments.

He published the book *Tapas in 21th Century Gastronomy,* and hosts a programme on the Cocina Channel titled *Cuisine in Miniature.*

He surprised the Singapore Tourism Committee in 2006 with a dish of two-metre long olive oil noodles.

Una estrella Michelín

Alcalá, 15. 28014 Madrid. España. Tel: 91 532 12 75. www.casinodemadrid.es

Arroz de aceite de oliva con bogavante del ATLÁNTICO

Olive oil rice with Atlantic lobster

Ingredientes para 4 personas

- 1 bogavante

Cubrir el bogavante con agua y cocerlo durante 1 minuto. Posteriormente enfriarlo en agua, hielo y sal (30 g por litro). Retirar la cáscara del bogavante y reservar la carne fileteada. Extraer el coral de la cabeza y pasarlo por un chino.

Caldo de paella

- 50 ml de aceite de oliva virgen extra
- 100 g de morralla de pescado
- 100 g cangrejo de mar
- 50 g de cebolla
- 10 g de perejil fresco
- 5 g de ajo pelado
- 1 g de azafrán
- 1 g de pimentón dulce
- 20 g de tomate
- 2,5 dl de agua

Saltear los cangrejos, la morralla de pescado y los recortes del bogavante con aceite de oliva en una paellera. Retirar estos ingredientes para sofreír en el mismo aceite los ajos, la cebolla, el pimentón, el perejil y el tomate. Añadir los cangrejos y el pescado y cubrirlo de agua. Agregar el azafrán, cocer a fuego lento y colar el caldo.

Agua de arroz

- 5 dl de agua
- 20 g de arroz

Hervir el arroz con sal en el caldo durante 30 minutos a fuego lento, colar y dejar enfriar reservando el agua de la cocción.

Base de metilcelulosa

- 80 ml de agua
- 2 g de metilcelulosa

Triturar la metilcelulosa con el agua hasta conseguir una pasta con textura gomosa. Introducir en el frigorífico, al menos 24 horas.

Lágrimas de arroz

- 50 g de base de metilcelulosa (elaborada anteriormente)
- Aceite de oliva virgen extra
- 1 dl de agua de cocer arroz
- 1 g de azafrán
- 2 g de sal

Mezclar el agua de cocer el arroz y la base de metilcelulosa. Emulsionar con aceite de oliva virgen extra y añadir el azafrán. Introducir la mezcla en una jeringa y melificar formando el arroz de aceite sobre el caldo de la paella caliente, gota a gota. Mantener caliente hasta su terminación.

Verduras

- 20 g de guisantes repelados
- 60 g de coliflor
- 80 g de pimiento rojo asado
- 100 g de limones

Escaldar los brotes de coliflor en agua con sal y posteriormente enfriar en agua helada y mantener en la nevera.

Arroz suflado

- 50 g de arroz inflado
- 400 cc de agua

Cocer el arroz hasta que se pase, colarlo, refrescarlo y volverlo a colar. Extender el arroz sobre un papel sulfurizado y dejarlo secar durante 24 horas a temperatura ambiente.

Aire de limón

- 100 g de zumo de limón
- 100 cc de agua
- 3 g de lecitina de soja

Mezclar todos los ingredientes con ayuda de una batidora hasta disolver la lecitina de soja. Reservar en frío.

Presentación

Saltear el bogavante y añadir el arroz de aceite. Rectificar de sal y añadir poco a poco el caldo de paella.

Saltear las verduras e incorporarlas a la paella. Poner una cucharada de aire de limón y terminar el plato colocando el arroz suflado.

Paco
RONCERO

Productos andaluces / Andalusian products

Aceite de oliva de Sierra Mágina (Jaén) / Sierra Mágina (Jaén) olive oil

Tomate rojo de Almería / Red tomato from Almería

Bogavante del Atlántico / Atlantic Lobster

Aceite de oliva de Antequera (Málaga) / Antequera (Málaga) olive oil

Pedro
SUBIJANA
San Sebastián

Pedro SUBIJANA

«Creo que la excelencia consiste en dar siempre un paso más allá de lo que en ese momento tú crees que es lo mejor.»

«Una de las joyas más grandes del universo es el jamón ibérico. Yo no estoy dispuesto a prescindir del jamón.»

«Me gusta mucho el cerdo ibérico y siempre me gustó a pesar de que se ha descubierto como carne fresca hace tres días. Yo la reclamaba hace muchos años.»

«Cuando nadie hablaba de aceite en este país, ni conocían el vinagre de Jerez, yo me iba a Francia a comprarlo; me parecían un lujo para mi cocina.»

«Combinaría un oloroso con mis perlitas de foie, el fino con mis ostras que se comen con cáscara; un amontillado con la declinación de quesos y para el Pedro Ximénez crearía un postre llamado Los aromas materializados del Pedro Ximénez.»

'I believe that excellence entails being one step ahead of what you believe to be the best at any given time.'

'One of the universe's finest treasures is Iberian cured ham and even though it is expensive, I don't care. I'm not willing to give up ham.'

'I love Iberian pork. I've always loved it, even though it has only recently been discovered as fresh meat. I have been calling for this for years. '

'When no one was talking about olive oil in this country, and no one knew about Sherry vinegar, I went to France to buy it; these seemed like a luxury to me for my cooking.'

'I would combine an *oloroso* sherry with my foie pearls, a Fino with my oysters which are eaten in the shell; an Amontillado with the 'declination of cheeses' and, for the Pedro Ximénez, I would create a dessert called The materialized aromas of Pedro Ximénez.'

La autenticidad en constante evolución

Si algo caracteriza la trayectoria de este chef es su ilusión y perseverancia; la misma que le llevó, tras estudiar en Madrid y Zarauz a asumir el reto de dirigir Akelarre en 1975, restaurante que hoy capitanea con el mismo tesón y entusiasmo que en sus comienzos. Protagonista de la Nueva Cocina Vasca junto a un grupo de colegas, posee tres estrellas Michelín. Innovador e inconformista nato, piensa que cada día que amanece hay que comenzar de cero. Excelencia, innovación y vanguardia definen el estilo de Subijana. Busca la mejor materia prima y su empeño es defender a los productores para que no desaparezcan de las cocinas los principales protagonistas: los productos de excelencia.

Authenticity in constant evolution

If one thing characterises the career of this chef it is his enthusiasm and perseverance – the same qualities which led him, after studying in Madrid and Zarauz, to take on the challenge of heading up Akelarre in 1975, a restaurant which he still leads today with the same tenacity and passion that he held at the beginning. A leading light of Basque Nouvelle Cuisine, together with a group of colleagues, he can boast three Michelin stars. He is a born innovator and nonconformist who believes that one must start each new day from square one. Excellence, innovation and the avant-garde define Subijana's style. He seeks only the finest raw materials and strives to defend producers in order to keep the main stars of today's kitchens – namely, superb products – from vanishing.

Delicatessen

Asesora la gastronomía de Panticosa Resort en el Pirineo aragonés y conjuntamente desarrollan el proyecto de construcción de un hotel de veintiuna habitaciones en los mismos terrenos de Akelarre.

Se ayuda de expertos biólogos, médicos y científicos para seguir evolucionando en su cocina.

En 2003 fue elegido presidente de Euro-Toques Internacional, la Comunidad Europea de cocineros. En la actualidad es Presidente de Euro-Toques España.

Fiel defensor de la formación académica, ha impartido cursos en diversas instituciones europeas y americanas, además de asesorar a empresas vinculadas al sector de la hostelería y la alimentación.

He provides culinary advice to the Panticosa Resort in the Pyrenees of Aragon, and with them is jointly overseing plans for the construction of a 21-room hotel on the premises of Akelarre.

He seeks the advice of biologists, doctors and scientists to ensure the evolution of his cooking.

In 2003 he was elected president of Euro-Toques International, the European Community of Chefs. Currently, he is President of Euro-Toques Spain.

A steadfast defender of academic training, he has taught courses at numerous European and American institutions, in addition to advising companies in the hospitality and food sector.

restaurant
AKELARRE

Tres estrellas Michelín

Pº Padre Orcolaga nº 56 Igueldo. 20008 San Sebastián. Tel: 943311209. www.akelarre.net

Escabeche de ATÚN de almadraba al minuto con pan de piparras

Quick marinated *almadraba* tuna with piparras pepper bread

Ingredientes para 4 personas

- 8 trozos de atún de almadraba de 40 g

Aceite de atún

Ingredientes

- 350 g de morrillos de atún de almadraba en aceite de oliva
- 750 cc de aceite de oliva virgen extra

Elaboración

Colocar los morrillos desmigados junto con el aceite y triturar. Dejar reposar 24 horas y cuando el aceite esté macerado, separarlo de la pulpa y reservar ambos ingredientes por separado.

4 Botes de cristal

Ingredientes

- 200 g de aceite de atún
- 32 cc de vinagre de Jerez reserva
- 4 hojas de laurel
- 12 pimientas negras enteras
- 4 ajetes tiernos

Elaboración

Sazonar y pasar el atún por un poco de su aceite para evitar que se peguen al bote durante la cocción, añadir el vinagre seguido por el ajo tierno, laurel y pimienta, y cubrir con el aceite de morrillos.

Ensalada de lechuga

Ingredientes

- 60 g de hoja de lechuga fresca
- 12 flores de borraja

Elaboración

Picar la lechuga muy fina, lavarla y escurrirla con la ayuda de una estameña. Reservar.

Pan de piparras

Ingredientes

- 6 rebanadas de pan de molde delgadas
- 6 piparras en vinagre

Poner la rebanada de pan a tostar en la salamandra (por un solo lado) para colocarlas sobre las piparras sin semillas cortadas por la mitad.

Crema de atún

Ingredientes

- 100 g de pulpa de atún de almadraba
- 8 cc de agua

Elaboración

Escurrir la pulpa de atún. Calentar en un sauté a 70ºC y añadir el agua para ligarlo.

Presentación

Introducir el aceite caliente a 100ºC en el bote y meterlo al baño María durante 4 minutos a 93ºC. Mientras se cocina, colocar sobre el plato de presentación las piparras y el pan tostado y un poco de la crema de atún templada. Añadir por encima la ensalada de lechugas y las flores de borraja.

Finalmente colocar el bote abierto en el plato, o bien emplatar su contenido.

Pedro
SUBIJANA

Productos andaluces / Andalusian products

Atún de almadraba de Cádiz / *Almadraba* tuna from Cádiz
Morrillos de atún de almadraba en aceite de oliva / *Almadraba* tuna *morrillos* in olive oil
Aceite de oliva de la Sierra de Cádiz / Sierra de Cádiz olive oil
Vinagre de Jerez reserva / Sherry vintage vinegar

Andoni Luis ADÚRIZ

Rentería

Andoni Luis ADÚRIZ

El cocinero prodigioso

Adúriz es un chef complejo que pone la cabeza y el alma en todo lo que hace. Utiliza la técnica y la investigación para construir sueños. Su pasión por analizar todo lo que rodea a la gastronomía ha llevado a Adúriz a estudiar disciplinas que parecen muy alejadas de su campo. Pero no hay que equivocarse; con su cocina busca emocionarnos. Poco amigo de las estridencias, todos sus platos tienen un toque de elegancia, sutileza y originalidad que llega directamente a los sentidos. Premiado con dos estrellas Michelín posee la máxima calificación en la *Guía Campsa.* Asumir retos que nos acerquen a sueños es el lema de su filosofía gastronómica y vital y se nota, sin duda, en sus platos. En el interior de su restaurante Mugaritz, la decoración es perfecta e induce a comer plácida y tranquilamente.

The prodigious chef

Adúriz is a complex chef who pours his head and his soul into everything he does. He uses technique and research to build dreams. His passion for analysing everything involved in gastronomy has led Adúriz to study disciplines which would seem to be very far from his field. But let there be no mistake: with his cooking he seeks to thrill us. Not a great one for stridency, all of his dishes have a touch of elegance, subtlety and originality which goes right to the senses. Recipient of two Michelin stars, he has received top marks from the *Campsa Guide.* Taking risks that bring us closer to dreams is the motto of his philosophy for cooking and life, and there is no doubt that it shows in his dishes. Inside his Mugaritz Restaurant, the decor is perfect and lends itself to calm and relaxed eating.

«El Bulli es para muchos un espacio de investigación pero para mí, fue una escuela en la que aprendí a perseguir sueños.»

«El mundo del Jerez tiene carácter propio, debido a un proceso de elaboración distinto, único en el mundo y que se está empezando a copiar. Este proceso es realmente un privilegio para Andalucía.»

«Es impensable entender la cocina que hacemos sin el aceite de oliva y Andalucía es el mayor productor de aceite del mundo. Es un producto que hemos interiorizado a pesar de no ser nuestro.»

«Solemos trabajar con muchos productos del mar de Andalucía: ortiguillas y otros pescados que aquí nos cuesta encontrar. Allí hay gente del mundo del mar que trata sus productos como si fuesen verdaderas obras de arte y eso es lo que más me interesa.»

'El Bulli is for many a space for research, but for me, it was a school where I learned to pursue dreams.'

'The world of Sherry has its own character due to a different method of production, unique in the world and beginning to be copied. This process is truly a privilege for Andalusia.'

'It is inconceivable to think of the cooking we do without olive oil and Andalusia is the greatest producer of oil in the world. It is a product that we have internalised despite it not being our own.'

'We normally work with a lot of Andalusian products from the sea: sea anemones and other fish that it is difficult for us to find here. There you find people in the fishing world who treat their products as if they were authentic works of art, and that is what most interests me.'

Delicatessen

Adúriz se muestra contrario al individualismo profesional, piensa que hay que abrir las cajas de las esencias a todos y compartir experiencia y conocimiento.

Las hierbas aromáticas juegan en sus platos un importante papel. Para él son como los acentos o las comas de un texto.

Considera que hay que sentarse a la mesa con los cinco sentidos, no dejar al cerebro que encasille sensaciones y sentir antes que pensar.

Juan María Arzak ha dicho de él: «Es increíble, hay que sacarlo de la cocina y ponerlo en un laboratorio para que nos ayude a todos con sus investigaciones. Es el nuevo genio de la Cocina Vasca».

Adúriz is opposed to professional individualism. He believes that it is necessary to open up the boxes of essences to all and share experience and knowledge.

Aromatic herbs play an important role in his dishes. For him they are the accents and commas of a text.

He believes that one must sit down to the table with all five senses, not allowing the brain to pigeonhole sensations and feel before thinking.

Juan María Arzak has said of him: 'He is incredible; we should take him out of the kitchen and put him in a laboratory so that he can help us all with his research. He is the new genius of Basque Cuisine.'

restaurant
MUGARITZ

Dos estrellas Michelín
Premio Nacional de Gastronomía 2002

Otzazulueta baserria. Aldura aldea 20 zk. Errenteria 20100. Guipúzcoa. Tel: 943 522 455. www.mugaritz.com

Lomo asado de lubina con perlas de tapioca, fondo de sardinas y azafrán

Baked sea bass steak with accompained by tapioca pearls cooked in a sardine and saffron base

Ingredientes para 4 personas

Lubina

Ingredientes

- 4 trozos de lubina de 120 g cada uno
- 4 cucharadas soperas de aceite de oliva virgen extra
- 15 g sal fina

Elaboración

Limpiar la lubina retirando las escamas, la cabeza, las aletas y las vísceras. Deslomar el pescado con el máximo cuidado para no dañar ni la carne ni la piel. Sacar de los lomos supremas de 120 g. Es necesario que sean compactos y perfectamente tallados. Marcar en una plancha a 280ºC con una pizca de aceite de oliva virgen extra. Debe de quedar un dorado homogéneo y bien tostado, aunque no en exceso. Agregar la sal fina por el lado de la carne y reservar fuera de la nevera.

Falsas huevas de sardina y azafrán

Ingredientes

- 100 g de sagú
- 5 dl de caldo de pescado
- Hebras de azafrán
- Colorante rojo natural
- 0,3 g concentrado de atún

Elaboración

Llevar el caldo con el colorante rojo natural, el concentrado de atún, azafrán y colorante a hervor. Agregar el sagú. Bajar el fuego de fuerte a moderado y revolver constantemente. Cocinar hasta que quede solo un punto blanco en el centro de cada huevа.

Hojas de tagetes minuta

Ingredientes

- 12 hojas de tagetes minuta
- Desinfectante alimentario

Elaboración

Lavar las hojas de tagetes minuta en una mezcla de agua con desinfectante alimentario en las proporciones indicadas por el fabricante. Pasar nuevamente por agua corriente y reservar en refrigeración entre papel absorbente.

Láminas de tocino ibérico

Ingredientes

- 300 g de tocino de cerdo ibérico
- Agua

Elaboración

El tocino debe ser de la mayor blancura posible con la mínima beta de carne. Desalar el taco de tocino hasta que alcancemos el punto de sal deseado, alrededor de 3 horas. Bien enfriado en refrigerador, sacar el taco de tocino y cortar en finas láminas, de entre 1 y 2 mm. Enfriar en refrigerador entre hojas de papel sulfurizado.

Presentación

En el momento de servir el plato, introducir la lubina en un horno mixto con un 10% de humedad a 80ºC durante 5 minutos. Durante este tiempo, calentar en una salamandra a media intensidad las huevas de sardina y azafrán. En un plato hondo, servir el lomo de lubina asado y, sobre él, las huevas de sardina y azafrán con su jugo. Cubrir con dos láminas de tocino las huevas. Por acción del calor, las láminas se volverán transparentes y presentarán un velo brillante y atractivo. Terminar el plato añadiendo varias hojas de tagetes minuta sobre el conjunto.

Productos andaluces / Andalusian products

Tocino de cerdo ibérico de Huelva / Iberian bacon from Huelva
Aceite de oliva de Estepa (Sevilla) / Estepa (Seville) olive oil

Andoni Luis
ADÚRIZ

Carme

RUSCALLE

Sant Pol de Mar

D A

Carme
RUSCALLEDA

«Me considero una embajadora del Jerez.
Es un producto limpio, elegante… Es como un chanel,
que mejora la calidad del producto que estás cocinando.»

«El jamón andaluz es presencia, es textura, es aroma, es sabor
incomparable… Siempre recuerdas donde has tomado
los mejores jamones. El jamón va directo a tu intelecto.»

«Los quesos andaluces son unos grandes desconocidos,
y los hay realmente impresionantes, con una personalidad
muy especial. Son un producto a defender.»

«Trabajo, ilusión, compromiso y respeto a quien paga
la película y exige, que es el cliente. Cada día le meto
lo mismo a ese potaje para que sea resultón.»

«La historia de la gastronomía es la historia del mundo.»

'I consider myself an ambassador for Sherry.
It is a clean, elegant product. It is like Chanel,
and it improves the quality of what you are cooking.'

'Andalusian cured ham is presence, is texture, is aroma,
is incomparable flavour… You always remember where you
have eaten the best ham. Ham goes straight to your intellect.'

'Andalusian cheeses are the great unknowns. There are some
truly incredible ones, with a very special personality.
They are products which should be supported.'

'Work, excitement, commitment and respect for
the founder of the feast and the one who makes the rules,
the customer. Every day, I put the same things into
this mix to make it an attractive one.'

'Gastronomy's history it's like world's history.'

...Y la creatividad se hizo chef

Con cinco estrellas Michelín en sus dos restaurantes: tres en Sant Pau de Barcelona y dos en Sant Pau de Tokio, es la cocinera más premiada del mundo. Chef autodidacta, lee, observa, cata, experimenta e interpreta, haciendo una nueva lectura de la cocina ya conocida, aunque respetando la esencia de los productos y sus temporadas, como manda la tradición del Mediterráneo. Es natural en una cocinera que ama profundamente a su tierra –tiene una sardana con su nombre– y que ha nacido en el Maresme, paraíso de campos de frutas, legumbres y hortalizas.

...And creativity it's made chef

With five Michelin stars at her two restaurants, three stars at Sant Pau Barcelona and two stars at Sant Pau Tokyo, she is the most recognised cook in the world. A self-taught chef, she reads, observes, samples, experiments and interprets, offering a new reading of already familiar cuisines. She respects the essence of food and its seasons, as mandated by the Mediterranean tradition. This is natural in a cook who has a profound love for her land – a piece of traditional Catalan *sardana* music has been named after her – and who was born in Maresme, a paradise of fruit, legume and vegetable fields.

Delicatessen

Es pionera en introducir en la gastronomía los pétalos de flores.

Llamó «misiva de amor» a un postre dulce, ácido y amargo.

Le encanta recorrer Cataluña en moto con su marido.

Sus libros son una referencia en el mundo gastronómico.

Dice que «todo plato es una receta perfeccionista».

Asegura que la cocina mediterránea es producto del «gusto y la manera de vivir la mesa que heredamos de nuestros antepasados.»

She was a pioneer in including flower petals in cooking.

Her 'missive of love' is a sweet, acidic and bitter dessert.

She loves traveling around Catalonia by motorcycle with her husband.

Her books are a benchmark for the culinary world.

She says that 'every dish is a perfectionist's recipe.'

She says that Mediterranean cuisine is the product of the 'taste andway of experiencing food that we have inherited from our ancestors.'

r e s t a u r a n t
SANT PAU

Tres estrellas Michelín (Sant Pau de Sant Pol de Mar)
Dos estrellas Michelín (Sant Pau de Tokio)

Nou, 10. 08395 Sant Pol de Mar (Barcelona). Tel: 937 600 662. www.santpau.com

Fruta roja y chirimoya andaluza, helado de vainilla pimentada y aire de JEREZ

Red fruits and Andalusian custard apple, peppered vanilla ice cream and Sherry air

Ingredientes para 4 personas

Gelatina de fruta roja

Ingredientes

- 300 ml de TxT (jarabe elaborado con 150 g de agua + 150 g de azúcar)
- 300 g de frutos rojos variados (fresón, frambuesa y arándanos, fresitas, grosella, endrinas,..) cortados en brunoise
- 3 y ½ hojas de gelatina

Elaboración

1. Arrancar hervor al TxT e incorporar las hojas de gelatina remojadas. Unir muy bien.

2. Disponer los frutos rojos en una bandeja, añadir la solución tibia, para no quemar-cocer la fruta. Mezclar para unificar, repartir y dejar cuajar en frío.

3. Cortar en barritas de 5,5 centímetros de largo x 1,5 de ancho.

Fruta blanca (Chirimoya)

Pulpa de una chirimoya al punto óptimo de madurez, sin pepitas. Sacar la carne de la fruta con la ayuda de un «bolero».

Aire de Jerez oloroso

Ingredientes

- 1 g de leticina
- 1 dl de vino Pedro Ximénez

Elaboración

Añadir 1 g de leticina por cada dl de vino Pedro Ximénez, y con la ayuda de una turmix batir para incorporar aire a la mezcla.

Helado de vainilla pimentado

Ingredientes

- 567 g de leche entera
- 172 g de nata
- 42 g de leche en polvo descremada
- 137 g de dextrosa
- 26 g de azúcar invertido
- 50 g de azúcar
- 2 vainas de vainilla abiertas
- 1 g de pimienta negra molida
- 6 g estabilizante (para helados cremosos)

Elaboración

1. Mezclar y calentar todos los ingredientes (menos el estabilizante) hasta la temperatura de 40ºC.

2. Añadir el estabilizante, mezclar muy bien y calentar hasta llegar a los 80ºC. Dejar reposar 4 horas en la cámara de frío.

3. Triturar de nuevo la mezcla y montar el helado en la sorbetera.

> ### Presentación
> En el centro del plato, colocar una barrita de frutos rojos junto a unas bolas de chirimoya. Incorporar una quenelle de helado encima de las chirimoyas. Colocar una cucharada del aire al lado de los frutos rojos.
>
> Optativo, añadir unos pétalos de flores.

Carme
RUSCALLEDA

Productos andaluces / Andalusian products

Chirimoya de la Costa Tropical de Granada-Málaga / Custard apple from
Costa Tropical de Granada-Málaga

Fresón de Huelva / Strawberry from Huelva

Frambuesa de Huelva / Raspberry from Huelva

Vino Pedro Ximénez de Jerez / Pedro Ximénez Sherry wine

Asia

Marinated young pigeons with Sherry gelatine and olives

Zhenxiang DONG   Photography: p. 111

Ingredients for 4 people

- Two 1,200 g young pigeons
- 50 g pomegranate
- 100 g olives
- 30 g spring onions
- 1 leek
- 100 g olives stuffed with red pepper
- 2 dl extra virgin olive oil
- 6 dl Amontillado Sherry wine
- 1 dl Sherry vinegar
- 2 l water
- 15 g salt
- 100 g golden syrup
- 30 g garlic
- 5 g pepper

Cooking method

De-bone the pigeons and prepare a dark broth with them. Sauté the bones with olive oil, half a leek and a spring onion. Cover with 2 l water and boil for two hours. Strain and set aside.

Prepare a marinade with 4 dl broth, 6 dl Sherry wine, 1 dl Sherry vinegar, 30 g garlic, 100 g golden syrup, 15 g salt and 5 g black pepper. Place the pigeons in the marinade and leave in the refrigerator or in a cool place for twelve hours.

Cook the pigeons in the marinade over low heat (less than 70º) for 12 hours. Carefully remove the pigeons, add 5 dl of pigeon broth to the marinade and reduce over high heat until a sauce forms.

Sherry wine gelatine and tofu

Ingredients

- 100 g tofu
- 15 g golden syrup
- 2 leaves gelatine
- 2 dl Amontillado Sherry wine

Cooking method

Dissolve the golden syrup in the Sherry wine over heat and add the mashed tofu and gelatine leaves.

Spread over a flat platter and chill in the refrigerator for two hours.

Once cold, cut the gelatine into small half-centimetre cubes.

Presentation

Place half a pigeon on the plate with the reduced marinade sauce. Add a *bouquet* of mixed greens dressed with olive oil and Sherry vinegar. Top with a few pomegranate seeds, the Sherry gelatine and some olives stuffed with red pepper.

Andalusian ingredients

- Amontillado Sherry wine
- Sherry vinegar
- Sierra Mágina (Jaén) olive oil
- Stuffed olives from Seville
- Golden syrup from Granada

Lobster salad and sweet and sour ribs with Sherry vinegar gelée

Qu HAO   Photography: p. 117

Ingredients for 4 people

- 2 lobsters (500 g each)
- 500 g pork ribs
- 6 g salt
- 50 g sugar

- 80 g Sherry vinegar
- 35 g white wine
- 10 dl extra virgin olive oil
- 10 g ginger
- 10 g onion
- 10 g chlorophyll
- 20 g gelatine

Sweet and sour ribs

Cut the pork ribs into small pieces and sauté in olive oil together with the onion, sugar and ginger. Deglaze with the Sherry vinegar and add 1 l water. Cook over a low heat until completely stewed, approximately 40 minutes. Reserve and cool.

Lobster and gelée

Steam the lobsters in a pot until they are well cooked. Then clean them, cut the lobster's tail meat into 1 cm cubes and set aside.

The legs and less meaty parts of the crustacean will be used to make a thick brunoise.

Cook the gelatine in a pot with the white wine, Sherry vinegar, salt, sugar, chlorophyll and thick lobster brunoise until it forms a gelée. Spread this over a flat platter, cool and set aside. Later, cut the gelée into half-cm cubes.

Presentation

Place the room temperature cubes of lobster and the sweet and sour pork on a bed of mixed greens. Add the cubes of Sherry vinegar gelée at the last moment. The lobster shell can be used to decorate the dish.

Andalusian Products

– Condado de Huelva white wine
– Sherry Vinegar
– Sierra de Segura (Jaén) extra virgin olive oil

Huelva pork *secreto* style sushi with aroma of Pedro Ximénez

By Seiji YAMAMOTO   **Photography: p. 123**

Ingredients for 4 people

- 200 g Iberian pork *secreto* (a specific cut)
- 75 ml Fino wine
- 125 ml Sherry vinegar
- 85 ml Pedro Ximénez
- *Gari* (sweet and sour ginger)
- 50 ml ginger
- 15 ml koikuchi soya sauce
- Cooked rice
- Salt

- *Sanshou* (Japanese pepper)
- *Raw wasabi* (hot Japanese horseradish)
- *Yuzu peel* (Japanese citrus fruit)
- *Katsoubushi* (thin slices of dried tuna)

For the vinaigrette and rice

Ingredients

- 75 m Fino wine
- 35 ml Pedro Ximénez wine
- 75 ml Sherry vinegar
- Rice

Mix the Fino wine, the Pedro Ximénez and Sherry vinegar to make a vinaigrette. Cook the rice al dente and combine 100 g rice per 10 ml sushi vinaigrette. Set aside at room temperature.

For the Gari (pickled ginger)

- 50 g sliced fresh ginger
- 50 ml Sherry vinegar
- 50 ml Pedro Ximénez wine

Peel the ginger root, slice it finely and cook with water and salt. Drain and let cool. Then mix the ginger with the vinegar and Pedro Ximénez wine and marinate overnight.

Separate out a little of this sauce, to be thickened later and used to accompany the sushi.

For the Iberian pork *secreto*

Remove the excess fat and fibres from the *secreto* and put it a vacuum sealed bag. Programme the Roner for 50º and place the meat inside for 15 minutes. Remove the *secreto* from the bag and season with salt and *sanshou* pepper. Charcoal grill the *secreto*. While the meat is grilling, brush with a mixture of sushi vinaigrette and soya sauce.

Presentation

Slice the *secreto* into small pieces and place them on approximately 15 g balls of rice. Add a little *wasabi* to the rice.

Decorate the plate with the thickened *gari* vinaigrette. Lastly, grate some yuzu peel on the plate and add a little *wasabi* and *katsuobushi*.

Andalusian Products

– Sherry vinegar
– Pedro Ximénez Sherry wine
– Montilla-Moriles (Córdoba) Fino wine
– Huelva Iberian pork *secreto*

Fuguetsu-style two-texture tuna with three flavoured sauces

Hiromitsu NOZAKI   Photography: p. 129

Ingredients for 4 people

- 100 g *mojama* (cured and salted tuna)
- 1 tin (110 g) tuna belly
- 1 piece cooked bamboo shoot
- 1 ginger root
- 1 bunch rape flowers (*nanohana*)
- 100 g wakame seaweed
- 8 pieces green shoots (*kinome*)
- 4 pieces of *bofu* (a plant in the *Apiaceae* family)
- 1 dl vinegar
- 1 spoonful ginger juice
- 1 Japanese turnip

Cooking method

1. The vegetables

Cut the bamboo shoot, Japanese turnip and ginger root into 5 mm slices. Later we will cut out different shapes, depending on the cutter we choose.

2. The tuna *mojama*

Clean the *mojama* and slice it into slices 3 mm thick. Leave them to soak for 10 minutes in the vinegar with a small spoonful of ginger juice.

3. Hydrate the wakame seaweed and cut it into 4 cm portions. Cook the rape flower *al dente.*

4. The sauces

Awagoma goromo (sesame tofu)

Kimi Garashi (egg yolk with mustard)

Negi miso (leek miso)

Awagoma goromo (sesame tofu)

Ingredients

- ½ piece tofu
- 1 T sugar
- 100 g sesame paste
- Soy sauce

Cooking method

Wrap half a piece of tofu in a thin cloth and drain it by placing something heavy on top. Run it through a ricer. Mix one tablespoon sugar, 100 g of sesame paste and light soy sauce in a bowl. Add the tofu purée to the mixture and stir until the texture is homogenous.

Kimi Garashi (egg yolk with mustard)

Ingredients

- 3 egg yolks
- 1 T sugar
- 1 T vinegar
- ½ spoonful soy sauce
- Japanese mustard

Cooking method

Combine three egg yolks, one tablespoon sugar, one tablespoon vinegar and half a spoonful light soy sauce in a bowl. Heat the mixture in a bain-marie stirring constantly to prevent from curdling. Once the sauce has taken on some texture, remove it from the bain-marie and add half a spoonful of Japanese mustard. Serve at room temperature.

Negi miso (leek *miso*)

Ingredients

- 100 g white *miso*
- 1 T mirinn (rice wine)
- 1 T sake
- 1 egg yolk
- 1 white leek

Cooking method

Put 100 g white *miso*, one tablespoon mirinn, another of sake, one egg yolk and one white leek into a pot and cook over low heat. Liquidise and allow to cool. Grind the green leaves of the leek and add them to the *miso* mixture once it has cooled, giving it a greenish colour.

Presentation

Place the vegetable figures on a plate, interspersing the pieces of ginger, turnip and bamboo with the portions of *mojama.* Add the wakame, the *kinome* shoots, and the *bofu* and rape flower, together with the tuna belly. Include three small receptacles with the different sauces.

Andalusian Products

- Cádiz *mojama* (cured and salted tuna)
- Cádiz tuna belly
- Condado de Huelva vinegar

Latin América

Causas Limeñas Andalusian style

Gastón ACURIO   Photography: p. 137

Purple potato *causa* with pickled Cádiz chub mackerel

Ingredients for 4 people

Causa

Ingredients

- ½ kg purple potatoes, cooked and mashed
- 100 g yellow chilli paste
- 1 lemon
- ¼ cup olive oil
- Salt

Pickle

Ingredients

- 1 tin chub mackerel fillet
- 120 g red onion, cut into thick julienne slices
- 1 yellow chilli, julienned
- 20 g ají panca chilli paste
- 15 g roast garlic paste
- 50 ml olive oil
- 1 T Sherry vinegar
- ½ cup vegetable stock
- Pepper
- Cumin
- Oregano
- 4 quail eggs
- 4 black olives

Cooking method

Causa

Mix the mashed potato, yellow chilli, lemon and oil in a bowl. Season with salt and combine all the ingredients until they form a homogenous mixture.

Pickle

Heat the olive oil in a frying pan, add the onion and yellow chilli and sauté over high heat for 30 seconds. Remove from heat and set aside. In the same frying pan, add oil, the panca chilli paste and the garlic paste. Brown for a few minutes, pour in the vinegar and stock, season with salt, pepper, cumin and oregano, add the cooked onion and ají chilli and cook over low heat for three minutes. Salt to taste, remove from heat and allow to cool.

Presentation

Make quenelles of the *causa* mixture and place the chub mackerel fillets on top. Cover the *causa* with pickle and adorn with quail eggs, olives and more olive oil.

Yellow potato *causa* with Cádiz frigate mackerel belly and rocoto chilli *huancaína*

Ingredients for 4 people

- 1 jar *almadraba* frigate mackerel belly in olive oil

Causa

Ingredients

- ½ k yellow potatoes, cooked and mashed
- 100 g yellow ají chilli paste
- ¼ cup olive oil
- 1 lemon
- Salt

Rocoto chilli *huancaína*

Ingredients

- 1 rocoto chilli (from southern Peru), seeded and veined
- 100 g fresh cheese
- 50 ml olive oil
- Salt

Cooking method

Causa

Mix the potato, yellow ají chilli paste, lemon and olive oil in a bowl. Season with salt. Combine the ingredients until they are blended.

Rocoto chilli *huancaína*

Finely chop the rocoto chilli and place it in a mortar. Add the cheese and oil. Grind until the sauce is slightly curdled. Season with salt and set aside.

Presentation

Make small volcanoes of the causa mixture and place the frigate mackerel belly on top. Cover the causa with the rocoto chilli *huancaína* sauce and adorn with coriander oil.

Rocoto chilli *huamantaga causa* with tuna belly and creole sauce

Ingredients for 4 people

- 1 jar tuna belly in olive oil

Causa

Ingredients

- ½ k *huamantaga* potatoes, cooked and mashed
- 100 g rocoto chilli paste
- 50 ml olive oil
- 1 lemon
- Salt

Creole sauce

Ingredients

- 50 g red onion, julienned
- 1 limo chilli, julienned
- Coriander leaves
- 1 lemon

Cooking method

Causa

Mix the mashed potato, rocoto chilli paste, lemon and olive oil in a bowl. Season with salt. Combine all the ingredients until they are blended and smooth.

Creole sauce

Put all the ingredients in a bowl and season with salt and lemon juice. Mix well and set aside.

Presentation

Make volcanoes of the causa mixture and place the tuna belly on top. Cover with creole sauce.

Yamaymilla potato *causa* with broad bean tartare in olive oil

Ingredients for 4 people

Causa

Ingredients

- ½ k yanaymilla potatoes, cooked and mashed
- ¼ cup olive oil
- 1 lemon
- Salt

Tartare

Ingredients

- ½ tin baby broad beans in olive oil
- ½ cup mayonnaise
- 2 T chopped onion
- 1 t chopped parsley
- Salt

Cooking method

Causas

Mix the mashed potato, lemon and Sierra Mágina olive oil in a bowl. Combine all the ingredients until they form a slightly creamy, smooth mixture.

Tartare

Place the broad beans, onion, chopped parsley and mayonnaise in a bowl. Mix well and set aside.

Presentation

Make small volcanoes of the causa mixture and fill with the baby broad bean tartare.

Presenting a selection of *causas*

Place a selection of causas on a large platter and adorn with fresh herbs, coriander oil and julienned chillis.

Andalusian products

- Frigate mackerel belly in olive oil
- Chub mackerel fillet in olive oil
- Tuna belly from Cádiz
- Sherry vinegar
- Olives from Seville
- Córdoba baby broad beans
- Priego de Córdoba olive oil
- Antequera (Málaga) olive oil
- Sierra de Cádiz olive oil
- Sierra Mágina (Jaén) olive oil

Tuna sealed in olive oil with Andes quinoa and Trévelez cured ham crisp

Guillermo RODRÍGUEZ   Photography: p. 143

Ingredients for 4 people

- 750 g *almadraba* tuna
- 60 cc extra virgin olive oil
- 200 g quinoa
- 2 thin slices of Iberian bacon
- ¼ onion, chopped
- 6 dl poultry stock
- 1 clove garlic
- 1 bouquet aromatic herbs (thyme, parsley, rosemary, etc.)
- 60 cc puréed yellow pepper
- 60 g cooked peas
- 15 g courgettes
- 15 g carrots

- 4 fresh basil leaves
- Dry Manzanilla Sherry wine
- 1 pressed tuna roe
- Juice from one lemon
- White pepper
- Salt

Vegetable bouquet in Iberian cured ham crisp

- 3 slices cured ham
- 50 g celery, julienned
- 100 g asparagus
- 10 g watercress
- 10 g pea sprouts
- Extra virgin olive oil
- Salt and pepper

Cooking method

1. Cut the tuna into rectangular pieces, approximately 60 g each. Marinate in lemon juice, salt and pepper.

Brush the tuna filets with extra virgin olive oil and sear them on both sides on a hot griddle, taking care that the inside remains red. Set aside.

2. Quinoa

In a bowl, rinse the quinoa several times until the water runs clear, without foam. Allow it to drain for some time.

After heating the extra virgin olive oil in a pot, sauté the onion, clove of garlic and strips of bacon.

Once the ingredients have been sautéed, add the quinoa and sauté. Next, add the Manzanilla Sherry dry wine and allow it to reduce for a few seconds. Finally, add the poultry stock and the herb bouquet.

Salt and pepper to taste, and cook over low heat for approximately 25 minutes. Remove the clove of garlic, bacon and herbs. Sauté the vegetables in olive oil, in a separate pan.

Add the vegetables to the quinoa and blend everything together with the puréed pepper and freshly chopped basil.

3. Vegetable bouquet in cured ham crisp

Cut the cured ham into thin strips and slowly dry in an oven set to about 70º for 5 minutes.

Create a bouquet out of the vegetables, wrapping them in the sliced cured ham. Season the bouquet with salt, pepper and extra virgin olive oil.

4. Basil olive oil

Blanche the basil leaves for 5 seconds in boiling water. Chill in ice water, drain, and blend with 30 cc of olive oil. Salt and pepper to taste.

Presentation

On a bed of Andean quinoa, place two pieces of tuna. Warm up the vegetable bouquet wrapped in ham and place it one the plate.

Garnish with the thinly sliced tuna roe and sprinkle with the basil olive oil.

Andalusian products used

– *Almadraba* (trap-net) tuna (Cádiz)
– Poniente de Granada olive oil
– Iberian bacon from Huelva
– Manzanilla Sherry dry wine from Sanlúcar de Barrameda
– Pressed tuna roe
– Trévelez cured ham (Granada)
– Campiñas de Jaén extra virgin olive oil

Sirloin steak with smoked potatoes mash and powdered Trévelez cured ham

Fernando TROCCA   Photography: p. 149

Ingredients for 4 people

- 800 g pork sirloin
- 500 g boiled potatoes
- 100 g seasoned green and black olives
- 4 green asparagus
- 100 g cured ham
- 1 cup olive oil
- ½ t golden syrup
- 3 t Sherry vinegar
- 1 t grated lemon peel
- Pinch of nutmeg

Fresh herb *chimichurri* sauce

- 60 g chopped parsley
- 10 g white onion, finely diced
- 10 g red morrón pepper, finely diced
- 10 g blend of fresh herbs (spring onion, thyme, rosemary, etc.), well chopped
- 1 clove garlic, chopped

Cooking method

1. Mash: smoke the raw potatoes for 15 minutes and then boil them in abundant salted water until they are thoroughly cooked. Run the potatoes through a sieve and add hot milk, butter and a pinch of nutmeg. Whip them until they are the consistency of a very light purée.

2. Olives: combine the two types of olive with 3 teaspoons olive oil, half a teaspoon golden syrup and one teaspoon grated lemon peel.

3. Powdered ham: chop the Iberian cured ham and dry it until it makes a powder.

4. *Chimichurri* sauce: finely dice the parsley, garlic, herbs, onion and red morrón pepper. Add the olive oil, Sherry vinegar, salt and pepper.

5. Pork: sauté the pork sirloin in extra virgin olive oil until brown on both sides. Finish by baking in the oven. Cut the meat into approximately 5 cm filets.

Presentation

Lay out three filets of hot pork sirloin and season with chimichurri sauce. Then add a quenelle of smoked potato mash with powdered ham. Fry some green asparagus chips in olive oil and place them on top of the olive relish.

Andalusian products

- Cured ham from Trévelez (Granada)
- Montes de Granada olive oil
- Sherry vinegar
- Seasoned Seville green and black olives
- Golden Syrup from Granada

Brazil nut cheese with *oloroso* and Málaga raisin soup

Álex ATALA   Photography: p. 155

Ingredients for 6/8 people

- 1.75 k Brazil nuts
- 400 ml filtered water
- 20 g sugar
- 100 g Moscatel raisins
- 300 ml oloroso wine
- 10 cc extra virgin olive oil
- Rosemary shoots

Cooking method

1. Brazil nut cheese

Eight days are required to ferment the Brazil nut cheese.

Day 1

Grate 1 k Brazil nuts with a grater (Microplane). Blend the grated Brazil nuts with 250 ml filtered water, creating a homogenous paste. Set aside in a cloth-covered container at room temperature for two days.

Day 3

Grate 250 g Brazil nuts with a grater (Microplane). Blend the grated nuts with 150 ml filtered water and 20 g sugar, creating a homogenous paste. Mix together with the paste from Day 1. Set the mixture aside in a cloth-covered container at room temperature for another two days.

Day 5

Grate 500 g of Brazil nuts with a grater (Microplane). Mix together with the paste from Day 3. Set aside in a cloth-covered container at room temperature for another three days.

Day 8

Blend in a Thermomix at 50º for 20 minutes until the mixture has a cheesey texture. Put the mixture in a container and cover it with water, making sure the water does not penetrate the paste. This is done to keep the cheese from entering into contact with the air.

Chill for two days at a temperature below 6°. After this time, the cheese is ready to eat.

2. Oloroso wine and raisin soup

Heat the oloroso wine to 50º Add the raisins to the Sherry for 40 minutes so that they can soak up the liquid. Remove the raisins and, after allowing them to cool, carefully remove the seeds.

Reduce the oloroso wine over low heat until it has the consistency of syrup. Remove from the heat, allowing it to cool, and immediately add the raisins to the syrup.

Presentation

Place a portion of cheese in the bottom of a soup dish. Add raisins and pour in a bit of oloroso soup.

Finally, garnish with rosemary shoots and a few drops of extra virgin olive oil.

Serve cold.

Andalusian products

- Málaga Moscatel raisins
- Montilla-Moriles (Córdoba) oloroso sherry
- Jaén Sierra Sur extra virgin olive oil

Sea bass toastette in *ceviche* with avocado ice cream

Enrique OLVERA   Photography: p. 161

Ingredients for 4 people

For the *ceviche*

- 250 g sea bass, cut into small cubes
- 10 g green olives
- 50 g red onion, julienned
- 2 g green chilli, finely diced

Vinaigrette

- Extra virgin olive oil
- Sherry vinegar
- Sherry brandy

For the ice cream

- 552 g avocado
- 1 dl lemon juice

Tortilla powder

- 2 toasted tortillas
- 150 g corn flour

Herbs

- Pápalo quelite
- Pápalo pipicha
- Turnip flower
- Coriander sprouts
- Foetid goosefoot sprouts

Cooking method

1. Tortilla powder

Grind the tortilla into a fine powder and mix with the toasted flour.

2. Sherry vinaigrette

Emulsify a mixture of Sherry vinegar and extra virgin olive oil at a ratio of 1:4. Season the vinaigrette with salt and pepper and add a small amount of Sherry brandy.

3. *Ceviche*

Mix the finely julienned onion, chilli and olives with the previously prepared vinaigrette. Soak the sea bass cubes in this mixture for a few minutes.

4. Avocado ice cream

Crush the ingredients – avocado and lemon, freeze and whip.

Presentation

Lay out the tortilla powder in the plate as a base and place the well-drained sea bass *ceviche* on top. Lastly, put the avocado ice cream in the centre of the *ceviche* and decorate with herbs.

Andalusian products

- Campiñas de Jaén olive oil
- Sherry vinegar
- Sherry brandy
- Green olives from Seville

United States

Almond panna cotta with Andalusian caviar, razor-shells and squid ink crisp

Gabriel KREUTHER   Photography: p. 169

Ingredients for 6/8 people

- 100 g caviar

Panna Cotta

- 75 g almond flour
- 2.5 dl cream
- 2.5 dl milk
- 4 g (2 ½ sheets) moistened gelatine
- 2 T almond extract
- 150 g yoghurt
- Salt and pepper

Razor-shells

- 1 k razor-shells
- 1 bunch fresh thyme
- 1 shallot, chopped
- 1 T extra virgin olive oil
- 1 glass of Fino Sherry wine

Emulsion

- Juice of 5 oranges
- 16 cl razor-shell broth reduction
- 12 cl extra virgin olive oil
- Razor-shells, cut
- Juice of 1 lemon
- Baby basil (heart of celery leaves can be substituted)
- Salt and pepper

Garnish

- 125 g sushi rice
- 125 ml water
- 1 T squid ink
- Salt

Cooking method

Panna cotta

Boil the milk and cream in a medium-sized saucepan and then add the almond flour. Stir the mixture well until it has a uniform consistency. Add the almond extract, yoghurt and moistened sheets of gelatine. Season to taste with salt and pepper and let cool to room temperature. Pour the mixture into four small moulds or ramequins, cover with cling film and chill in the refrigerator for at least four hours or overnight.

Razor-shells and emulsion

In a medium-sized saucepan sauté the chopped shallot in olive oil. Add the washed razor-shells and sauté for a couple minutes. Pour in the Fino Sherry wine, cover and cook for four minutes, stirring occasionally. Transfer to a metal tray, using it as a colander, and allow to cool. Pour the cooking liquid back into the pan through a fine sieve. Reduce by half over heat, then set the liquid aside and allow to cool. Remove the razor-shells from their shells, clean them and cut them crossways into 1.5 cm pieces. Set aside.

Pour orange juice into a medium-sized saucepan and reduce by half over medium heat. Remove from heat and allow to cool. When cool, add the juice of the razor-shells, lemon juice and olive oil and season with salt and pepper. Taste to be sure the emulsion is not too sweet and add lemon juice if necessary. When the emulsion is ready, add the pieces of razor-shell.

Squid ink crisp

Put the rice, water and salt in a thick-bottomed saucepan, cover and bring to a boil. Lower the temperature and boil over low heat until the rice is overcooked, approximately 25-30 minutes. Remove from heat, add the squid ink and mix well with a spatula and crush some rice grains. Spread a thin layer of rice on a baking sheet covered with a Silpat and bake at 40° until completely dry. Remove the crisp from the Silpat and divide it into rectangles the size of the palm of a hand. Fry them in a deep fryer at 105°-120°, enough for them to puff up. Remove them from the oil and place them on absorbent paper to remove the excess oil. Season with salt.

Presentation

Dip the base of each panna cotta mould in a bowl of hot water for 10-15 seconds to separate it. Gently turn the panna cotta out into the centre of a shallow bowl. Add 2 or 3 spoonfuls of the orange emulsion and place the razor-shells around it. Place a quenelle of caviar on top of the panna cotta. The squid ink crisp can be placed on one side of the dish and sprinkled with baby basil or celery leaves.

Andalusian products

– Caviar from Granada
– Priego de Córdoba olive oil
– Fino Sherry wine

Scarlet shrimp, Andalusian caviar with cream of roasted garlic and Guadalquivir biscuit

Gabino SOTELINO   Photography: p. 175

Ingredients for 4 people
Marinated biscuit

- 16 scarlet shrimp
- 120 g caviar
- Extra virgin olive oil
- 2 lemons

- Arugula sprouts and daisy petals
- 1 bunch chives
- Parsley oil

Cream of roasted garlic with Sherry vinegar

- 4 cloves garlic
- 1 egg yolk
- 150 cc olive oil
- 1 T Sherry vinegar
- Sweet paprika
- Salt and pepper

Black olive biscuits

- Black olives
- 4 sheets of phyllo dough

Cooking method

1. Peel the shrimp and freeze the tails until they reach a temperature of 0°.

2. Once frozen, use a sashimi knife to cut the scarlet shrimp tails into extremely thin slices. Extend the slices on a cold plate in a fan shape.

3. Lemon dressing

Separate the lemons into sections without membranes. Cut each section into small pieces and mix with 50 cc of lemon juice and 150 cc olive oil. Season with salt and pepper.

4. Cream of roasted garlic with sherry vinegar

Slowly cook the cloves of garlic in olive oil heated to 80° for 1 hour. Cool to room temperature. Next, mash the olives together with the oil.

Beat the egg yolk with a whisk, adding one tablespoon of Sherry vinegar and ½ teaspoon sweet paprika.

Add the olive oil gradually to create a homogenous emulsion of all ingredients. Salt and pepper to taste.

5. Black olive biscuit

Blend the olives with a mixer until smooth and creamy in texture. Next, brush the olive mixture onto rectangles of phyllo dough. Roll the dough up and bake at 120° for 10 minutes.

Presentation

Dress the scarlet shrimp. Place a quenelle of 30 g of caviar in the centre of the plate. Decorate by drizzling a line of parsley oil around the shrimp and then garnish with the arugula sprouts and daisy petals seasoned with the lemon dressing.

The dish should be served with the biscuits and the roasted garlic and Sherry vinegar sauce.

Andalusian Products

– Scarlet shrimp from Isla Cristina, Huelva
– Caviar from Granada
– Estepa (Seville) extra virgin olive oil

- Montoro Adamuz (Córdoba) extra virgen olive oil
- Sherry vinegar
- Black olives from the Guadalquivir Seville

Swordfish with Iberian cured ham and clam vinaigrette

Michelle BERNSTEIN   Photography: p. 181

Ingredients for 4 people

- 12 fillets (60 g each) swordfish
- 12 slices Iberian cured ham
- 7 T extra virgin olive oil
- 2 shallots
- 1 clove garlic
- 24 fresh clams
- 2.3 dl Fino Sherry wine
- 1 T Sherry vinegar
- ¼ t dried chilli pepper
- 1 cup chicken stock
- 2 T parsley
- 1 T basil

Cooking method

1. Vinaigrette

In a medium saucepan, sauté the shallots and garlic in extra virgin olive oil for 3 or 4 minutes until lightly browned.

Add the clams and Fino Sherry wine, reducing for 4 minutes. When the clams begin to open, remove them. Add the dried chilli pepper and chicken broth and reduce for 3 more minutes. Finally, add the vinegar.

Blend the reduction together with 3 tablespoons extra virgin olive oil until emulsified.

2. Swordfish

Wrap the swordfish fillets in the slices of cured Iberian ham. Fry in olive oil until the fish and ham are browned.

Presentation

Heat the shelled clams in the vinaigrette. Season with parsley and basil and serve with the fish.

Andalusian Products

- Cured Iberian ham
- Antequera (Málaga) extra virgin olive oil
- Sierra de Segura (Jaén) extra virgin olive oil
- Fino sherry wine
- Sherry vinegar

Europe

Lacquered asparagus with smoked salmon and Granada caviar

Yannick ALLÉNO   Photography: p. 189

Ingredients for 4 people

- 12 asparagus
- 250 g smoked salmon
- 40 g caviar
- 2 radishes
- ½ bunch chervil
- 4 bunches chives
- 1 lemon
- 1 orange
- 1 l cream
- 3 g agar-agar
- 3 sheets gelatine
- 5 cl extra virgin olive oil

Blinis

- 60 cc milk
- 60 cc liquid cream
- 50 g flour
- 1 egg yolk
- 6 g yeast
- 2 egg whites

Cooking method

1. Asparagus

Peel the bottom third of the asparagus and cook in boiling water. Chill and dry with a cloth. Set aside.

2. In a saucepan, combine the salmon, liquid cream and juice from half an orange and half a lemon. Bring to a boil and remove from the heat. Let sit for 30 minutes. Next, blend the salmon cream and process it with a food mill. To bind the salmon cream, use 3 g of agar-agar and 3 sheets of gelatine.

Cover the asparagus completely with the salmon cream, leaving the tip visible, and let cool.

3. *Blinis*

Mix all of the ingredients in a bowl and let sit for a few minutes. Put a few drops of extra virgin olive oil in a hot frying pan and, with the help of a coffe spoon, pour the *blinis* dough into the pan. Set the blinis aside.

Presentation

Place three asparagus on each plate. On top of these, place the *blinis* with the caviar. Decorate the *blinis* with thinly sliced chives, radishes and chervil.

Andalusian Products

- Caviar from Granada
- Estepa (Seville) extra virgin olive oil

April roll and black oil

Alain DUTOURNIER   Photography: p. 195

Ingredients for 4 people

- 4 sheets rice paper wrapper (soaked in water)
- 12 long-stemmed capers
- 200 g acorn-fed Iberian cured ham, sliced very thinly
- 30 g salted almonds, split lengthwise
- 1 small romaine lettuce heart
- 150 g black olive confit
- 2 RAF tomatoes
- Extra virgin olive oil
- 1 red pepper
- 100 g fresh sheep cheese (white)
- Sugar
- Ground black pepper
- Oregano
- Salt

Cooking method

Pit the olives and dry slowly in the oven (2 hours at 75º).

Peel and remove the pips from the RAF tomatoes, obtaining 4 large pieces. Season with salt and pepper, dust with sugar and oregano and drizzle with olive oil.

Peel the red pepper, cut it into 4 pieces, remove the seeds and season in the same way as the tomatoes on a baking sheet covered with non-stick paper. Roast everything at 130º for one hour.

Grate the dehydrated olives and emulsify with 50 ml of olive oil to obtain a velvety texture which is deep black in colour when cold, what the chef calls 'black oil'.

Cooking method for the rolls

Lay the sheets of rice paper wrapper out on a damp cloth. Top with slices of acorn-fed cured ham. Next cover with tomato, lettuce heart cut lengthwise and sprinkled with olive oil, salt and freshly ground black pepper, sticks of the fresh cheese and the pepper strips.

Presentation

Tightly roll the sheets of rice paper wrapper around the contents. Even out the edges and cut each roll at an angle, dividing it into three pieces.

Put them on a plate. Place a caper on each and accompany with a generous splash of 'black oil' and several salted almonds.

Andalusian Products

- Iberian cured ham from Huelva
- RAF tomatoes from Almería
- Estepa (Seville) extra virgin olive oil
- Black olives from Seville

Sea bass *meunière* with walnut caramel and whipped Sherry butter

Anne-Sophie PIC   Photography: p. 201

Ingredients for 4 people

- 4 170 g portions sea bass
- 4 red onions
- 4 white onions
- 2 endives
- 1 shallot
- 3 dl liquid cream
- 140 g sugar
- 25 g glucose
- 400 g walnuts
- ½ l beef stock
- ¼ l Fino Sherry wine
- 300 g sweet butter
- 200 g salted butter
- Extra virgin olive oil
- Salt and pepper

Cooking method

Peel the onions and cut them into one-centimetre slices using a mandoline or slicer. Season with salt and pepper and cook in papillote with a little sweet butter in a 180º oven for 15 minutes. Pile the onions, alternating layers of white onion with red onion. Make one small and one large pile per person.

Make a caramel with the sugar and glucose in a copper pot and add the walnuts, chopped and toasted. Set aside.

Cut the endives into thin sticks. Slice the shallot and fry over low heat in sweet butter. Add the Fino Sherry wine and reduce by half. Add the cream, reduce by half again and whip the mixture with sweet butter. Add salt and pepper to taste and set aside the whipped butter.

Sauté the endives in the extra virgin olive oil, add a little beef stock and cook for 2 minutes. Then thicken the mixture with a little whipped butter.

Brown the sea bass on both sides, and then cook at 48º until done.

Presentation

Cover the onions with beef stock and butter and season with salt and pepper. Place the onions on a plate and cover them again, this time with the walnut caramel. Add the endives and top with the whipped butter. Lastly, place the sea bass next to the endives.

Andalusian Products

– Sierra de Segura (Jaén) extra virgin olive oil
– Fino Sherry wine

Roast duck with Andalusian *torta* biscuit, spiced Sherry wine and Seville mandarin orange marmalade

POURCEL Brothers   Photography: p. 207

Ingredients for 4 people

- 3 tender duck fillets
- 3 olive oil *torta* biscuit
- 50 g butter

Aubergine jam

- 4 aubergines
- 100 g mushrooms
- 1 slice Iberian cured ham
- 1 dl liquid cream
- 2 shallots, split
- 30 g parmesan cheese
- 30 g black olives
- 3 T bread crumbs from sliced bread
- Extra virgin olive oil
- Salt and pepper

Mandarin marmalade

- 3 mandarin oranges
- 1 T mandarin marmalade
- 1 T extra virgin olive oil

Herb oil

- ½ bunch coriander
- ½ bunch parsley
- 1 dl extra virgin olive oil

Spiced wine

- 1 l red wine
- ½ l Pedro Ximénez wine
- 30 g sugar
- 1 cinnamon stick
- 1 T peppercorns (blend of Sichuan and Penja)
- 1 t coriander seed

- 5 star anises
- 1 dl vinegar
- Juice of 2 oranges
- 0.5 dl extra virgin olive oil

Cooking method

1. Crush the olive oil *torta* biscuit and mix with the butter at room temperature. Refrigerate.

2. Aubergine jam: cut the aubergines in half and roast with extra virgin olive oil and salt for one hour at 170º. Then remove the flesh with a spoon and cut with a knife.

3. Fry the ham and shallots over low heat in olive oil. Add the mushrooms, followed by the liquid cream. Reduce and add the aubergine, cooking until the mixture has the consistency of compote. Lastly, add the parmesan cheese, breadcrumbs and olives. Season with salt and pepper. Pour the jam into baking tins and sprinkle with parmesan cheese and breadcrumbs. Bake 10 minutes at 170º before serving.

4. Mandarin marmalade

Remove the peel from the mandarins using a knife and scald three times. Drain, chill and slice. Save the mandarin segments for later, when serving, combine the peel, marmalade and half of the fresh segments. Add one spoonful lukewarm water and olive oil.

5. Herb oil: scald the coriander and parsley in salted boiling water. Chill and drain. Grind with 10 dl olive oil, a little water and salt. Set aside.

6. Spiced wine: combine all the ingredients and reduce to syrup. Process with a food mill and add the olive oil. Reserve at room temperature.

7. Grill the duck fillets on the skin side over low heat. Finish by baking in a pre-heated oven at 170º for 4-6 minutes, depending on the thickness of the pieces. Remove the meat from the oven and allow to rest. Lacquer the duck skin with mandarin marmalade and caramelise under the grill. Then place the olive oil *torta* biscuit crisp on top and brown.

Presentation

Divide the fillets in two and place the aubergine jam, mandarin marmalade and duck on a plate and finish with the different sauces. Adorn with vegetable chips and chard sprouts.

Andalusian products

– Los Pedroches (Córdoba) Iberian cured ham
– Baena (Córdoba) extra virgin olive oil
– Pedro Ximénez Sherry wine
– Sierras de Málaga red wine
– Condado de Huelva vinegar
– Andalusian olive oil *torta* biscuit
– Mandarin marmalade from Seville
– Black olive from Guadalquivir (Seville)

Cod with salted tuna and Iberian accent

Lèa LINSTER   Photography: p. 213

Ingredients for 4 people

- 8 T extra virgin olive oil
- 500 g cod fillet, with skin
- 1 Iberian *chorizo* sausage
- 100 g *mojama* (cured and salted tuna)
- 50 g caviar
- 100 g tuna roe
- 250 g haricot beans
- 2 carrots
- 8 cuttlefish, 20 g each
- 2 tomatoes
- 1 bay leaf
- 1 leek
- 1 onion
- 1 clove of garlic
- Parsley
- Black peppercorns
- Salt

Cooking method

Soak the beans overnight.

Put the drained beans, diced carrot, diced tomato, clove of garlic, whole leek and finely chopped onion, bay leaf, 4 peppercorns and salt in a medium saucepan with 1 ½ l of water. Add 4 tablespoons of olive oil and simmer gently for about 2 hours.

Once the beans are cooked, remove the bay leaf, the garlic and the leek. Take water 100 cc from the pot of beans and blend the water together with 1/3 of the boiled leak, the garlic and 2 tablespoons of beans, creating a smooth purée. Add the purée to the stewed beans along with the chopped parsley.

Next, in a very hot frying pan with olive oil, sauté the cuttlefish. Set aside.

Cut the *chorizo* sausage into thin slices. Lightly sauté in a hot frying pan. Set aside.

Cut the cod into four pieces and fry, skin side down, in a frying pan with extra virgin olive oil until crispy. Next, bake at 180º for 4 min.

Presentation

Pour a bit of the bean soup into the soup dish, placing a piece of hot cod on top. Add the cuttlefish, which should be cut in half, and some warm slices of *chorizo*.

Place a quenelle of caviar and a few thin slices of *mojama* and *almadraba* tuna roe on top of the cod.

Garnish with a dash of extra virgin olive oil and aromatic herbs.

Andalusian products

- Sierra de Cazorla (Jaén) extra virgin olive oil.
- Iberian *chorizo* sausage from Huelva
- *Mojama* (cured and salted tuna) from Cadiz
- Granada caviar
- Tuna roe from Barbate (Cádiz)

Barbate *mojama* with watercress sprouts and Iberian air

Peter GOOSSENS   Photography: p. 219

Ingredients for 4 people

- 12 slices *mojama* (cured and salted tuna)
- 24 cockles
- 240 g hops stems (washed)
- 8 raw almonds
- 1 lemon
- 200 g Iberian *chorizo* sausage
- 150 g Iberian cured ham
- 80 g watercress coulis
- Extra virgin olive oil
- 16 Goa watercress sprouts
- 4 red Sakura watercress sprouts
- 25 g Malto (tapioca powder)
- 6 g lecithin
- Salt, pepper and nutmeg

Cooking method

Slice the *mojama* very thinly and dress with the extra virgin olive oil. Rinse the cockles twice and steam for 3 minutes. Remove the cockles from their shells.

Rinse the hops sprouts and boil until al dente. Then fry them in a little butter. Season with salt, pepper, and nutmeg.

Peel the almonds and divide them in half.

Rinse half a lemon crystallised in salt and very finely julienne its peel.

Iberian air

Make a consommé of Iberian cured ham and *chorizo* sausage (200 cc). Add 6 g lecithin and blend in a mixer until an air is obtained.

Crumble

Leave four thin slices of *chorizo* sausage (some 50 g) to dry and then grind them. Mix with 25 g malto (tapioca powder) and bake at 160º. Grind this paste into a powder and sieve.

Watercress coulis

Remove the watercress stems, boil the leaves and cool in ice water. Remove and grind very finely in a Thermomix. To finish, add a little cream.

Presentation

Place the hops sprouts and almonds on a bed of the watercress coulis and the oil used to dress the *mojama*. Intersperse with the cockles, slices of *mojama*, fresh watercress sprouts (Goa and Sakura) and the julienned lemon. Finish by adding the Iberian air and *chorizo* crumble.

Andalusian Products

– *Mojama* (cured and salted tuna) from Barbate (Cádiz)
– Iberian *chorizo* sausage from Huelva
– Iberian cured ham from Huelva
– Sierra de Cazorla (Jaén) extra virgin olive oil

Monochrome swordfish and olive oil lollipop

Sang HOON   Photography: p. 225

Ingredients for 4 people

- 200 g swordfish steak
- 16 medium-sized clams
- Extra virgin olive oil
- Sherry vinegar
- 100 g rice
- Fino wine

Cooking method

Soak the clams with one tablespoon salt and another of flour. Mix and leave for one hour. Rinse the clams with tap water and open them in a large pot over high heat. Remove the molluscs and set aside the strained broth from cooking.

Stewed clams

Ingredients

- 1 T shallots, chopped
- 1 dl Fino wine
- 2 T extra virgin olive oil
- ½ clove garlic, chopped
- ½ T flour

Cooking method

Sauté the shallots and chopped garlic in the olive oil and add the flour. Next, deglaze with the white wine and a little of the juice from the clams. Add the clean molluscs and remove from heat.

Ink topping

Ingredients

- 1 dl Fino wine
- 1 dl clam juice
- 8 g cuttlefish ink
- 4 T extra virgin olive oil
- 2.3 g carrageenan

Cooking method

Fry the chopped shallots over low heat in the oil, add the white wine and bring to a boil. Add the clam juice and cuttlefish ink. Filter, add the carrageenan and heat the mixture to 70º.

The swordfish

Divide the swordfish steak into four equal parts and place in the ink, covering them completely. Put the steaks on an oven tray, cover it with clingfilm and put in a steam oven. Cook at 80º for 15 minutes.

The risotto

- 100 g rice
- 4 T extra virgin olive oil
- 1 T shallots, chopped
- 1 t coriander, chopped finely
- 1 T tomatoes, finely diced
- 5 cl Fino wine
- 2 dl poultry stock

Cooking method

Wash the rice to remove the starch. Fry the chopped shallots and tomato in the olive oil over low heat, add the rice and sauté. Add the white wine, allowing it to become absorbed. Then add the poultry stock and cook over low heat for 15 minutes, stirring often to cook evenly. Remove, cover and let sit for 5 minutes. Then add the coriander.

Olive oil lollipop

Ingredients for 1 l sorbet

- 4 dl extra virgin olive oil
- 400 dl neutral mineral water
- 100 g S2 fine sugar
- 20 g sheets gelatine
- 50 cc lemon juice

Heat the mineral water with the sugar and lemon juice to 40º. Dissolve the moistened and drained sheets of gelatine. Let cool and add the oil. Emulsify the oil and water mixture with a mixer until it has the consistency and appearance of muslin. Place in the freezer in a Pacojet ice cream bowl.

Sugar paper

Ingredients

- 100 g fondant
- 50 g glucose
- 50 g isomalt

Heat the sugars to 162º. When they reach this temperature, reduce to 100º so they can be worked.

Sherry vinegar reduction

Ingredients

- 1 dl Sherry vinegar
- 25 g glucose

Mix and reduce 2/3. Set aside at room temperature.

Presentation of the swordfish and risotto with stewed clams

Mix the risotto with the stewed clams, place on one side of the plate and cover with a garnish of aromatics: mashua nasturtium flower, atsina (aromatic herb), cut green shiso leaves or similar. Next, add the swordfish. Serve the dish accompanied by an olive oil lollipop.

Presentation of the lollipop

Process the sorbet using the Pacojet. With an ice cream scoop, make spheres 2-3 cm in diameter and insert a lollipop stick into each one. Reserve in the freezer.

Work the sugar paper into a thin sheet. Cut out circles with a 3 cm diameter cutter.

Using a squeeze bottle with a small opening, draw a spiral of reduced vinegar around them. Cover the ball of sorbet with a circle of sugar paper and repeat the operation twice more (a total of three), giving it a thin, crunchy covering.

Serve immediately.

Andalusian Products

- Baena (Córdoba) extra virgin olive oil
- Estepa (Seville) extra virgin olive oil
- Sherry vinegar
- Rice from the Guadalquivir marshes (Seville)
- Fino wine from Montilla-Moriles (Córdoba)

Cod poached in olive oil with broad beans and Sherry vinegar mousse

Claus-Peter LUMPP   Photography: p. 231

Ingredients for 4 people

- 4 cod filets, 80 g each
- ¼ l olive oil for poaching
- 30 g peeled potatoes
- 1 clove of garlic
- 20 g shallots, cubed
- 50 g carrots
- 20 g celery
- 500 ml poultry stock
- 150 ml olive oil for frying and sautéing
- 200 g broad beans, shelled and peeled
- 5 slices dried tomatoes
- 10 halves toasted black olives
- 60 ml Sherry vinegar
- 0.75 g agar-agar
- 0.4 g lecithin
- 1 sprig rosemary
- 1 sprig thyme
- Chervil
- Salt and pepper

Cooking method

The broad beans

Lightly fry the beans, half the shallots and coarsely chopped garlic in olive oil. Season with salt and pepper. Add a bit poultry stock and reduce until the mixture is creamy in texture.

Oil Sauce

Over low heat, fry the potatoes, the rest of the shallots, the carrots and the celery in 50 ml olive oil until golden brown. Remove the vegetables from the oil and combine with the stock. Bring to a boil. Next, let everything sit for 30 minutes until the vegetables are soft. Blend together and strain, add salt and pepper. Finally, mix in the olive oil with the mixer.

Sherry vinegar gelatine

Mix the Sherry vinegar with the agar-agar and bring to a boil. Quickly pour into a container (10x10 cm) and allow to cool.

Cut into thin slices, garnish with the dried tomatoes and olives, and cover with chervil.

Sherry vinegar mousse

With a mixer, blend together 60 ml poultry stock, 20 ml Sherry vinegar and 0.4 g lecithin.

Cod

Season the cod fillets with salt and pepper. Place in a small frying pan and cover with olive oil. Add a sprig of thyme and a sprig of rosemary. Carefully heat the frying pan (the temperature of the olive oil should not go above 50º) and poach the cod fillets at a temperature of 40º.

Presentation

Pour the oil sauce in the centre of the dish and evenly spread out the broad beans.

Place the poached cod fillets in the centre of the dish and top with the Sherry vinegar gelatine.

Finally, spread the Sherry vinegar mousse among the beans and olives.

Andalusian Products

– Poniente de Granada olive oil

– Montes de Granada olive oil

– Sherry vinegar

– Tomatoes from Almería

– Black olives from Seville

Olive soup with olive oil ice cream and Iberian *chorizo* sausage biscuit

Thomas KELLERMANN   Photography: p. 237

Ingredients for 5/8 people

Olive Soup

Ingredients

• 3 shallots, peeled and julienned

• 2 cloves garlic, peeled and sliced

• 1 sprig thyme

• 1 sprig rosemary

• 300 g butter

• 300 g pitted green olives

• 7 dl poultry broth

• Ground white pepper

• Salt

Cooking method

Sauté the shallots and garlic in 50 g frothy butter. Add the spices, aromatic herbs and olives and cover with the poultry broth. Boil over a low heat for 15 minutes, blend in 250 g butter and run through a fine sieve.

Olive oil ice cream

Ingredients

• 7.5 dl extra virgin olive oil

Cooking method

Pour the olive oil into a Pacojet glass and freeze for 12 hours at 20º. Run it through the Pacojet machine.

***Chorizo* sausage biscuit**
Ingredients

• 125 g flour

• 125 g butter

• 125 g parmesan cheese

• 1 egg

• 90 g crumbled *chorizo* sausage

• Bitter orange marmalade

Cooking method

Mix the flour, butter, crumbled *chorizo*, parmesan and egg and chill for one hour. Spread a thin layer of this dough between two sheets of baking paper and then freeze. When the dough is frozen, cut into 10x0.5 cm biscuits.

Place the biscuits on baking paper and bake at 170º for 7-8 minutes until brown. Cool and spread with bitter orange marmalade and sprinkle with roast *chorizo*.

Presentation

Place the soup in a warm dish. Make balls of olive oil ice cream and place them in the soup. Serve immediately so that the ice cream does not melt. Garnish the soup with the *chorizo* biscuit and sprinkle with crumbled roast *chorizo*.

Andalusian Products

– Montoro Adamuz (Córdoba) extra virgin olive oil

– Pitted green olives from Seville

– Iberian *chorizo* sausage from Huelva

– Bitter orange marmalade from Seville

The Andalusian

Pierre GAGNAIRE   Photography: p. 243

Ingredients for 6 people

Cold cucumber soup

• 2 cucumbers

• 20 cl milk

• 2 sheets gelatine

• 1 dash extra virgin olive oil

• 1 dash Amontillado vintage wine

• A few drops of Sherry vinegar

• Salt and pepper

Accompaniments

• 250 g marinated *almadraba* tuna

• 20 g *mojama* (cured and salted tuna)

• 20 g *almadraba* tuna roe

• 30 g Iberian cured ham

• 1 thin slice (40 g) cheese

• 50 g watermelon

• 50 g mango

• 1 bunch arugula

• 6 slices white turnip, steamed

All ingredients should be cut into thin slices

Cooking method

Cold cucumber soup

Cut 2 cucumbers into small cubes and add a bit of salt. Let sit for three hours until they release most of their liquid. Rinse and blend with a mixer while adding 20 cl of boiling milk with salt, pepper and 2 sheets of gelatine, extra virgin olive oil, vinegar and Amontillado wine.

Strain through a sieve and set aside in the refrigerator.

Presentation

In a dish, lay down a bed of arugula and top with the sliced *mojama*, tuna roe, marinated *almadraba* tuna, Iberian cured ham, turnip, mango, watermelon and a thin slice of cheese. Sprinkle with drops of olive oil and carefully add the cold cucumber soup.

Sprinkle a few drops of the soused fish (the marinated *almadraba* tuna) on top of the cold soup.

This preparation can be accompanied with thin slices of oven-dried crunchy bread.

Andalusian products

- Antequera (Málaga) extra virgin olive oil
- Montilla-Moriles (Córdoba) Amontillado vintage wine
- Sherry vinegar
- Marinated *almadraba* tuna from Barbate (Cádiz)
- *Mojama* (cured and salted tuna) from Cádiz
- *Almadraba* tuna roe from Tarifa (Cádiz)
- Huelva Iberian cured ham
- Cheese from Sierra de Aracena and Picos de Aroche (Huelva)

Spain

Motril Norway lobster salad, RAF tomato and olive oil popcorn

Dani GARCÍA   Photography: p. 251

Ingredients for 4 people

Motril Norway lobster

Ingredients

- 4 Norway lobster
- Maldon salt

Cooking method

Peel the lobster and set aside. Use a mill to extract the juice from the heads. Cook the lobster on the bottom only to leave it half raw. Season with Maldon salt and add a little of the juice from the head.

Tomato water

Ingredients

- 1 k RAF tomatoes
- 5 g basil
- 5 g salt
- 2 g sugar

Cooking method

Crush the tomatoes, basil, salt and sugar together. When everything is well crushed, place a piece of worsted over a container and add the crushed mixture little by little. The result will be transparent water with all the flavour of the RAF tomato.

Tomato gelatine

Ingredients

- ¼ l RAF tomato water
- 0.2 g agar-agar

Cooking method

Heat ¼ l tomato water. When it comes to a boil, add the agar-agar. Boil for about 15 seconds and place the tomato water in the base of the plate. Chill in the refrigerator.

Crudités

Ingredients

- 4 asparagus tips cooked *al dente*
- Ruby red chard
- Rocket
- Mustard

- Pips of 4 RAF tomatoes
- 4 mangetouts
- 20 g Iberian cured ham
- 100 g broad beans
- 5 cc manzanilla olive juice

Cooking method

Cut the ham into thin slices and cook over low heat in Baena extra virgin olive oil until a little crispy. Remove and set aside. Peel the broad beans and set aside. Also set aside the *al dente* asparagus tips and the other ingredients

RAF tomato and olive oil popcorn

Ingredients

- ¼ l RAF tomato water
- ¼ l extra virgin olive oil
- 1 sheet gelatine
- Liquid nitrogen
- 5 g salt
- 1 siphon bottle
- 2 gas cartridges

Cooking method

Heat 125 cc of tomato water, add the leaf of gelatine and dilute. Remove from heat, mix with the remaining water and cool. Add the olive oil and salt and emulsify. Put the mixture into the siphon bottle and insert the gas cartridges. Project the emulsion onto the liquid nitrogen and pieces of popcorn will form. Carefully remove and place in a cooling unit.

Presentation

Place the tomato pips on the gelatine, followed by the finely cut vegetables, leaves and ham, broad beans and lobster. Add Maldon salt and finish with the RAF tomato and olive oil popcorn.

Andalusian Products

- Motril (Granada) lobster
- RAF tomatoes from Almería
- Huelva Iberian cured ham
- Granada asparagus
- Córdoba broad beans
- Manzanilla olives from Seville
- Baena (Córdoba) extra virgin olive oil
- Estepa (Seville) extra virgin olive oil

Conil redbanded sea bream confit with lemon-roasted Mediterranean octopus, caramelized spring onions and citrus nuances

Celia JIMÉNEZ   **Photography: p. 257**

Ingredients for 4 people

- 1 redbanded sea bream
- 1 medium-size octopus
- 200 ml extra virgin olive oil
- 2 onions
- 2 RAF tomatoes
- 3 cloves garlic
- 4 lemons
- 2 bay leaves
- 2 large spring onions
- 500 ml extra virgin olive oil
- Sherry vinegar
- Flake salt and seaweed
- Lemon-scented thyme leaves
- Sugar
- Salt

Cooking method

Clean the sea bream, removing the scales, fins, entrails and head. Remove the fillets and set aside.

Clean the octopus in plenty of water, removing any traces of dirt or sand. After cleaning, drain and place on an oven tray with the crushed garlic, quartered tomatoes, chopped tomatoes and lemons, cut in half and peeled.

Add the oil and bay leaves and roast at 200° for 90 minutes. Remove when the octopus is tender, setting aside the juices from cooking, which will be drained using a superbag and reduced. Cut the octopus into thick slices and set aside.

Cut the spring onions in half and wrap them in aluminium foil with a few drops of oil, salt and sugar. Cook at 160° until they begin to caramelise. Remove from the aluminium foil and set aside.

Finely dice the lemon peel, scald and cool in ice water. Next, prepare vinaigrette with lemon, Sherry vinegar and olive oil.

Next, brown the sea bream in a non-stick pan. Finish by cooking in a bath of olive oil for 4 minutes at 67°.

Heat the spring onions and octopus in a salamander stove.

Presentation

Put the reduced juices with lemon in a soup plate and top with the spring onions and octopus. Place the fish next to these and finish decorating with the lemon vinaigrette, bay leaves, flake salt and seaweed.

Andalusian Products

- Conil (Cádiz) redbanded sea bream
- Motril (Granada) octopus
- Priego de Córdoba extra virgin olive oil
- Antequera (Málaga) extra virgin olive oil
- RAF tomatoes from Almería
- Sherry vinegar

Golden cheese nest

Kisko GARCÍA   Photography: p. 263

Ingredients for 4 people

Cheese sphere

- 160 g goat cheese
- 40 cc extra virgin olive oil
- 40 g double cream
- Salt

Strawberry compote

- ½ k puréed strawberries
- 3 g agar-agar

Golden glaze

- ½ litre mineral water
- 30 g agar-agar
- 15 g gold powder

Cooking method

1. Cheese sphere

Put the cheese in the Thermomix and heat at 40º for three minutes. Add the cream and gradually add the olive oil, processing until the mixture is well-blended, with a smooth, creamy texture. Add salt.

Prepare half-sphere silicone moulds. Fill the moulds with the cheese cream and put them in the freezer for a short time. Remove from the freezer, allowing them to warm, and then stick the half-spheres together, creating perfect spheres. Set aside in the refrigerator.

2. Golden glaze

Heat the mineral water to 70º. Add the agar-agar and gold powder. Mix until the mixture is well-blended.

Next, dip the cheese balls in the mixture and allow them to dry in the refrigerator.

3. Strawberry compote

Cook ½ k strawberries. Once cooked, mash the strawberries and process with a food mill. Add the agar-agar. Set aside.

Presentation

Using a candy floss machine, create a sugar nest. Top with a bed of cubes of spiced gingerbread and a golden sphere.

Finally, brush the plate with the strawberry compote.

Andalusian products

- Málaga goat cheese
- Montoro Adamuz (Córdoba) extra virgin olive oil
- Huelva strawberries

Sanlúcar king prawns baked in sand over olive stones, infusion of clarified Barbate *mojama* and marine torrefaction

Ángel LEÓN   Photography: p. 269

Ingredients for 4 people

- 400 g fresh tuna

For the prawns

Ingredients

- 4 kings prawns
- 300 g sea sand
- 100 g sea lettuce
- 20 g powdered albumin
- 40 cl sea water

Cooking method

Place the sand in the Thermomix together with the sea water and lettuce, which has been soaked in water. When the texture is similar to a bread soup, add the 20 g albumin.

Cover the body of the king prawns with a layer of sea sand processed in the Thermomix, leaving the legs out. Cook over olive stone embers for seven minutes, just enough time for the albumin to have an effect and for the prawn to emerge cleanly from the sand.

For the mojama infusion

Ingredients

- 1 l mineral water
- 100 g combo seaweed
- 400 g *mojama* (cured and salted tuna)
- 100 g white fermented soya
- 100 g red fermented soya

Cooking method

Infuse the combo seaweed for 15 minutes in cold mineral water and remove. Then in the same water, infuse the mojama at about 70º.

Remove after 15 minutes and chill. Next, add a spoonful of red and white fermented soya. Add salt to taste and heat. Do not boil; the proper temperature is between 80º and 90º. Lastly, filter this stock in a Clarimax and set aside.

For the marine torrefaction

Ingredients

- 30 g fennel
- 25 g green apple peel
- 40 g organic almonds
- 40 g pine nuts
- 40 g cashew nuts
- 20 g orange peel
- 20 g lemon peel
- 10 g codium (seaweed)
- 2 or 3 T olive oil

Cooking method

Place the ingredients on a baking sheet and roast at 160º for around 7 minutes. Once they have been torrefacted (they are golden brown), place them in a Thermomix and emulsify with 2-3 tablespoons very smooth extra virgin olive oil, creating a sort of praline with sweet, bitter, salty and marine nuances.

Presentation

Place finely chopped almonds, cashew nuts, pine nuts, green apple and fresh tuna in the centre of a plate. Peel the prawns and serve them on a bed of praline together with the *mojama* infusion.

Andalusian products

- Sanlúcar kings prawns
- Barbate (Cádiz) *mojama* (cured and salted tuna)
- Málaga almonds
- Málaga pine nuts
- Seville orange peel
- Málaga lemon peel
- Sierra de Cazorla (Jaén) olive oil
- *Almadraba* fresh tuna

Olive oil rice with Atlantic lobster

Paco RONCERO   Photography: p. 275

Ingredients for 4 people

- 1 lobster

Paella broth

- 50 ml extra virgin olive oil
- 100 g fish trimmings
- 100 g crab
- 50 g onion
- 10 g parsley
- 5 g peeled garlic
- 1 g saffron
- 1 g sweet paprika
- 20 g red tomatoes
- 2.5 dl water

Rice water

- 5 dl water
- 20 g rice

Methylcellulose base

- 80 ml water
- 2 g methylcellulose

Rice tears

- 50 g methylcellulose base (prepared earlier)
- Extra virgin olive oil
- 1 dl water from boiling rice
- 1 g saffron
- 2 g salt

Vegetables

- 20 g peeled peas
- 60 g cauliflower
- 80 g roasted red pepper
- 100 g lemons

Puffed rice

- 50 g puffed rice
- 400 cc water

Lemon flavour

- 100 g lemon juice
- 100 cc water
- 3 g soy lecithin

Cooking method

1. Submerge the lobster in water and boil for 1 minute. Next, chill the lobster in water, ice and salt (30 g per litre). Remove the shell, cut the lobster meat into slices and set aside. Extract the lobster roe from the head and process with a food mill.

2. Paella broth

In a paella pan with olive oil, sauté the crabs, fish trimmings and lobster parts. Remove these ingredients and, using the same oil, lightly fry the garlic, paprika, parsley and tomato. Add the crabs and fish and cover with water. Next add the saffron and cook on low heat. Strain the broth.

3. Rice water

Boil the rice and salt in the broth for 30 minutes on low heat. Strain and let cool, reserving the liquid.

4. Methylcellulose base

Blend the methylcellulose with the water until the mixture has the texture of a gummy paste. Refrigerate for at least 24 hours.

5. Rice tears

Mix the liquid used for boiling the rice and the methylcellulose base. Emulsify with extra virgin olive oil and add saffron. Put the mixture into a syringe and allow drops to fall into the hot paella broth, drop by drop, slowly creating the oil rice. Keep hot until finished.

6. Vegetables

Scald the cauliflower sprouts in water with salt and chill in ice water. Store in the refrigerator.

7. Puffed rice

Boil the rice until it is overcooked. Strain, rinse with cold water and strain again. Spread the rice out on baking paper and let dry for 24 hours at room temperature.

8. Lemon flavour

Using a mixer, blend all of the ingredients together until the soy lecithin has dissolved. Store in the refrigerator.

Presentation

Lightly fry the lobster and add the oil rice. Salt to taste and gradually add the paella broth.

Lightly fry the vegetables and mix them into the paella. Add a tablespoon of lemon flavour and, finally, add the puffed rice.

Andalusian products

– Sierra Mágina (Jaén) extra virgin olive oil
– Red tomato from Almería
– Atlantic lobster
– Antequera (Málaga) extra virgin olive oil

Quick marinated *almadraba* tuna with piparras pepper bread

Pedro SUBIJANA   Photography: p. 281

Ingredients for 4 people

• 8 pieces of *almadraba* tuna, 40 g each

For the tuna oil

• 350 g *almadraba* tuna '*morrillos*' in olive oil
• 750 cc extra virgin olive oil

For 4 jars

• 200 g tuna oil
• 32 cc Sherry vintage vinegar
• 4 bay leaves
• 12 black peppercorns
• 4 garlic shoots

For the lettuce salad

• 60 g fresh lettuce leaves
• 12 borage blossoms

For the piparras pepper bread

• 6 thin slices of bread
• 6 piparras peppers in vinegar

For the tuna cream

• 100 g *almadraba* tuna pulp
• 8 cc water

Cooking method

1. Tuna oil

Combine the tuna '*morrillos*' and the olive oil and process. Let sit for 24 hours. When the oil is macerated, separate it from the pulp. Reserve both ingredients separately.

2. Glass jars

Season the tuna and coat it with a bit of tuna oil to keep it from sticking to the side of the jar when cooking. Add the vinegar and then the garlic shoots, bay leaves and peppercorns. Cover with the tuna '*morrillos*' oil.

3. Tuna cream

Drain the tuna pulp. Heat in a sauté pan to 70°, add the water and blend together.

4. Lettuce salad

Finely chop the lettuce, rinse and drain using cheesecloth. Set aside.

5. Piparras pepper bread

Use a salamander grill to toast the sliced bread on one side only. Place halved and seeded peppers on one half of each bread slice.

Presentation

Pour hot oil at a temperature of 100° into the jar and cook for 4 minutes at 93° in a bain-marie. While this is cooking, place a piparras pepper sandwich on the plate with a bit of warm tuna cream. Top with the lettuce salad and borage blossoms.
Finally, place the open jar on the plate.

Andalusian Products

– *Almadraba* tuna from Cadiz
– *Almadraba* tuna '*morrillos*' in olive oil
– Sierra de Cadiz extra virgin olive oil
– Sherry vintage vinegar

Baked sea bass steak accompanied by tapioca pearls cooked in a sardine and saffron base

Andoni ADÚRIZ   Photography: p. 287

Ingredients for 4 people

Sea bass

- 4 pieces (120 g each) sea bass
- 4 T extra virgin olive oil
- 15 g table salt

Cooking method

Clean the sea bass, removing the scales, head, fins and entrails. Remove the spine with the utmost care so as not to damage the meat or the skin. Cut out 120 g chunks. These must be compact pieces. Once they have been perfectly shaped, cook them on a 280º grill with a touch of extra virgin olive oil. They should be an even golden brown colour, but not overly so. Add table salt on the meat side. Set aside, but not in the refrigerator.

Faux sardine roe and saffron

- 100 g sago
- 5 dl fish stock
- ¼ g saffron threads
- ¼ g natural red food colouring
- 0.3 g tuna purée

Cooking method

Bring the stock to a boil with the natural red food colouring, the tuna purée and saffron. Add the sago. Lower the heat from high to medium and stir constantly. Cook until there is only a single white dot in the centre of each pearl.

Marigold leaves

- 12 marigold leaves
- Food disinfectant

Cooking method

Wash the marigold leaves in a mixture of water and food disinfectant in the proportions indicated by the manufacturer. Rinse in running water and refrigerate between sheets of absorbent paper.

Sliced Iberian bacon

- 300 g Iberian bacon
- Water

Cooking method

The pork fat should be as white as possible, with few veins of meat. De-salt the piece of fat until it has the desired amount of salt, around three hours. After thoroughly chilling in the refrigerator, remove the piece of pork fat and cut into thin slices, 1-2 mm thick. Chill in the refrigerator between sheets of sulphurised paper.

Presentation

When ready to serve, put the sea bass in a combination oven with 10% humidity at 80º for five minutes. Meanwhile, heat the sardine roe and saffron in a salamander stove at medium heat. In a soup dish, serve the baked sea bass topped with the sardine roe and saffron with its juice. Cover the roe with two slices of pork fat. The heat will make the slices transparent and give it an attractive, shiny gloss. Finish the dish by adding several marigold leaves.

Andalusian Products

- Huelva Iberian bacon
- Estepa (Seville) extra virgen olive oil

Red fruits and Andalusian custard apple, peppered vanilla ice cream and Sherry air

Carme RUSCALLEDA   Photography: p. 293

Ingredients for 4 people

Red fruit gelatine

Ingredients

- 300 ml TxT (syrup made from 150 g water+150 g sugar)
- 300 g mixed red fruits (large strawberries, raspberries, bilberries, small strawberries, currants, sloe berries, etc.), finely diced
- 3 ½ sheets gelatine

Cooking method

1. Boil the TxT and add the moistened gelatine sheets. Mix well.

2. Place the red fruits on a tray, add the mixture when it is lukewarm in order not to burn or cook the fruit. Mix to distribute evenly and spread. Leave in a cold place to set.

3. Cut into 5.5 x 1.5 centimetre bars.

White fruit (custard apple)

The flesh of one perfectly ripe custard apple, seeded. Remove the flesh using a melon baller.

Fragrant Sherry air

Ingredients

- 1 g lecithin
- 1 dl Pedro Ximénez wine

Cooking method

Add 1 g lecithin for every dl Sherry. Mix in a blender to incorporate air into the mixture.

Peppered vanilla ice cream

Ingredients

- 567 g whole milk
- 172 g cream
- 42 g skimmed powdered milk
- 137 g dextrose
- 26 g inverted sugar
- 50 g sugar
- 2 open vanilla pods
- 1 g ground black pepper
- 6 g stabiliser (for creamy ice creams)

Cooking method

Mix and heat all ingredients (except the stabiliser) to a temperature of 40º.

Add the stabiliser, mix well and heat to 80º. Leave in cold storage for four hours.

Blend the mixture again and whip in an ice cream maker.

Presentation

Place one red fruit bar in the centre of a plate. Place the custard apple balls next to the bar, occupying the same parallel space. Add a quenelle of ice cream on top of the custard apple. Place a tablespoonful of Sherry air next to the red fruits.

Optional, add some flower petals.

Andalusian products

- Huelva large strawberry
- Huelva raspberry
- Costa Tropical Granada-Málaga custard apple
- Pedro Ximénez Sherry wine

ÍNDICE / INDEX